www.tredition.de

M. El-Attar

Am Anfang war das Wort, am Anfang war das Arabische.

Nachhall der babylonischen Sprache

www.tredition.de

© 2019 M. El-Attar

Verlag und Druck: tredition GmbH, Halenreie 40-44, 22359 Hamburg

ISBN
Paperback: 978-3-7497-2166-5
Hardcover: 978-3-7497-2167-2
e-Book: 978-3-7497-2168-9

Die Wege des Himmels seien für mich bereitet!
Eindringen will dort, anbeten Osiris,
den Herrn des ewigen Lebens.
(Ägyptisches Totenbuch)

Inhaltsverzeichnis

Einführung

Während der Prophet Mohammed in der Höhle unterhalb des Berg Hira nach einsamer Meditation einschlief, erschien ihm im Traum ein Engel, der ihm eine Schriftrolle reichte und ihn aufforderte, diese zu lesen. Doch der angehende Prophet konnte das Geschriebene nicht entziffern. Wütend drückte ihm der Engel die Rolle auf die Brust und verlangte erneut mit Nachdruck von ihm diese zu lesen. Aus Furcht vor weiteren Repressalien fragte Mohammed, was er denn lesen solle. Darauf erwiderte der Engel:

»Lies, bei deinem Herrn, dem Glorreichsten, der da gelehrt den Gebrauch der Feder und so da lehret den Menschen, was er nicht gewusst hat.« (96. Sure, 4-6)

In der darauffolgenden Zeit musste Mohammed beschwerliche und schmerzhafte Prüfungen erdulden, um sich allmählich an die ihm mündlich übermittelten fremdartigen Offenbarungen zu gewöhnen und diese zu »rezitieren«.
Fast zwei Jahrtausende zuvor stoßen wir bei Moses auf eine verblüffende Analogie:

»Und als der HERR mit Mose in Ägyptenland redete, sprach er zu ihm: Ich bin der HERR; sage dem Pharao, dem König von Ägypten, alles, was ich mit dir rede.« (2. Mose 6, 28-29)
Genau wie Mohammed fällt es Moses ebenfalls offensichtlich schwer, die göttlichen Botschaften wörtlich wiederzugeben, *»und er antwortete vor dem HERRN: Siehe, ich bin ungeschickt zum Reden; wie wird denn der Pharao auf mich hören.«* (2. Mose 6, 30)

Auch eine Geschichte um den babylonischen König Belsazar hat offenkundig den gleichen Hintergrund.
Während der König ein rauschendes Fest feierte, erschien eine geisterhafte Schrift auf der Wand, die kein Weiser von Babel deuten konnte.

Nur der eingekerkerte Prophet Daniel, »*in welchem der Geist der heiligen Götter ist*«, konnte die unbekannte Schrift – *Mene, mene, tekel upharsin* – deuten.

Lässt sich aus derartigen Überlieferungen der Schluss ziehen, dass die Menschheit einst einerlei Zunge hatte, so wie es in den biblischen Texten behauptet wird, eine Ursprache, die mit der babylonischen Katastrophe letztlich in eine Sprachverwirrung mündete?

Andererseits: Ist es überhaupt vorstellbar, dass Adams Nachkommen, wohin auch immer sie zerstreut wurden, die göttliche Sprache abrupt verlernt haben, mittels derer sich einst ihr Stammvater mit Gott »verständigte«, oder haben wir es hier mit einer frommen Legende zu tun?

Wer allerdings in den Urtexten stöbert, der stößt hin und wieder auf so manche aufschlussreiche Aussage.

So wird der sumerische Held Gilgamesch einst dafür gerühmt, »*Kunde von vor der Sintflut*« gebracht zu haben.

Gut zwei Jahrtausende später lässt der assyrische König Assurbanipal stolz verkünden, jene schwer verständlichen sumerischen und akkadischen Tafeln, die aus der Zeit vor der Sintflut stammen, entziffern und lesen zu können.

Wenn wir diesen Überlieferungen Glauben schenken wollen, würde dies besagen, dass es im Altertum offenbar einen bestimmten Personenkreis gegeben hat, der imstande war, die einstige göttliche Ursprache zu deuten.

Auch die Tatsache, dass der Engel dem Propheten Mohammed die göttlichen Worte in einer für ihn kaum auszusprechenden bzw. zu verstehenden Sprache vorträgt, ist ein weiteres Indiz für den Fortbestand der vorsintflutlichen Sprache.

Adams Sprache scheint also doch die babylonische Sprachverwirrung in irgendeiner Form überlebt zu haben.

Womöglich auch bis zu unserem Tage?

Erstes Kapitel
Der Turm zu Babel
Mythos oder Wirklichkeit?

Babylon.

Kaum ein Name hat zu allen Epochen die Fantasie der Menschen so nachhaltig beflügelt und kaum eine Stadt wurde mit so vielen Mythen und Legenden umrankt wie Babylon.

Von Propheten verteufelt und dem Untergang geweiht, blieb die Stadt dennoch in der Erinnerung der Menschen als Symbol einstiger kultureller Superlative.

Innerhalb ihrer imposanten Mauern soll der erste Aufstand gegen den Himmel geschmiedet worden sein, mit der Folge, dass der zornige HERR ihre Bewohner in alle Winde verstreut hat.

Somit dürfte dieser Mythos die Anfänge der Diaspora markieren.

Wenige Jahrhunderte reichten danach aus, um die in der Fremde heranwachsenden Generationen von ihrer einstigen Heimat und der gemeinsamen Herkunft zu entwurzeln.

Die Weichen für die dunkelsten Kapitel der Menschheit wurden somit gestellt, ein unrühmlicher Werdegang, der bis zum heutigen Tage nicht abgeschlossen zu sein scheint.

Kultur, die dem Menschen eine zivilisierte Lebensweise ebnen soll, artet im Namen des Glaubens in nie endende Zerfleischungsorgien und barbarische Vernichtung der jeweils bestehenden Ordnungen und von Andersdenkenden aus.

Von nun an wird stets die Größe eines Herrschers vorrangig an seiner Grausamkeit und Zerstörungswut gemessen; die Menschheit wird zu einer Geisel verblendeter und blutrünstiger Fanatiker.

Aus jenen dunklen Epochen tritt uns Babylon mit einer erdrückenden Erblast entgegen, die sich im Laufe der geschichtlichen Epochen in den Köpfen der Menschen fest verankert hat, dass der

Name Babylon schlechthin als Synonym für Sitten- und Gottlosigkeit gilt.

Babylon, die Mutter und der Ausgangspunkt des menschlichen Traumas?

Dieses Vermächtnis wird wohl weiter Bestand haben, solange es nicht durch triftige Gründe widerlegt wird.

Dabei spielte bisher der Umstand keine Rolle, dass das Überlieferte, woraus wir primär unser vernichtendes Urteil über diese Stadt ableiten, in erster Linie die Wahrheit jenes Vollstreckers ist, der sie hinrichtete.

Das, was uns die Babylonier selbst über ihre eigene Geschichte zu sagen hätten, wurde einfach überschrieben.

Ist es also ein aussichtsloses Unterfangen, die Wahrheit wieder zu finden?

Wer Geschichte verfälscht, der manipuliert wohl in erster Linie die dazugehörige Wahrheit, kann diese jedoch dessen ungeachtet gewiss nicht gänzlich aus dem Überlieferten auslöschen.

Die Wahrheit keimt in den Erzählungen beharrlich weiter.

So stellen wir in diesem Zusammenhang ein eigenartiges Verhaltensmuster fest, das vornehmlich bei religiösen Überlieferungen vorkommt.

Die Patriarchen Geschichte ist ein Beispiel dafür.

Obwohl die Erzählungen des 1. Buch Mose zu einem viel späteren Zeitpunkt entstanden sind als demjenigen, von dem sie berichten, so finden wir dort so manches, was spätere Geschlechter nicht so geschrieben hätten, wenn sie sich nicht verpflichtet gefühlt hätten, die Vergangenheit so darzulegen, wie sie ihnen überliefert wurde.

So werden in den biblischen Texten niemals die Patriarchen als die Herren des Landes geschildert, sondern stets als Fremdlinge.

Hätte man die eigene Vergangenheit verherrlichen wollen, dann hätte man diesen Schilderungen ganz andere Eigentumsverhältnisse zugrunde legen können.

Das Gleiche gilt auch für die übliche Bezeichnung für Gott, näm-

lich El, die hartnäckig mit den Patriarchen in Verbindung gebracht wird und mitunter einen Beigeschmack des Heidentums
vermittelt.

Es finden sich also bestimmte Hauptinhalte in den Überlieferungen, deren Aussagekraft die späteren Verfasser nicht anzutasten
wagten, selbst dann nicht, wenn deren Beibehaltung unverständlich erschien oder sogar im Widerspruch zur eigenen Weltanschauung stand.

Das heißt, egal, wie sehr man sich befleißigte, die eigene Geschichte zu glorifizieren oder die der anderen für sich zu verein-
nahmen, am Ende blieb dennoch der charakteristische Kern erhalten, der die Entstehung der Legende begründete, worauf die
Handlungen letztlich erwuchsen.

Dies trifft zum Glück auch auf den biblischen Mythos um Babel
zu.

Obwohl die biblischen Erzählungen bisher nahezu erschöpfend
in unterschiedlichste Richtungen durchforstet wurden, so scheinen sie dennoch in ihren spärlichen Texten immer noch eine
höchst erstaunliche Überraschung für die Nachwelt bewahrt zu
haben.

Von der einst vielleicht mächtigsten Stadt der Antike existiert
heute lediglich ein ausgedehntes Ruinenfeld am Euphrat, circa 90
Kilometer südlich von Bagdad.

Der Name Babylon stammt von dem akkadischen Wort Bab-ili,
was als ›Tor Gottes‹ übersetzt wird. Dies haben aber bereits die
Akkader bzw. Babylonier offensichtlich falsch verstanden: Der
Begriff geht höchst wahrscheinlich auf eine heute nicht mehr ent-
schlüsselbare, nicht akkadische Urform zurück.

Später wurde der akkadische Name bab-ilim graecisiert, wodurch
das uns heute bekannte Wort ›Babylon‹ entstand.

Bis etwa 1000 n. Chr. blieb Babylon bewohnt, die Tempelanlagen
wurden noch längere Zeit benutzt. Doch die Stadt hatte bereits für
immer ihre Bedeutung verloren und verfiel schließlich zu einer
Ansammlung von Ruinen, die nur noch spärlich in der Dichtung

Erwähnung findet:

»Der Wüstenwind seufzt und flüstert, wie die goldene Stadt, der Liebling der Götter, einst in Rauch und Feuer unterging. Und heute sonnen sich Echsen auf ihren Säulen, die Dichter singen von goldenen Zeiten, längst vergangen, aber Babylon ist mit der Dämmerung versunken.«

Wie auch immer man zu Babylon stehen mag, eines bleibt dabei stets unumstritten: Ohne ihr Wahrzeichen, den Turm, hätte die Stadt niemals ihre geschichtliche Sonderstellung erlangt.

Dabei hat man lange Zeit die biblische Geschichte als rein mythologischen Text verstanden, bis im Jahre 1913 durch archäologische Funde belegt wurde, dass sich dieser auf einen historischen Turm bezieht.

Aus archäologischen Befunden konnte errechnet werden, dass der Turm eine Grundfläche von 91,48 x 91,66 m und eine Höhe von etwa 91 m hatte.

Der Turm wurde vermutlich in sieben (laut Herodot in acht) Plateaus abgestuft. Den Abschluss bildete ein Tempel, in dessen Räume ausschließlich Priesterinnen eintreten durften.

Inwieweit allerdings die Legende von dem Turm – ungeachtet der archäologischen Beläge – als historisch oder mythologisch zu betrachten ist, bleibt zunächst unerheblich.

Die Bibel spricht vom Turmbau zu Babel.

Diese Aussage ist jedoch unzutreffend.

Im Mythos ist es zweifellos der Turm, mit dessen Spitze der Himmel berührt und erstürmt werden sollte, was schließlich Gottes Zorn begründete.

Wenn es also ein »Tor« geben sollte, über das die Babylonier zu Gott gelangen wollten, dann war es die hohe »Himmelsleiter« und nicht die Stadt selbst.

Babel war also die Bezeichnung für jenes Bauwerk, das als Ausgang und Tor zum Himmel dienen sollte.

Dieser Name wurde dann nachfolgend aus Unwissenheit auf die

ganze Stadt übertragen.

Laut Überlieferung wurde der Turm von Noahs Nachfahren im Lande Sinear errichtet.

Nach der Zerstörung durch Sargon von Akkad, um 2300 v. Chr., machte Hammurabi (1792 – 1750 v. Chr.) 600 Jahre später Babylon zur Hauptstadt. Er ernannte den Stadtgott Marduk (Altes Testament: Merodach) zur höchsten Gottheit im babylonischen Reich.

Urkundlich erwähnt wird der Turm erstmals in den Annalen des assyrischen Königs Sanherib (Sennacherib), der 689 v. Chr. den Tempel zerstörte, die Stadt aber verschonte: Er wird hier als Zikkurat von Etemenanki (sumerisch: Haus des Himmelsfundaments auf der Erde) bezeichnet und soll sich in der Tempelanlage Esagila befinden.

Inschriften im Fundament belegen, dass seine Nachfolger Esarhadon (Assarhaddon) und Assurbanipal (680 - 659 v. Chr.) mit dem Wiederaufbau begannen.

Nach der Befreiung aus der assyrischen Herrschaft setzte der babylonische Herrscher Nabopolassar den Ausbau der Anlage fort. Sein Sohn Nebukadnezar II. (605 v. Chr.- 562 v. Chr.) vollendete ihn schließlich.

Gemeinsam mit den hängenden Gärten der Semiramis und den Stadtmauern von Babylon bildete der Turm eines der sieben Weltwunder der Antike, in späteren Zeiten wurden aber oftmals nur noch die hängenden Gärten erwähnt.

In der Folgezeit zerfiel das Bauwerk nach und nach, was eventuell auch auf Zerstörungen durch den Perserkönig Xerxes I. (586 - 465 v. Chr.) zurückzuführen ist.

Der endgültige Ausklang des wechselvollen Geschehens ist wohl eng mit einer der schillerndsten Persönlichkeiten der Geschichte verknüpft: Alexander der Große.

Dabei kann durchaus behauptet werden, dass der endgültige Untergang Babylons in erster Linie durch einen Mückenstich eingeleitet wurde. Denn mit dem unerwarteten Tod des an Fieber erkrankten Makedoniers am 10. Juni 323 v. Chr. dürfte wohl der einst strahlende babylonische Stern endgültig erloschen sein, sodass die Stadt die geschichtliche Bühne für immer verließ.

Kurze Zeit später tritt Alexandria ihr Erbe an.

Mit der Eroberung Babylons hatte Alexander nämlich beabsichtigt, die geheimnisumwobene Stadt als Hauptstadt seines Reiches wiederaufzubauen. Dabei gehörte zu seinen zahlreichen ehrgeizigen babylonischen Projekten auch der Wiederaufbau eines ganz bestimmten Bauwerks, dem die Stadt ihren Weltruhm zu verdanken hatte: dem Turm.

Bei seinem Einzug in Babylon im Frühjahr 323 v. Chr. ließ er die Reste des Turms bis auf das Fundament mit der Absicht abreißen, ihn neu zu errichten: Der Stein des Anstoßes und das Symbol menschlicher Abscheulichkeiten sollte in neuem griechischem Glanz emporwachsen und den Himmel abermals berühren!

Hätte der Makedonier der noch intakten Stadt zu einer »griechischen« Renaissance verholfen und den Turm von Neuem errichtet, hätten zweifellos die wissbegierigen Griechen vieles zur Klärung über die Vergangenheit der Stadt beigetragen und somit unsere Geschichtsschreibung um einige atemberaubende Kapitel bereichert.

Kapitel, die zweifellos einen entscheidenden Beitrag zur Erhellung der dunkeln Entstehungsgeschichte des Menschen geliefert hätten.

Wie Mythen und Legenden seit Urzeiten miteinander verflochten sein dürften, veranschaulicht in diesem Zusammenhang eine islamische Überlieferung, die allerdings Namrud (Nimrod) als Erhauer des Turms angibt, der sich zunächst als Gott verehren ließ. Als er in seinem Übermut Allah aus dem Himmel stürzen wollte baute er einen Turm, woraufhin Allah eine Mücke durch seine Nase in sein Hirn fliegen ließ, sodass er 400 Jahre gequält wurde, bis er schließlich starb.

Hier begegnen wir also im Zusammenhang mit dem Turm der Mücke, deren Stich der Legende nach auch später Alexander zum

Opfer fiel. Ob die Araber von den Griechen abgeschrieben haben oder beide auf dieselbe Quelle zurückgriffen, wird wohl nie endgültig geklärt werden.

Entscheidend ist allerdings, dass in den unterschiedlichsten Überlieferungen darüber eine Übereinstimmung besteht, dass der Wendepunkt in der Geschichte dieser einst prächtigen Stadt mit einem einzigen Bauwerk innerhalb ihrer Mauern in Verbindung zu bringen ist, nämlich jenem Turm, mit dem angeblich der Himmel erstürmt werden sollte.

Die biblische Erzählung sieht letztlich die babylonische Urkatastrophe als unmittelbare Folge menschlicher Gotteslästerung, weil der Mensch sich anmaßte, in die Höhen Gottes hinaufsteigen zu wollen, Gott im Himmel zu suchen.

Doch dieser etablierte Erklärungsversuch ist unbegründet, ja, selbst die biblischen Texte geben nicht einmal eine solche Auslegung her.

Denn der Turm als der alles auslösende Faktor wird umso unglaubwürdiger, wenn man den Ruf der Stadt berücksichtigt, der an ihr seit der Antike anhaftet.

Stets war Babylon der Inbegriff für Unzucht, Hurerei, ein Hort von Sünde und Dekadenz, wo offenbar der moralische und religiöse Zerfall kaum zu übertreffen war.

Und werden die von den nachfolgenden Generationen gegen die Stadt verhängten Strafgerichte in die Beurteilung mit einbezogen, so wird einem bewusst, welch unbeirrbarer und blinder Hass den Babyloniern entgegenschlug.

»Wer da gefunden wird, wird erstochen, und wen man aufgreift, wird durchs Schwert fallen. Es sollen auch ihre Kinder vor ihren Augen zerschmettert, ihre Häuser geplündert und ihre Frauen geschändet werden.« (Jesaja 13,15 - 16)

Solch eine chronische Verachtung kann unmöglich mit dem Bau

eines Turms erklärt werden, von dem der HERR obendrein hätte eigentlich wissen müssen, dass ihn die Babylonier damit nicht hätten berühren können.

Die Verfehlungen, die in Babylon begangen wurden und die Ur-katastrophe ausgelöst haben, müssen also ganz anderer Natur gewesen sein.

Und gerade in der Aufklärung dieses Umstandes findet sich die völlig unerwartete Überraschung, welche die Bibel in ihren Zeilen seit Urzeiten für uns konserviert hat.

Wir haben uns unbewusst daran gewöhnt, die biblische Erzählung geistig so zu verarbeiten und zu verstehen, dass sich am Ende der von uns angestrebte wie gewollte Schlusspunkt ergibt.

Beim kritischen Betrachten allerdings erweisen sich die Erzählungen als in sich widersprüchlich, sodass letztendlich die Frage unvermeidlich erscheint, ob sich die babylonische Katastrophe wirklich so abgespielt hat.

Was waren also die wahren Gründe, die zur Entstehung der Legende geführt haben?

Eines scheint zunächst sicher zu sein: Eine Wanderschaft bringt die Ereignisse ins Rollen.

Nachdem die Menschen nach Osten gewandert waren, so die Bibel, kamen sie in eine Ebene im Lande Sinear, wo sie den Beschluss fassten, Ziegel zu streichen und zu brennen, um eine Stadt und einen Turm zu bauen, dessen Spitze bis zu dem Himmel reichen sollte. (Genesis 11, 1-4)

Welcher Sinn hinter der Gründung Babylons stand, verrät die Bibel:

»[...] *damit wir uns einen Namen machen; denn wir werden sonst zerstreut in alle Länder.*«

Die Gründung der Stadt sollte also genau das verhindern, was später dann doch geschieht, nämlich eben die Zerstreuung in alle

Länder.

Dies bedeutet aber zugleich, dass mit der Gründung der Stadt eine gemeinsame Heimat und Kulturstätte für die Menschen erschaffen werden soll, also im weitesten Sinne eine Kopie und ein Ersatz für das einst verloren gegangene Paradies.

Die Aussage »*einen Namen machen*« stützt diese Annahme und unterstreicht zugleich, dass es sich hier um eine für die Menschheitsgeschichte äußerst bedeutsame Stadtgründung handelte.

Doch schon zu Beginn der Schilderung stoßen wir auf die ersten Ungereimtheiten.

Denn mit der Formulierung »*Lass uns Ziegel brennen*« wird der Eindruck erweckt, als befänden wir uns in einem Zeitalter, in dem die Baukunst gerade in Begriff war, entdeckt zu werden, eine Aussage, die letztlich mit der Chronologie der Bibel, „Adam – Sintflut – Turm von Babel", nicht im Einklang steht.

Mesopotamien verfügte schon lange vor der Entstehung Babylons über eine ganze Reihe wichtiger Städte, die den Vergleich mit der späteren Metropole nicht zu scheuen brauchen.

Nach babylonischem Glauben soll 241.200 Jahre vor der Sintflut das Königtum vom Himmel herabgestiegen sein.

Zuerst befand es sich in **Eridu** im südlichsten Babylonien, dann nacheinander in den alten Städten **Badtibira**, **Larak**, **Sippar** und schließlich **Schurippak**. In diesen Städten sollen nach babylonischer Vorstellung auch die Götter gewohnt haben.

Soweit die Legende.

Die Archäologie hat belegt, dass lange vor der Gründung Babylons bedeutsame Städte im südlichen Mesopotamien bestanden haben. Zwischen 4000 und 3000 v. Chr. während der so genannten späten Ubaid-Periode, der Uruk- und Jemdet-Nasr-Periode, befanden sich Städte wie Agade, Kisch, Lagasch und Uruk in ihrer vollen Blüte, wobei Kisch in der Bibel im Zusammenhang mit der Ortsbestimmung des Garten Eden erwähnt wird.

Auch die Stadt Ur, in der nach der biblischen Überlieferung Ab-

raham geboren wurde (Gen. 11,27), zählt zu den ältesten und bedeutendsten mesopotamischen Stadtgründungen.
Wenn also mitten in einer bereits blühenden Kulturlandschaft in Mesopotamien eine Stadt gegründet wird, die in der Geschichte eine einzigartige Stellung einnehmen wird, dann kann es sich dabei nicht um eine »bloße« Errichtung handeln, sondern mit deren Gründung wird sozusagen der Grundstein für den Beginn einer neuen Dynastie eingeläutet.

Babylon wird also nicht aufgrund der Laune irgendeines Herrschers oder bloßer Baulust gegründet, sondern die Entstehung der Stadt dürfte einen Wendepunkt in der Geschichte markieren, da offensichtlich ein der Tradition verpflichteter Zeitzyklus abgeschlossen war.
Nach theologischem Verständnis, war die Zeit erfüllt.
Wir befinden uns in einer Zeit des »Sammelns« bzw. der Rückkehr in die Heimat, die auf einen Zeitabschnitt der Diaspora folgt.
Demnach dürfte die Annahme alles andere als abwegig sein, dass die Gründung Babylons das einst verlorene Paradies symbolisieren sollte, wo die seit Urzeiten vertriebenen Menschen zu einer gemeinsamen Heimat zurückfinden sollten: In Babylon befinden wir im Zentrum des damaligen Zeitgeschehens.
Somit sollte zugleich ein neues Goldenes Zeitalter eingeläutet werden, eine göttliche Stadt zu errichten, deren Entstehungsgedanke im Einklang mit dem Willen und Segen Gottes steht.
Und genau diese Annahme kann der biblischen Erzählung entlockt werden.
Vor allem begegnen wir in den Texten einer eigenartiger Aussage, die bis heute übersehen wurde.
Stets gehen wir bei der Interpretation des Mythos davon aus, dass der HERR in seinem Zorn über das babylonische Tun herniederfährt, um die Vollendung des Turms zu verhindern und die Menschen zu bestrafen.
Diese Vorstellung ist jedoch irrig und steht im Widerspruch zu

den biblischen Aussagen.

Denn der Mythos besagt ja ausdrücklich, dass der HERR zwei Mal in Babylon erschien.

Das erste Mal, als die gigantische Anlage vollendet war:

»Da fuhr der HERR hernieder, dass er sähe die Stadt und den Turm, die die Menschenkinder bauten. Und der HERR sprach: Siehe, es ist einerlei Volk und einerlei Sprache unter ihnen allen, und dies ist der Anfang ihres Tuns; nun wird ihnen nichts mehr verwehrt werden können von allem, was sie sich vorgenommen haben zu tun.« (Genesis 11,5-6)

Beim ersten Besuch findet der HERR sowohl die Stadt als auch den Turm vollendet, die Bautätigkeitsphase war also bereits abgeschlossen.

Demnach diente der erste Besuch der Einweihung der Anlage, die sich in einer solchen imposanten Erhabenheit und einem strahlenden Glanz darboten, sodass der HERR in seiner ungebremsten Begeisterung anerkennen musste, dass die Menschheit nun auf dem richtigen Weg kultureller Entwicklung sei.

Und vor allem findet er nicht den geringsten Anstoß an jenem Turm, der in den Himmel ragte.

Mit anderen Worten: Das, was in Babylon geschaffen wurde, entspricht der Vorstellung des HERRN von einer »frommen« Gesellschaft, die auf seinem Pfad wandert und um seine Gunst eifert.

Es war also ein Haus und eine Wohnstätte des HERRN.

Und der Turm des Anstoßes?

Es war ebenfalls des HERRN Turm, welcher nicht errichtet, um den Himmel einstürzen zu lassen, sondern um zunächst auf dem Weg des HERRN zu wandeln und seinem Willen und seiner Größe Ausdruck zu verleihen – und vor allem, um in seine Nähe zu gelangen.

Je gigantischer und höher, desto besser!

Wie also dieser geheimnisvolle Turm auch immer ausgesehen haben mag, er war ein fester und markanter Bestandteil eines gigantischen Gotteshauses, das gut anderthalb Jahrtausende vor den salomonischen Tempel errichtet wurde.

Und hier liegt die unerwartete Überraschung, die in dem biblischen Mythos seit Jahrtausenden schlummert: Die babylonische Katastrophe hat nicht das Geringste mit der ursprünglichen Überlegung zu tun, welche die Errichtung der Anlage notwendig machte.

Irgendetwas Gravierendes muss in der darauffolgenden Zeit nach der Errichtung geschehen sein, wodurch das Heiligtum und die Stadt in Ungnade fielen, das zugleich aber auch die Intervention des HERRN unausweichlich machte.

»Wohlauf, lasst uns herniederfahren und dort ihre Sprache verwirren, dass keiner des andern Sprache versteht! So zerstreute sie der HERR von dort in alle Länder, dass sie aufhören mussten, die Stadt zu bauen. Daher heißt ihr Name Babel, weil der HERR daselbst verwirrt hat aller Länder Sprache und sie von dort zerstreut hat in alle Länder.« (Genesis 11,7 - 9)

Demnach wäre die Annahme zutreffend, dass der HERR die Stadt diesmal deshalb im Zorn aufsucht, um die Babylonier wegen einer schwerwiegenden Verfehlung zu bestrafen und aus den Mauern ihrer Heimat zu verbannen.

Hier haben wir es also mit einer Art Sündenfall zu tun, der nach demselben Muster ablief wie zu Adams Zeit bei dessen Vertreibung aus dem Paradies.

Demnach können wir davon ausgehen, dass die Zerstreuung der Babylonier aus ihrer Stadt nichts anderes bedeutet, als eine weitere Vertreibung der Menschen aus dem mit dem Wohlwollen des HERRN errichteten Babylon, sozusagen das Pendant zum Garten Eden.

Der Turm von Babel war also zunächst ein Bauwerk für und nicht gegen den HERRN.

Babylon verkörpert demnach eine der vielen trügerischen Stationen in der Geschichte, deren Errichtung stets mit dem irrigen Glauben und der Hoffnung verknüpft wurde, einem rastlosen Dasein und Vertreibung für immer zu entfliehen.

Wie es möglich war und vor allem auf welche Art und Weise eine ganze Bevölkerung in die entferntesten Winkel der Erde vertrieben und zerstreut werden konnte, wird wohl ein Geheimnis der Geschichte bleiben.

Doch wohin wurden die Babylonier zerstreut?

Vor allem aber, kann ein Kulturvolk, das womöglich das erste Weltwunder der Menschheit zu errichten imstande war, so einfach aus der Geschichte verschwinden, ohne in der Verbannung verräterische Spuren zu hinterlassen?

Wohl kaum!

Doch welcher Art können diese Spuren sein?

Als einzige Möglichkeit verbleibt wohl das, was die babylonische Katastrophe so berühmt machte: die Sprachverwirrung, also die Sprache.

Mit größter Wahrscheinlichkeit müssen wir nämlich davon ausgehen, dass die Schöpfer der babylonischen Kultur in der Verbannung sprachliche Spuren hinterlassen haben.

Überall dort, wo sie hinkamen, müssen sie mit ihrem Wissen und ihrer überlegenen Kultur eine führende Rolle übernommen haben, durch welche die neuen Stätten ihres Wirkens geprägt wurden.

Schließlich konnten sie sich vor allem damit rühmen, sich mit der adamitischen »Zunge« verständigen zu können, das heißt also, die göttliche Sprache zu beherrschen.

Gelänge es uns, in den entlegensten Winkeln der alten Welt solche sprachliche Spuren aufzuspüren, so würde der Mythos um Babylon aus seiner mythischen Ummantelung entschlüpfen und uns ein Geschichtskapitel offenbaren, dessen Wahrheitsgehalt im

Laufe der Geschichte stets verschleiert wurde.

Vor allem wäre dies ein eindrucksvoller Beleg dafür, dass es doch eine einheitliche Sprache unter den Menschen einst gab.

Die winzigste Spur hiervon aufzuspüren käme demzufolge schon einer Sensation gleich.

Doch woran soll man die Laute Adams erkennen?

Zweites Kapitel
Die Schöpfung
Am Anfang war das Wort

Die Bibel widmet dem Turm von Babel ganze neun Verse.
Dabei entsteht der Eindruck, als sei die Geschichte in einem chronologisch falschen Kontext platziert wurde.
Woher die ursprünglichen Überlieferungen stammen, die letztlich als Grundlage dienten, wer für die mündliche Tradierung über einen solchen Zeitraum und somit für das Überleben einer Fülle an Informationen verantwortlich ist, wird wohl nie gänzlich ergründet werden.
Mit Adam und der Schöpfungsgeschichte hatte die Urzeit begonnen – mit Noah und der Sintflut war sie beendet.
Ein geschichtlicher Zeitabschnitt voller Rätsel scheint somit abgeschlossen zu sein.
Mit dem Zeitalter der Patriarchen brach dann eine neue Epoche an: die der frühsten Geschichte des Menschen.
Von diesem Zeitpunkt an beginnt die eigentliche Geschichtsuhr zu ticken.
Dieses Zcitalter weist unverwechselbare Besonderheiten auf.
Vergleicht man es nämlich mit der vorhergehenden Epoche, so lässt sich bei näherer Betrachtung feststellen, dass sie sich in zwei tiefgreifenden Punkten voneinander unterscheiden.
Der erste Gegensatz liegt in dem eigentlichen Verhältnis zwischen Gott und den Menschen.
Welchen Glauben es bis zur Entstehung des abrahamischen Monotheismus gegeben hat, bleibt ebenso im Dunkeln, wie die Antwort auf die Frage, ob jemals ein Dogma existierte, welches bewirkte, dass der Mensch eine undefinierbare und philosophisch erdachte höhere Macht in voller Unterwürfigkeit anzubeten begann.

Wir wissen noch nicht einmal mit Bestimmtheit, ob die alten Religionsstifter denselben Gott meinten, den wir ihnen heute in den Mund legen.

Zurzeit Adams scheint die Welt hingegen noch frei von allen religiösen Zwängen: Weder musste er sich strengen Vorschriften und Ritualen unterwerfen oder wurde er mit dem Feuer der Hölle bedroht, noch hatte Gott das Bedürfnis, die Menschen zu seinen anbetenden Untertanen zu erziehen.

Dieser Umstand wird in den verborgenen Büchern der Bibel, den Apokryphen, hervorgehoben.

»Und nachdem für Adam 40 Tage vollendet waren auf der Erde, wo er geschaffen war, brachten wir ihn in den Garten Eden, damit er ihn pflege und hüte [...] Und wir gaben ihm Arbeit und lehrten ihn die Ausführung all dessen, was sich auf die Pflege erstreckt.« (Die Apokryphen, Pattlos, das Paradies und der Sündenfall 9,15, Seite 146)

»Gott« tritt belehrend und kultivierend auf.

Als Noah die Flut überlebte, ist immer noch nicht die Rede von einer Religion als solche, sondern es heißt lediglich, dass ein symbolischer Bund zwischen Gott und den Erretteten geschlossen werden soll:

»Meinen Bogen habe ich in die Wolken gesetzt; das soll das Zeichen sein des Bundes zwischen mir und der Erde.« (Genesis 9,13)

Noch herrscht also eine Art Partnerschaft zum Göttlichen, noch ist der Mensch mündig und die »Schöpfung« ihm gegenüber ausgewogen.

Mit der Sintflut scheint dann diese goldene Urzeit abrupt zu enden.

Darauf folgt eine eigenartige und ereignisarme »Schweige-periode«, die sich über zehn Generationen erstrecken wird.

Die Menschheitsgeschichte weist während dieses Zeitabschnitts eine dunkle Lücke auf, und die Alte Welt scheint in einen kulturellen »Tiefschlaf« zu verfallen.

Mit der Berufung Abrahams wird dann ein völlig anders geartetes Zeitalter eingeläutet: Der Auszug des Patriarchen aus Ur markiert eindeutig den Beginn der eigentlichen Unterjochung des menschlichen Geistes durch eine Gottheit.

Und Gott scheint nunmehr auch andere »Gesichter« zu haben.

Das Individuum wird zum absoluten Gehorsam gezwungen, seine Lebensweise in eine Reihe religiöser Vorschriften eingezwängt, die von drakonischen Strafmaßnahmen flankiert werden.

Demnach dürfte die Annahme berechtigt sein, dass in der Adamiten-Zeit und im Gegensatz zu der abrahamischen, zeitweilig ein Zustand von Religionsfreizügigkeit geherrscht hat, wenn man überhaupt von Religiosität reden kann.

Der zweite Unterschied hingegen ist viel gravierender.

Als Adam und Eva ihre »Sünde« begehen, werden sie nicht erschlagen, sondern »höflich« des Paradieses verwiesen.

Auch als Kain seinen Bruder Abel hinterhältig ermordet, reicht Gottes Zorn nicht aus, um das Prinzip »Auge um Auge« anzuwenden:

»Und der HERR machte ein Zeichen an Kain, dass ihn niemand erschlüge, der ihn fände.« (Genesis 4,15)

Selbst das Blut eines Mörders sollte nicht vergossen werden.

Gott legt also keine Hand an seine Untertanen, zieht nicht voller Zorn und Tatendrang sein Schwert aus der Scheide.

Was dagegen mit Beginn des sogenannten Zeitalters des Monotheismus geschieht, stellt ein Novum in der Beziehung zwischen dem Göttlichen und den Menschen dar: Wir finden den HERRN aktiv und zerstörend in das irdische Geschehen eingreifend.

Er lässt es sich nicht nehmen, die Abtrünnigen selbst niederzumetzeln, Städte in Schutt und Asche zu legen und ganze Völker mit der Schärfe des Schwerts auszulöschen.

Aus dem Pazifisten von einst ist ein kriegerischer und grausamer HERR geworden, der von seinen Charakterzügen her eher dem Kreis der griechischen Götter zuzuordnen ist.

Und es ist in der Tat kaum zu glauben, aber etwa tausend Mal wird im Alten Testament davon gesprochen, dass Jahwes Zorn entbrennt, und rund hundert Mal befiehlt er, Menschen zu töten, Kinder zu zerschmettern, Häuser zu plündern und Frauen zu schänden. (Jesaja 13-16)

Und nicht selten trachtet er im Zorn nach dem Leben der eigenen Propheten:

»Und als Moses unterwegs in der Herberge war, kam ihm der HERR entgegen und wollte ihn töten.« (2. Moses 4,24)

Es bricht also ein Zeitalter an, in dem – im Gegensatz zur Schöpfungszeit – der Respekt vor der Unversehrtheit des Lebens eines Individuums völlig abgelegt wird und wegen kleinster Vergehen Menschen im Namen des HERRN wie Vieh abgeschlachtet werden.

Der HERR ist offensichtlich ein ganz anderer als jener des adamitischen Zeitalters.

Woher dieser barbarische Wandel herrührte und vor allem warum sich eine derartige Fehlentwicklung nach Vollendung von zehn Generationen einsetzt, bleibt womöglich ein Geheimnis der Geschichte und kann nicht einfach mit Noahs Fluch gegenüber Kanaan erklärt werden. (Genesis 9,26)

Wenn vorhin angedeutet wurde, dass der Eindruck entstehen könnte, der babylonische Mythos sei in der Genesis deplatziert, so gibt es viele einleuchtende Gründe, die dafürsprechen

Will man diesen Gedanken weiterverfolgen, so ist es unumgänglich, zunächst an der chronologischen Reihenfolge *Adam – Sintflut – Turm von Babel* eine Korrektur vorzunehmen.

Die ersten Hinweise hierzu liefert die Bibel:

»Als sie nun nach Osten zogen, fanden sie eine Ebene im Lande Sinear

und wohnten daselbst.« (Genesis 11,2)

Woher das Volk stammt, das die menschliche Geschichte so entscheidend prägen wird, bleibt im Dunkeln.

Entscheidend ist jedoch, dass diese Menschen, die allem Anschein nach noch einerlei Zunge hatten, in das Land kommen, das später als Mesopotamien identifiziert wird.

Die biblischen Aussagen, insbesondere was die einstige Sprache angeht, finden in den sumerischen Überlieferungen ihre Bestätigung.

Die epische Erzählung *»Enmerkar und der Herr von Aratta«* weiß in Zusammenhang mit dem Goldenen Zeitalter über jene längst vergangenen glücklichen Zeiten zu berichten, da die Menschen, furchtlos und von niemanden bedroht, in einer friedlichen, mit Reichtum gesegneten Welt lebten und alle Völker der Welt die Gottheit Enlil verehrten, und zwar in ein und derselben Sprache: *»Enlil priesen sie in einer einzigen Zunge.«*

Das heißt, ein Kulturvolk wandert von irgendwoher in die Ebene zwischen Euphrat und Tigris, ein einheitliches Volk, das nicht nur die gleiche Sprache spricht, sondern auch offensichtlich eine gemeinsame Gottheit anbetet.

Mit der Aussage, *»Wohlauf, lasst uns Ziegel streichen und brennen! ... lasst uns eine Stadt und einen Turm bauen«*, befinden wir uns nach biblischem Verständnis in einer Phase, in der innerhalb kürzester Zeit die dort herrschenden primitiven Kulturvor-stufen in eine blühende Städtekultur umgewandelt werden.

Dies geschieht offensichtlich schlagartig.

Aus dem Nichts blüht sozusagen eine Kulturlandschaft auf, deren Schöpfer unter anderem in der Lage waren, einen Turm zu errichten, welcher den Himmel „berührte".

Das heißt also, wollen wir die biblischen Aussagen wörtlich nehmen, so würde dies bedeuten, dass mit dem Erscheinen dieses Volkes in der mesopotamischen Ebene die Menschen damit beginnen, groß angelegte Städte zu bauen.

Heute geht man im Allgemeinen davon aus, dass der Turm zwischen 3000 und 2200 v. Chr. errichtet wurde.

Diese Annahme steht jedoch im Widerspruch zu unserem heutigen Wissensstand und zu den Aussagen des biblischen Mythos selbst.

Längst hat die Archäologie nachgewiesen, dass lange vor diesem Zeitabschnitt Städte wie Kisch, Eridu oder Uruk existiert haben. Und die Baukunst?

Sie war schon längst in Sinear erfunden und befand sich auf einem hohen Niveau.

Auch die den biblischen Texten zu entnehmende Aussage über die Ankunft eines hoch entwickelten Kulturvolks, das eine bereits fertige Baukunst auf hohem Niveau mitbrachte, ist zwar ebenfalls für dieses Gebiet nachgewiesen worden, jedoch zu einem völlig anderen Zeitpunkt.

Der Sumerloge Samuel N. Kramer, der beinahe sein ganzes Leben der Erforschung der Keilschrift widmete, stellt nach der Auswertung von in vielen Jahrzehnten gewonnenen Erkenntnissen fest, dass wir den Sumerern viele »Erstlinge« verdanken, also erstmalig auftretende Phänomene in der schriftlich überlieferten Geschichte der Menschheit.

Seine mühseligen Entzifferungsarbeiten bringen zutage, dass die logischen Methoden der Definition und Verallgemeinerung, die der moderne Historiker als für mehr oder weniger gegeben annimmt, dem sumerischen Lehrer und Denker gänzlich unbekannt waren. Auf linguistischem Gebiet findet man eine ganze Menge grammatikalischer Listen, die auf eine umfangreiche Kenntnis grammatikalischer Klassifikationen schließen lassen, nirgends findet sich jedoch auch nur eine einzige grammatikalische Definition oder Regel.

In der Mathematik existieren viele Tafeln mit Problemen und Lösungen, aber keine einzige Aufstellung allgemeiner Prinzipien, Axiome und Theoreme.

Auf dem Gebiet, das man als »Naturwissenschaft« bezeichnen

könnte, haben die sumerischen Lehrer lange Listen von Bäumen, Pflanzen, Tieren und Steinen zusammengestellt. Das Grundprinzip dieser besonderen Ordnungsfolge ist uns noch unbekannt, aber es basiert mit Sicherheit nicht auf einem grundlegenden Verständnis oder der Anwendung von botanischen, zoologischen und mineralogischen Prinzipien und Gesetzen.

Die Sumerer haben zudem zahlreiche Gesetzessammlungen kompiliert, die zweifellos in ihrem ursprünglichen vollständigen Zustand Hunderte einzelner Gesetze erhielten, aber nirgendwo wird eine Rechtstheorie formuliert.

Auf historischem Gebiet haben die sumerischen Tempel- und Palastarchive eine vielfältige Reihe bedeutsamer Ereignisse politischer, militärischer und religiöser Art beobachtet und aufgezeichnet – dies gipfelte allerdings nicht in einer zusammenhängenden und sinnvollen Geschichtsschreibung.

Sehr sonderbar erschien zudem der Umstand, dass historische Werke von der Art, wie sie später bei den Hebräern und Griechen kursierten, in Sumer unbekannt waren.

Kein sumerischer Schriftsteller oder Schriftgelehrter hat jemals bewusst den Versuch unternommen, eine kulturelle oder politische Geschichte Sumers oder eines seiner Teilstaaten, ganz zu schweigen von der damals bekannten Welt, zu verfassen.

Am Ende kommt Kramer trotz des spektakulären Titels seines Buches zu einer unerwarteten Schlussfolgerung: Seinen Erkenntnissen zufolge entstand die Kultur der Sumerer sozusa-gen aus dem Nichts!

Um 3800 v. Chr. waren sie plötzlich da und siedelten sich im Zweistromland im Bereich des heutigen Irak an. Sie verfügten über eine erstaunliche und hochstehende Kultur, leiteten Flüsse durch Kanäle in Wüstengebiete und erreichten dadurch enorme Fruchtbarkeit. Sie bauten hochseetüchtige Schiffe, die den Indischen Ozean befuhren. Es fanden sich 105 Begriffe, die auf unterschiedliche Schiffstypen hinweisen. Sie errichteten Brennöfen und bauten mächtige Städte.

Kramer wertete auch den 1889 gefundenen ältesten Stadtplan der Welt aus. Dieser zeigt einen Stadtrand- und einen Stadtmittelkanal, einen Park im Stadtzentrum – der »kirischauru« genannt wurde – und Anlagen von Krankenhäusern, öffentlichen Bädern, Schulen, Bibliotheken und Ladenstraßen. Der »Zikkurat« – ein siebenstöckiger Tempelturm – war das Zentrum.

Kramer fand zudem Aufzeichnungen über hoch entwickelte medizinische Techniken: Tumor- und Schädeloperationen wurden auf Tontafeln aufgezeichnet, und die Sumerer desinfizierten mit »khulu«, das dem heutigen Alkohol entspricht. (Geschichte beginnt mit Sumer, Samuel N. Kramer, List Verlag München)

Die Sumerer tauchen also offensichtlich urplötzlich aus dem Nebel der Geschichte im biblischen Sinear auf – eben genauso wie jenes Volk, von dem die Bibel zu berichten weiß, das demnach kein anderes gewesen sein dürfte als jene Sumerer, die sich gegen Ende des vierten Jahrtausends v. Chr. über das Zweistromland ergossen und dort eine Hochkultur angedeihen ließen.

Dass der biblische Mythos tatsächlich einem anderen Zeitabschnitt angehört, geht aus weiteren Indizien hervor.

Der sumerische Held Gilgamesch wird allgemein der Zeit um 2800 v. Chr. zugeordnet.

Für diese Zeit ist wissenschaftlich belegt, dass die Menschen bereits viele Sprachen hatten.

Zudem wird von Gilgamesch berichtet, dass er Kunde von der Sintflut brachte, d. h. mit ihm befinden wir uns also in der Zeit nach der Sintflut.

Ebenso wissen wir von dem assyrischen König Assurbanipal, dass die sumerischen und akkadischen Tafeln, die aus einer Zeit vor der Sintflut stammen, schwer verständlich waren, weshalb er mit Stolz verkündete, sie entziffert zu haben.

Bei der Würdigung der Taten Assurbanipals liegt die Betonung nicht auf dem eigentlichen Entziffern der Tontafeln, sondern darauf, dass diese in einer Sprache verfasst waren, die schwer verständlich war.

Es handelt sich also um eine vorsintflutliche Sprache, von der man durchaus annehmen könnte, sie sei die adamitische gewesen.

Bei Gilgamesch finden sich auch weitere Hinweise, die indirekt zur Klärung der Entstehungszeit Babylons beitragen können. Gilgamesch wird mit diversen Bautätigkeiten in Verbindung gebracht, welche die Stadt Uruk betreffen.

Hierbei ist zu berücksichtigen, dass die Stadt Uruk schon lange bestanden hat, bevor Gilgamesch die Weltbühne betrat.

Zwar wird in der ersten Tafel des Epos berichtet, dass er die Mauer um Uruk-Gart erbauen ließ, doch die dazu führenden Umstände lassen aufhorchen.

»Die Mauer um Uruk-Gart ließ er bauen, Um das heil´ge Eanna, den strahlenden Horst.
Sieh an seine Mauer, deren Friese wie von Erz sind!
Ihren Sockel beschau! Dem gleicht niemands Werk!
Auch den Blendstein fass an, der seit Urzeiten da ist!
Nahe dich Eanna, dem Wohnsitz Ischtars
Keines späteren Königs, keines Menschen Werk gleicht ihm!
Auch stieg auf die Mauer von Uruk, geh fürbass, Prüfe die Gründung, besieh das Ziegelwerk!
Ob ihr Ziegelwerk nicht aus Backstein ist,
Ihren Grund nicht legten die sieben Weisen!« (Erste Tafel, 9 - 19)

Demnach handelt es sich nicht um die Gründung, sondern um die Wiederentdeckung und den Wiederaufbau einer bereits bestehenden Stadt.

Und welche Überraschung tritt uns aus den Epen entgegen, welche die biblischen Aussagen *»lasst uns Ziegel streichen und brennen«* zum neuen Glanz erstrahlen lassen: Gilgamesch begutachtet vor der Bautätigkeit, ob das seit Urzeiten bestehende Mauerwerk der Stadt aus den wertvollen gebrannten **Ziegeln** besteht.

Wir befinden uns also in einer Epoche, in der durch Entdeckung und Nachforschung die Wiederherstellung der alten *Goldenen Zeiten* stattfindet.

Somit liegt die Vermutung nahe, dass das in derselben Ära entstandene Babylon auf den Überresten einer Urstadt errichtet wurde, die bereits in der Zeit vor der Sintflut existiert hat.
Mit Gilgameschs Wirken wird sozusagen ein Zeitalter der Entdeckung und Erneuerung eingeleitet, wobei es nicht selten zur Anwendung von militärischen Mitteln kommt und in dem der wissbegierige und abenteuerliche sumerische Held in unbekanntes Terrain vorstößt, über die Meere zum ferne Utnapischtim, das sumerische Noah, gelangt, wo er Kunde von einem der Menschheit längst aus der Erinnerung entrückten Ereignis bringt, nämlich einer Sintflut.
Wenn wir allerdings aufgrund unserer Kenntnisse über Sumer einerseits einräumen, dass ein Volk dort erscheint, das bereits über eine Hochkultur verfügt und großartige Städte wie Babylon zu errichten vermag, andererseits in den Gilgamischen Epen erfahren, dass die einst so großartig errichteten Urstädte bereit baufällig bzw. offensichtlich zu Bauruinen zerfielen, also lange Zeit vernachlässigt wurden, so drängt sich unvermeidlich die Frage auf, wo die eigentlichen Erbauer geblieben waren?
Ebenso rätselhaft erscheint folgende Fragestellung: Wenn vor Gilgameschs Wirken an Euphrat und Tigris eine Hochkultur bestanden hat, die offensichtlich in der Zeit um 3800 v. Chr. ihren Anfang nahm, und somit Mesopotamien zurzeit Gilgameschs auf eine tausendjährige Kultur zurückblickt, wieso musste er dann die halbe Welt bereisen und Meere befahren, um eine Geschichte zu erfahren, nämlich diejenige von der Sintflut, die nach den Aussagen Utnapischtims ebendieses Zweistromland heimsuchte?
Wie ist also dieser Widerspruch zu erklären, dass die heute so hoch geschätzte sumerische Kultur nicht einmal die eigene geschichtliche Vergangenheit kannte, nicht in ihrem Gedächtnis bewahrte und vor allem, warum wurden diese geschichtlichen Ereignisse ausgerechnet an einem fernen Ort über ein Jahrtausend lang gehütet und nicht in den Annalen der ursumerischen Städte wie Eridu oder Uruk?

Man kommt einer Antwort darauf näher, wenn man die Gilgamischen Epen mit den biblischen Aussagen vergleicht.

Im Gegensatz zur Bibel, die von einer weltlichen Flutkatastrophe ausgeht, geht das sumerische Epos hingegen von einer lokalen Flut aus:

»Utnapischtim sprach zu ihm, zu Gilgamesch:
Ein Verborgenes, Gilgamesch, will ich dir eröffnen, und der Götter Geheimnis will ich dir sagen.
Schurippak *- eine Stadt, die du kennst, die am Ufer des Euphrats liegt,*
Diese Stadt war schon alt und die Götter darinnen,
Eine Sintflut zu machen, entbrannte das Herz den großen Göttern.«
(Elfte Tafel, 8 - 13)

Die Stadt Schurippak liegt etwa 30 Kilometer nordwestlich von Uruk.

Die mesopotamische Legende geht also von keiner weltweiten Überflutung aus, sondern lediglich von einem lokalen Ereignis.

Und genau dieses haben archäologische Ausgrabungen in Mesopotamien nachgewiesen.

Der englische Archäologe Charles Woolley hatte 1929 bei den Ausgrabungen in Ur eine Entdeckung gemacht, die zunächst von der Sensationspresse als die Sintflut des Noah aufgebauscht wurde.

Bei seinen Ausgrabungen war der Engländer auf eine drei Meter dicke Lehmschicht gestoßen, deren Entstehen auf 3500 - 4000 v. Chr. datiert wurde. Die Archäologie brachte weiter zutage, dass die Flut alle küstennahen Regionen überschwemmte.

Zwar handelte es sich dabei um eine außergewöhnliche und zerstörerische Flut, wie in dem Epos berichtet wird, aber sobald das Wasser zurückging, trocknete das Land allmählich aus und die Städte erwachten wieder zu neuem Leben.

Allerdings spricht einiges dafür, dass die bis dahin blühende Kulturlandschaft nach der Flut einen empfindlichen Bruch erlitt, der den kulturellen Zerfall stetig begünstigte und eine Ära der Stagnation einläutete.

Zwischen der Sintflut des Utnapischtim und dem Auftauchen Gilgameschs liegt also eine Zeitspanne von etwa tausend Jahren, in deren Verlauf die kulturelle Entwicklung rückläufig und anders geartet war als vorher.

Es ist zugleich die Zeit, in der wohl die einst großartigen Kulturzentren veröden und dem Zerfall preisgegeben wurden.

Wenn die Bibel Babylon mit einem Zeitalter in Verbindung bringt, in dem es eine einheitliche Sprache gegeben hat, dann muss diese Stadt also in der vorsintflutlichen Zeit gesucht werden.

Also vor Eintreffen der sumerischen Sintflut.

Zugleich würde dies bedeuten, dass die Reihenfolge „Adam – **Turm von Babel** – Sintflut" eher den geschichtlichen Fakten entspräche.

Somit findet sich hier eine verblüffende Parallele zu jener Schweigeperiode, die zwischen Noah und Abraham liegt.

Was bedeutet nun eine solche Schweigeperiode, die sich über viele Generationen erstreckte und offensichtlich ein Jahrtausend Bestand hatte?

Im Grunde genommen nichts anderes, als dass die bestehenden kulturellen Errungenschaften in eine Art »**Schlaf**« übergehen.

Wichtige und durchgreifende kulturellen Impulse bleiben während dieser Zeit plötzlich aus, so dass jede weitere Fortentwicklung verhindert wird und eine kontinuierliche rückläufige Entwicklung einsetzt.

Menschen werden von den seit Urzeiten bestehenden zivilisatorischen Impulsen abgeschnitten, ihrer Zukunft und vor allem ihrer Vergangenheit beraubt.

Vieles gerät nach und nach in Vergessenheit, und die Erinnerung an die eigene Geschichte entschwindet allmählich aus dem Gedächtnis der heranwachsenden Generationen.

Einst blühende Städte werden vernachlässigt und beginnen zu zerfallen, die ehemals bestehende Hochkultur verkümmert und die Gemeinschaft, die eigentliche Wächterin über die menschliche Kultur, zieht sich zurück.

Der vor Jahrhunderten bereits in Gang gesetzte kulturelle Entwicklungsprozess gelangt somit durch diese Unterbrechung nie zu einem zivilisatorischen Durchbruch.

Der deutsche Philosoph Karl Jaspers hat sich mit diesem Phänomen auseinandergesetzt und kam zu folgenden Ergebnis:

»Die jahrtausendalten Kulturen hören mit der Achsenzeit überall auf. [...] Was vor der Achsenzeit war, konnte großartig sein, wie babylonische, ägyptische, Induskultur und chinesische Urkultur, aber alles dies wirkt wie unerwacht.« (Vom Ursprung und Ziel der Geschichte, Karl Jaspers)

Da Zivilisation nicht vererbbar ist, reichen bereits wenige Jahrhunderte aus, bis aus einer primären Hochkultur eine entfremdete Nachbildung entsteht.

Reale historische Vorgänge entschwinden aus dem Gedächtnis der Menschen, und übrig bleibt lediglich die schwache Erinnerung, die in Form von wagen Mythen und Legenden fortlebt.

Buchstäblich wurde Kultur also sozusagen eingefroren, bis sie irgendwann wieder nach bestimmten Kriterien und Zeitabfolgen „abgerufen" und von Neuem zum Leben erweckt wird.

Dass der Fluss der Geschichte unterbrochen wurde, findet seinen Niederschlag in der Genesis und insbesondere den Apokryphen, wobei Letztere in dieser Hinsicht eine Überraschung bergen.

Für die Adamiten geht mit der Sintflut ein Zeitalter zu Ende, das man als das Goldene bezeichnete.

In der Genesis und ebenso in den nebenbiblischen Überlieferungen, den Apokryphen, beginnt unmittelbar danach mit Abraham das Zeitalter der Patriarchen.

Die Zeit von Adam bis Noah ist ebenso lang wie die Zeit von Sem bis Abraham, nämlich zehn Generationen.

Während jedoch das Zeitalter von Adam bis Noah eine Fülle eindrucksvoller Schilderungen der Ereignisse dieser langen Epoche

enthält, nennt die Genesis für die Zeit von Sem bis Abraham nur verschiedene Namen und deren legendäres Lebensalter.
Wir erfahren einfach nichts über die Nachkommen von Sem.
Erst mit dem Auszug Abrahams aus Ur wird der seit zehn Generationen unterbrochene geschichtliche Anschluss wiederher-gestellt.
Demnach kann mit gutem Grund angenommen werden, dass sich die Menschen in einer Art geschichtlicher „Warteschleife" befanden, die so lange andauerte, bis zehn Generationen auf einander folgten.
Erst dann war die Zeit sozusagen **erfüllt** und die Menschen wurden aus ihrem kulturellen Dornröschenschlaf auf die Bühne der Geschichte zurückgeführt und erhielten Zugang zu dem kulturellen Erbe ihrer Vorfahren.
Unvorstellbar?
Hierauf mögen die sumerischen und apokryphischen Überlieferungen eine Antwort geben.
Einer der Schlüsselfiguren in diesem Kreislauf dürfte Henoch sein.
Obwohl er einer der schillerndsten Urväter war, finden sich in der Bibel über ihn nur spärliche Informationen: Henoch wanderte vor dem Eintreffen der Sintflut mit Gott und wurde danach nicht mehr auf Erden gesehen. (Genesis 5,24)
Weitere Informationen lassen sich aus der Bibel nicht entnehmen.
Die Apokryphen hingegen wissen detaillierter über diese geheimnisumwobene Gestalt zu berichten.
Hiernach wird Henoch als Weltenrichter eingestuft, da er nach deren Verständnis die Schrift erfand und nach seiner Entrückung in den Himmel die Sünden der Menschen aufschrieb.
Über Henochs Taten existieren zwei Versionen: die slawische Übersetzung, die inhaltlich mit der äthiopischen verwandt ist.
Die Urform wurde wohl noch vor der Zerstörung des Tempels zu Jerusalem (70 n. Chr.) geschrieben, vermutlich auf Griechisch von einem alexandrinischen Juden.

Als Henoch eines Tages alleine zu Hause auf seinem Bett ruhte, so wird berichtet, kommt es zu einer unheimlichen Begegnung:

>*Und es erschienen mir zwei überaus sehr große Männer, wie ich solche niemals auf der Erde gesehen habe. […] Und sie standen zu Häupten meines Bettes und riefen mich mit meinem Namen. Ich aber erwachte von meinem Schlaf und sah deutlich jene Männer stehend bei mir. Ich aber eilte und betete sie an und erschrak, und es ward bleich an Aussehen mein Angesicht vor Furcht. Und es sprachen zu mir jene Männer: Sei mutig, Henoch, in Wahrheit fürchte dich nicht; der ewige Herr hat uns zu dir gesandt. Und siehe, du gehst heute mit uns hinauf in den Himmel. Und sage deinen Söhnen und allen Kindern deines Hauses alles, so viel sie tun sollen ohne dich auf der Erde in deinem Haus, und niemand soll dich suchen, bis dass dich der Herr zurückbringt zu ihnen.*« (Slawische Henochbuch, längere Redaktion, Kap. I, 4-9)

Henoch wird an einen unbekannten Ort entführt, an den offensichtlich kaum ein Mensch gelangen konnte. Deshalb die Bemerkung der beiden Entführer, dass jede Suche nach ihm völlig zwecklos sei.
Im Laufe der weiteren Erzählung erfahren wir, dass der Ort, an den Henoch gebracht wird, der Sitz des HERRN ist, von wo aus nicht nur die Geschicke der Menschen gelenkt, sondern auch die Vergangenheit und Gegenwart der Menschheit für die Zukunft »verwaltet« werden.

>*Und sie zeigten mir den Herrn von ferne, sitzend auf seinem sehr hohen Thron.*« (Kap. XX, 3)

Und er begegnet u. a. dem Erzengel Gabriel, der angeblich später viele Propheten beglücken wird:

>*Und es sandte der Herr einen von seinen Herrlichen, den Erzenengel Gabriel.*« (Kap. XXI, 3)

Weitere Überraschungen bleiben ihm nicht erspart:

»Und ich sah alle Vorväter von Ewigkeit mit Adam und Eva.«
(Kap. XLI, 1)

Alsdann wird Henoch auf die ihm bevorstehende Aufgabe vorbereitet:
»Und es sprach der Herr zu Michael: Tritt herzu und entkleide Henoch von den irdischen Kleidern und salbe ihn mit meiner guten Salbe und kleide ihn in die Kleider meiner Herrlichkeit.« (Kap. XXII, 8)

Die Salbung war ein Ritus der Vollmachtübertragung und steht in enger Verbindung mit dem Messias.
Erst danach ist Henoch würdig, seine eigentliche Aufgabe anzugehen:

»Und es rief der Herr einen von seinen Erzengeln mit Namen Vrevoel. Welcher auch war schneller an Weisheit mehr als die anderen Erzengel und schreibend alle Werke des Herren. Und es sprach der Herr zu Vrevoel: Bringe heraus die Bücher aus meinen Behältnissen und nimm das (Schreib-)Rohr und gib es dem Henoch und zeige ihm die Bücher. Und es eilte Vrevoel und brachte zu mir die Bücher, auserlesene, von Myrrhen und gab mir das Rohr der Schnellschreibung aus seiner Hand. Und er war redend zu mir alle Werke des Himmels und der Erde und des Meers und aller Elemente, ihrer Übergänge und Läufe und ihrer Tiere. Donner und Sonne und Mond und Sterne und ihre Läufe (und) ihre Veränderungen und Zeiten und Jahre und Tage und Stunden und die Aufgänge der Wolken (und) die Ausgänge der Winde; die Zahlen der Engel und die Gesänge der gewaffneten Heere, und jegliche Sache der Menschen und jede Sprache der Lieder und die Leben der Menschen und die Gebote und Belehrungen und süßstimmige Gesänge und alles, soviel sich gehört zu lernen. Es erzählte mir Vrevoel dreißig Tage und dreißig Nächte, und nicht verstummte sein Mund redend. Ich aber ruhte nicht schreibend alle Kennzeichnungen aller Kreaturen.« (Kap. XXII, 11, 12; XXIII,1- 3)

Befindet sich Henoch an jenem Ort, wo der Held Gilgamesch fast ein Jahrtausend später seine Kenntnisse über die Sintflut erlangen wird? Denn auch Gilgamesch muss erfahren, wie aussichtslos es ist, dort hinzugelangen:

»Nicht gab es, Gilgamesch, je eine Übergangsstelle,
Und niemand, der seit vergangenen Zeiten herkommt, geht übers Meer.
Meerüberschreiter ist nur Schamasch, der Held;
Wer geht außer Schamasch hinüber?« (Zehnte Tafel, 21 - 23)

Dann erfährt Henoch, warum er so plötzlich aus dem Kreis seiner Familie entrissen wurde:

»Und deswegen bringe ich eine Flut über die Erde, und die Erde selbst wird zertrümmert werden in großem Schlamm. Und ich lasse überbleiben einen gerechten Menschen von deinem Stamme mit seinem ganzen Haus, welcher tun wird nach meinem Willen. Und aus ihrem Samen wird auferstehen ein anderes Geschlecht, ein letztes großes. Und bei der Herausführung jenes Geschlechts werde ich offenbaren die Bücher deiner Handschrift und deine Väter. Jetzt aber, Henoch, gebe ich dir eine bestimmte Zeit des Termins, dreißig Tage, zu verbringen in deinem Hause, und sage deinen Söhnen und allen von deinem Samen und deinen Hauskindern und jedem, welcher ist sein Herz behütend, damit sie durchlesen und erkennen, dass nicht ist ein Gott außer mir. Und nach dreißig Tagen werde ich meine Engel nach dir senden, und sie werden dich nehmen von der Erde und von deinen Söhnen « (Kap. XXXVI, 2; XXX, 1- 2)

Henoch wird zu seinem Volk zurückgebracht, wo er die „himmlischen Bücher" übergibt und anschließend an jenem geheimen Ort zurückgebracht wird.
Das bedeutet also: All das Wissen, das Henoch mühsam abschreibt, ist nicht für die Gegenwart gedacht, sondern für bestimmte Generationen in einer fernen Zukunft.

Wann die Zeit erfüllt sein wird, in der Henochs Bücher der Nachkommenschaft übergeben werden, und vor allem wann die angekündigte Herausführung stattfindet, erfahren wir aus dem Anhang an das Henoch-Buch mit dem Titel » *Vom Priestertum Methusalems, Nirs und Melchisedeks* «:

» *Und wenn sein wird das zwölfte Geschlecht und sein werden tausend
Jahre und siebzig, wird in diesem Geschlecht ein gerechter Mensch geboren werden, und es wird sprechen zu ihm der Herr, dass er hinaufgehe
auf jenen Berg, wo stehen wird die Arche Noah.* «(Kapitel VI, 6)

Es ist kaum zu glauben!
Zwischen der angekündigten Sintflut und jener Zeit, in welcher
der Herr einen gerechten Mann aus seines Vaters Haus heraus-
führen und zu den Büchern des Henoch leiten wird, müssen erst
1070 Jahre vergehen: Somit schließt sich der Kreis bezüglich jener
tausendjährigen Schweigeperiode – sowohl in der sumerischen
als auch in der biblischen Tradition.
Zugleich wird der Umstand erklärlich, wieso zwischen der lokalen sumerischen Sintflut des Utnapischtim und dem Auftauchen
Gilgameschs die gleiche Zeitspanne zu überbrücken war. Erst als
diese Zeit erfüllt war, durfte die dafür auserwählte Generation
das kulturelle Erbe antreten, das Henoch mit eigener Hand niederschrieb.
Nicht ohne Grund wird Henoch im frühessenischen Jubiläen-
buch, Jub 36,17, mit folgenden Zeilen bedacht:

» *Dieser ist von den erdgeborenen Menschenkindern der Erste, der
Schrift, Wissenschaft und Weisheit lernte und die Himmelszeichen nach
der Ordnung ihrer Monate in ein Buch schrieb, damit die Menschenkinder die Jahreszeiten nach der Ordnung ihrer einzelnen Monate wüss-
ten.* «

Demnach hat Gilgamesch alles andere als die Unsterblichkeit gesucht.

Während seines rastlosen Lebens, in dem er Gefahren herausforderte und keine Mühsal scheute, war er stets auf der Suche nach seinem kulturellen Erbe, das vor über tausend Jahren zusammengetragen wurde.

»Der alles gesehen im Bereiche des Landes, Der die Meere kannte, Jegliches wusste, Er durchschaute das Dunkelste gleichermaßen, Weisheit besaß er, Kenntnis der Dinge allzumal.
Verwahrtes auch sah er, Verborgenes erblickte er;
Hat Kunde gebracht von vor der Sintflut,
Fernen Weg befahren, war dabei matt einmal und wieder frisch,
Auf einen Denkstein hat er die ganze Mühsal gemeißelt.«
(Erste Tafel, I 1-8, Verlag Reclam)

Dort, wohin einst Henoch entführt wurde, wurde in den Annalen u. a. die Geschichte der Menschheit vor der Sintflut verwaltet.

Doch die Überlieferungen um Henoch haben zugleich einen verblüffenden Tatbestand zwischen den Zeilen bewahrt, der eben jene adamitische Sprache betrifft: Von der ersten mysteriösen Begegnung an ist die Verständigung zwischen Henoch und den beiden gesandten Engel des Herrn problemlos.

Nichts wird angedeutet von den späteren Verständigungsschwierigkeiten, als der Erzengel Gabriel dem Propheten Mohammed die himmlischen Wörter vermitteln wollte, oder Moses Zunge, die plötzlich bei ähnlichen Gelegenheiten zu einer »schweren« wurde.

Auch spätere Dialoge zwischen Henoch und den Engeln, unter denen sich auch Gabriel befindet, vermitteln eindeutig den Eindruck einer direkten Verständigung mithilfe einer Sprache, die beide Seiten beherrschten.

Noch verblüffender dürfte der Umstand sein, dass Henoch die an jenem Ort in den *»Behältnissen des Herrn«* aufbewahrten Bücher nicht nur lesen, sondern auch abschreiben konnte.

Dabei befinden wir uns noch vor dem Ausbruch der Sintflut.

Kannte Henoch die vorsintflutliche, die adamitische Sprache? Hat es also doch die babylonische Urkatastrophe gegeben?

Drittes Kapitel
Kanaan
Ein historischer Irrtum

»Und der HERR sprach zu Abram: Geh aus deinem Vaterland und von deiner Verwandtschaft und aus deines Vaters Hause in ein Land, das ich dir zeigen will. Und ich will dich zum großen Volk machen und will dir einen großen Namen machen und du sollst ein Segen sein. Ich will segnen, die dich segnen, und verfluchen, die dich verfluchen, und ›in dir sollen gesegnet werden alle Geschlechter auf Erden.« (1. Moses 12, 1 - 3)

Mit Abrahams Berufung befand sich die Menschheit in einer erfüllten Zeit, die gut ein Jahrtausend zuvor vorausbestimmt wurde und mit einer „**Herausführung**" eingeleitet werden sollte.
Zu jener Zeit sollte ein gerechter Mann aus seiner Heimat auswandern, um als legitimer Herrscher das menschliche vorsintflutliche Erbe anzutreten und dem kulturellen Vermächtnis des Henochs Geltung zu verschaffen.
Zugleich ist es die Zeit, in der die Wiederherstellung der Schriften stattfinden soll, die Kunde aus der Vergangenheit für die Gegenwart zugänglich gemacht werden und die einst existierenden Kulturelemente von Neuem erwachsen sollen.
Mit anderen Worten: Die Menschen sollen in das Goldene Zeitalter zurückgeführt werden, das mit Adams Erschaffung seinen Anfang nahm.
Doch es geschieht etwas Sonderbares.
Anstatt die Menschen in ihre Urheimat zurückzuführen, wo Adam einst lebte, trifft der HERR einen völlig unverständlichen Entschluss:

»[…] es wohnten zu der Zeit die Kanaaniter im Lande. Da erschien der HERR dem Abram und sprach: Deinen Nachkommen will ich dies Land geben.« (1. Moses 12,6,7)

Ohne ersichtlichen Grund wird Abraham das Land Kanaan, Alt-palästina also, zugewiesen, statt den Menschen die Rückkehr in das eigentliche gelobte Land zu erlauben: Eden.

Dabei war Kanaan geschichtlich und theologisch in Vergleich zu anderen bereits etablierten Zentren in Mesopotamien völlig unbedeutend.

In den geschichtlich erfassbaren Epochen findet sich kein einziger Hinweis darauf, der die Annahme hätte rechtfertigen können, dass die Schöpfungsgeschichte in diesem kargen Gebiet tiefe theologische Wurzeln geschlagen hätte.

Erst nachdem die Stadt Jerusalem durch König David um 997 v. Chr. erobert und zum politischen und religiösen Mittelpunkt der Israeliten erhoben wurde, stieg sie zum Zentrum der Religionsgeschichte auf.

Jerusalem blickt also auf eine in vorsintflutlicher Zeit dürftige Vergangenheit zurück, woraus sich der Anspruch, die heiligste Stadt unseres Planeten zu sein, nicht rechtfertigen lässt.

Dass das Paradies, was auch immer dies genau gewesen sein mag, weit entfernt von Altpalästina gelegen hat, lässt sich aus den himmlischen Reisen des Henoch ableiten.

Auch in dem Gilgamesch-Epos finden wir eine weitere Bestätigung hierfür. Auf seinem Fußweg zum Zedernwald macht der sumerische Held hin und wieder Rast auf Bergen, wo er Mehlopfer bringt und auf ein Wunderzeichen hofft. Doch keiner dieser Orte war sein Hauptziel. Alle Rastplätze, die er ansteuert, sind nicht mehr als untergeordnete Zwischenstationen.

Und selbst nachdem Chumbaba erschlagen und der Zedernwald eingenommen wird, erweist sich der Libanon als eine weitere Zwischenstation auf dem Weg zu seinem eigentlichen Ziel.

Auf Umwegen gelangt er dann zu einem Schiffer:

»Wer du mit Namen seist, sage mir!
Ich bin Urschanabi, im Dienst des fernen Utnapischtim.
Gilgamesch sprach zu ihm, zu Urschanabi:

Gilgamesch ist mein Name,
Der ich gekommen aus Uruk, dem Haus des Anu,
Der ich umherging in den Bergen,
Einen fernen Weg, den Pfad des Schamach.
Nun, Urschanabi, habe ich dein Antlitz erblickt;
Zeig mir den fernen Utnapischtim!« (Zehnte Tafel, 6 - 13)

Um zu seinen Ahnen zu gelangen, muss Gilgamesch im Zedernwald Bäume schlagen, um daraus gigantische Ruder zu machen:

»Nimm die Axt auf, Gilgamesch, in deine Hand!
Wohlan, geh wieder zum Wald hinab,
Hundertzwanzig Stangen zu fünfmal zwölf Ellen schneide dir zu,...«
(Zehnte Tafel, 40,41)

Wenn man dieser Angabe Glauben schenkt, so dürfte es sich hier
um ein hochseetüchtiges Schiff handeln mit 60 Doppelruderrei-
hen und einer Länge von 30 Metern.
Doch wozu hätte Gilgamesch Hochseeschiffe gebraucht, wenn er
bis dahin bereits bravourös den halben Orient zu Fuß durchstreift
hatte?
Auch innerhalb des Mittelmeers dürfte er kaum solche gigantischen Schiffe gebraucht haben. Sein Zielort musste also ganz woanders, außerhalb dieser Gebiete liegen.
Und in der Tat erfahren wir, dass ein Seeweg von einem Monat
und fünfzehn Tagen erforderlich war, um zu Utnapischtim zu gelangen.

»Gilgamesch und Urschanabi bestiegen das Schiff, Setzten das Schiff auf
die Wogen und fuhren dahin.
Ein Weg von einem Monat und fünfzehn Tagen ...« (Zehnte Tafel, 47 - 49)

Demnach lag das geheimnisvolle Gottesland, in das Henoch aufgenommen wurde, an einem Ort, der von dem Wirkungskreis des
damaligen Fruchtbaren Halbmonds weit entfernt sein dürfte.

Tausend Jahre hat die Menschheit und mit ihr die Kultur in Tatenlosigkeit ausharren müssen, um schließlich in ein neues Zeitalter aufzubrechen und auf ein ewiges Gottesreich zu hoffen.

Die Wiederherstellung dieses Goldenen Zeitalters kann eigentlich nur dort vollzogen werden, wo einst mit Adam die Schöpfung ihren Anfang nahm: eben in jenem Paradies.

Welcher Gedanke läge also näher, als das von Gott auserwählte abrahamische Geschlecht in die Urheimat der Menschen zurückzuführen?

Alles andere würde zumindest die bis dahin gültigen historischen und theologischen Grundlagen über den Haufen werfen und insbesondere würde die tausendjährige Schweigeperiode, die die Menschheit abzubüßen hatte, überhaupt keinen Sinn ergeben.

Neubeginn bedeutet zugleich Scheideweg und Ausbruch zu neuen Ufern.

Demnach würde jede Fehlentscheidung dazu führen, die kulturelle Entwicklung in völlig falsche Bahnen zu lenken und somit den Beginn eines Irrwegs einzuleiten.

Warum also ausgerechnet zum Leid der damals dort lebenden Völker Abraham das Land Kanaan zugewiesen wird, ist schwer verständlich.

Noch unverständlicher dürfte jedoch erscheinen, warum Abraham überhaupt aus Ur auswandern musste.

Nach der apokryphischen Überlieferung soll der gerechte Mann nach 1070 Jahren aus seinem Land ausgeführt werden, damit er das Zeitalter der Schrift einleiten und das einst eingefrorene kulturelle Erbe antreten kann.

Er ist sozusagen das von Gott gewollte Haupt eines menschlichen Geschlechts, der die Menschen um sich sammeln und nach Gottes Wille und Geboten die Welt regieren soll.

Im Grunde genommen also der erwartete Erlöser, der die Menschen aus der Dunkelheit einer tausendjährigen Stagnation in das helle Licht eines göttlichen und gerechten Reichs führt: die Verkörperung der messianischen Erwartung.

Auch seine Berufung ist ein Anzeichen dafür, dass die Menschheit für ihre vorsintflutlichen Sünden gebüßt hat und nun würdig dafür, das göttliche Erbe für immer anzutreten.

Dies wird ja auch zu Beginn von Abrahams Berufung zum Ausdruck gebracht:

»Hebe deine Augen auf und sieh nach Norden, nach Süden, nach Osten und nach Westen. Denn all das Land, das du siehst, will ich dir und deinen Nachkommen geben für alle Zeiten.« (1. Mose 13,14,15)

Abraham steht offenbar in diesem Augenblick an einem erhöhten und zentralen Ort in Altpalästina.

Der Patriarch soll sogar sogleich das Land vermessen:

»Darum mach dich auf und durchzieh das Land in der Länge und Breite, denn dir will ich´s geben.« (1. Mose 13,17)

Die Landübergabe steht folglich unmittelbar bevor.

Es kommt jedoch völlig anders!

Als Abrahams Frau Sara Jahrzehnte später stirbt, ist der Patriarch immer noch ein Fremder in Kanaan und muss beim hiesigen Machthaber um ein Begräbnis für seine Frau betteln:

»Danach stand er auf von seiner Toten und redete mit den Hethitern und sprach: Ich bin ein Fremdling und Beisasse bei euch; gebt mir ein Erbbegräbnis bei euch, dass ich meine Tote hinaustrage und begrabe.« (1. Mose 23,3,4)

Als Abraham später stirbt, wird er an derselben Stelle begraben.

Niemals wird es später je einem Archäologen gelingen, auch nur die kleinste Spur von Abrahams Grab zu entdecken, so als sei der Ort des Begräbnisses ausschließlich eine literarische Erfindung gewesen.

Auch dem abrahamischen Volk, das ewig in einem eigenen Land wohnen sollte, erging es nicht anders:

»Da sprach der HERR zu Abram: Das sollst du wissen, dass deine Nach-
kommen werden Fremdlinge sein in einem Lande, das nicht das ihre ist;
und da wird man sie zu dienen zwingen und plagen vierhundert Jahre.«
(1. Mose 15,13)

Die tausendjährige Schweigeperiode wird also paradoxerweise
durch eine vierhundert Jahre andauernde Unterdrückungszeit
abgelöst: Eine Erlösung von der vorsintflutlichen Erblast findet
demzufolge nicht statt.

Und von der Rückkehr zum gelobten Paradies kann wohl auch
nicht die Rede sein!

Wozu wurde also Abraham überhaupt berufen und was ist aus
dem Versprechen des HERRN am Anfang der Mission geworden?

Unter Würdigung der Patriarchen Geschichte drängt sich die
Schlussfolgerung auf, dass Abraham unverrichteter Dinge stirbt,
genauso wie sein Pendant Gilgamesch, der angeblich die Unster-
lichkeit vergebens suchte.

Die göttliche Mission des Patriarchen misslang und verpuffte
schon nach kurzer Zeit.

Dennoch enthält die Patriarchen Geschichte wichtige theologische und geschichtliche Hinweise für uns und wird den weiteren
Verlauf der Geschichte entscheidend beeinflussen.

Zunächst einmal dürfte die Aussage zu Beginn der biblischen Geschichte zweifelhaft sein, wonach Abraham der Auszug aus Ur in
Chaldäa durchführte:

»Da nahm Tharah seinen Sohn Abram und Lot, den Sohn seines Sohnes
Haran, und seine Schwiegertochter Sarai, die Frau seines Sohnes Ab-
ram, und führte sie aus Ur in Chaldäa, um ins Land Kanaan zu ziehen.
Und sie kamen nach Haran und wohnten dort.« (1. Mose 11,31)

Demnach war es Tharah, der die abrahamische Gemeinde aus Ur
herausführte.

Zudem besagt der Text letztendlich auch, dass das Ziel nicht Kanaan, sondern Haran war.

Doch Kanaan war nicht menschenleer, sodass es der Begründer einer neuen Dynastie hätte friedlich und widerstandslos durchqueren können.

Folglich dürfte es Tharah gewesen sein, der die Eroberung und Besetzung Kanaans von Süden her zu organisieren hatte.

Ein in Ras Schamra aufgefundenes Epos, das nach dem Namen seines Helden Keret benannt wurde, scheint diese Annahme zu bestätigen.

Das Gedicht Keret wurde erstmals von Charles Virolleaud übersetzt und interpretiert. Er las darin von der Gefahr, die dem Lande Kerets, des Königs von Sidon, drohte. Der Einfall des Heeres Tharahs in den Negeb (den Süden Palästinas) erregte in Keret Befürchtungen, und er weinte in der Abgeschlossenheit seines Zimmers.

In seiner großen Not sprach ihm eine Stimme, die er im Traum vernahm, Mut zu, und er schloss sich dem Heer der Verteidiger an.

In dem Gedicht kommen Namen der biblischen Stämme Ascher und Sebulon vor, Abraham hingegen nicht.

Die historische Kulisse, die im Gedicht umrissen wird, lässt den Schluss zu, es habe eine ausgedehnte und alles entscheidene Schlacht um die Vorherrschaft im palästinischen/syrischen Raum gegeben.

Die bewaffneten Stammesangehörigen im Norden schließen ihre Häuser und eilen davon, um sich der Hauptmacht Tharahs zu stellen.

Während sie marschieren, schließen sich Freiwillige an.

»Männer von Hasis kamen zu Tausenden und zu Myriaden, wie eine Flut.«

Hasis (Kothar) ist der ugaritische Handwerks- und Schmiedegott und der Herr der Zaubersprüche. Er soll sowohl das Eisen und die Schmiedekunst, als auch Fischereigeräte und die Seefahrt erfunden haben.

Auch Tharah marschiert ihnen mit einer gigantischen Armee entgegen, »*eine große Streitmacht von dreihundert mal zehntausend*«, was drei Millionen bedeuten würde, wenn die Übersetzung korrekt ist. (Zeitalter im Chaos, Immanuel Velikovsky, S. 231, Europa Verlag)

Selbst wenn man von übertriebenen Zahlen ausgeht, bleibt immer noch die Gewissheit, dass das Gedicht keine kleinen lokalen Stammeskämpfe beschreibt, sondern eine groß angelegte Schlacht gegen einen aus dem Süden kommenden Eroberer.
Zu einem späteren Zeitpunkt wird uns derselbe Tharah eine faustdicke Überraschung bescheren.
Wie diese Kämpfe auch immer ausgegangen sein mögen, es gilt als sicher, dass Tharah und die Seinigen Haran erreicht haben.
Warum jedoch Tharah ausgerechnet dorthin ziehen musste, kann nicht mit letzter Sicherheit ergründet werden.
Hingegen scheint es eine einleuchtende Erklärung dafür zu geben, warum der Weg dorthin zwingend über Kanaan erfolgen musste und warum dieses Land plötzlich solch eine wichtige Rolle in der Patriarchen Geschichte spielt.
Die Erklärung findet sich in Salem, denn dort kommt es zu einer geheimnisvollen Begegnung:

»*Aber Melchisedek, der König von Salem, trug Brot und Wein heraus. Und er war ein Priester Gottes des Höchsten und segnete ihn und sprach: Gesegnet seist du, Abram, vom höchsten Gott, der Himmel und Erde geschaffen hat; und gelobt sei Gott der Höchste, der deine Feinde in deine Hand gegeben hat. Und Abram gab ihm den Zehnten von allem.*«
(1. Mose 14,18-20)

Der Begriff *Zehnte* ist vergleichbar mit dem Kirchenzehnten.

Diese spezielle Abgabe lässt den Schluss zu, dass Abraham mit diesem Schritt zu erkennen gibt, dass er sich der Gottheit unterwirft, die ihm Melchisedek offenbart und deren Segen er erhält.

Die Bedeutung Melchisedeks besteht darin, dass er der erste überhaupt in der Bibel erwähnte Priester ist und dass er für sein Opfer Brot und Wein verwendet – nicht Fleisch wie die späteren Priester des alten Testaments – und damit ein symbolischer Vorläufer Jesu Christi und der von diesem gestifteten Eucharistie ist.

Auch eine Verheißung Gottes an König David besagt: »*Du bist Priester für immer nach der Ordnung Melchisedeks.*« (Psalm 110,4) Somit stellen die Texte König David auf eine Stufe mit Jesus.

Obwohl die Bibel weder Melchisedeks Vor- und Nachfahren noch seinen Tod erwähnt, scheint dieser geheimnisumwobene Priester dennoch eine zentrale Rolle im Glauben zu spielen.

Entscheidend bei dieser seltsamen Begegnung und der stattfindenden Segnung dürfte eigentlich die Erneuerung des Alten Bundes sein.

Eine ausführliche Diskussion der genannten Bibelstellen findet sich im Brief an die Hebräer in den Kapiteln 5 - 7.

Der Brief interpretiert den Segensempfang und die Steuerabgabe als eine Unterordnung Abrahams unter Melchisedek und damit eine Unterordnung des alten Bundes unter den neuen Bund.

Eine moderne Interpretation hierfür könnte lauten: Mit der abrahamischen Generation befinden wir uns in einer Ära gesellschaftlicher, religiöser und kultureller Erneuerung, in der die alte vorsintflutliche Ordnung global wiederhergestellt wird.

Doch was ist unter alter und neuer Ordnung zu verstehen?

Und vor allem, was hat dies ausgerechnet mit der Stadt Salem und Melchisedek zu tun?

Man kann hierüber zunächst nur Vermutungen anstellen.

Da die abrahamische Mission die Erfüllung jener prophetischen Weissagung vor dem Eintreffen der Sintflut verkörpert, dürften ihre Wurzeln folglich in derselben theologischen Plattform liegen, zu der sich Henoch unmittelbar vor der Sintflut bekannte.

Abraham erneuert mit seiner Unterwerfung in Salem nach tausend Jahren den alten, vorsintflutlichen Bund, den Henoch mit seiner Berufung und Rückführung ins Paradies mit dem HERRN schloss.

Abraham schlüpft also in die gleiche religiöse Funktion, in die auch Henoch durch seine Berufung erhoben wurde.

Demnach stellt die Begegnung mit Melchisedek einen theologischen Wendepunkt im Zusammenhang mit Abrahams Berufung dar.

Folglich muss die Stadt Salem in irgendeiner engen Beziehung mit Henoch und seiner damaligen himmlischen Mission stehen.

Dieser Aspekt wird zu einem späteren Zeitpunkt noch eingehender behandelt.

Welche Gottheit mit »dem Gott des Höchsten« gemeint war, dies lässt sich auf mythologischen Umwegen erahnen.

Die Existenz Jerusalems als kanaanäischer Stadtstaat ist durch ägyptische Quellen seit dem 18. Jahrhundert v. Chr. unter dem Namen Uruschalim belegt.

Heutige Interpretationen gehen davon aus, dass dieser Name »Stadt des Schalim« oder »Stadt des Friedens« bedeutet.

Schalim ist jedoch der hebräische Ausdruck für Salem, woraus später der Name Jerusalem abgeleitet wird.

Das Götterpaar Schalim und Schahar waren Kinder des mächtigen Fruchtbarkeitsgottes und Götterkönig der Phönizier El.

Melchisedek, der König von Salem, wird also wohl sein Diener gewesen sein, so dass mit »*Gott der Höchste*« demnach kein anderer als die Gottheit El gemeint sein dürfte.

El entspricht dem ugaritischen L, dem arabischen Ilah, dem südarabischen Il und dem akkadischen Ilu.

Seine Gattinnen sind Atirat und Ashera, sein Bruder ist Dagan.

Er ist der Vater der siebzig Kinder der Ashera, des Baal, des Mot und der Anath und vieler anderer.

Als ihn seine Zeugungskraft verlässt, wird er durch seinen Sohn

Baal abgelöst.

Dargestellt wird **El** in der Regel als Greis und als König, mit **gehörnter Götterkrone** auf einem Thron sitzend, in segnender Pose und in Gesellschaft eines achtstrahligen geflügelten Sterns.

Und genau diese Eigenschaften treffen auch auf eine sumerische Gottheit zu, deren Spuren eben zu Gilgamesch führen.

In der Stadt Haran im Norden befand sich eine der beiden Hauptkulturzentren des Mondgott Sin, während das andere in Ur im Süden Mesopotamiens, der Stadt also, aus der Tarah auszog.

Sin war der Vater des Sonnengottes Schamasch, gemäß einer weiteren Tradition war er auch gleichzeitig der Vater Inanna-Ischtars.

Sein Symbol war die Mondsichel, die im Orient ganz waagerecht über den Himmel zieht.

So kam das Bild zustande, dass Nanna-Sin in einem Boot über den Himmel fährt.

Im 3. Jahrtausend v. Chr. findet sich eine Szene immer wieder auf Rollsiegelbildern: Ein Gott mit Hörnerkrone, dem Symbol der Göttlichkeit, sitzt in einem mondsichelförmigen Boot, welches einen Menschenkopf als Gallionsfigur hat, und hält ein Paddel in den Händen, mit dem er das Boot steuert.

Attribute wie Mondsichel oder Mondsichelstandarte, Stier und Keule sind in späterer Zeit eindeutige Hinweise auf diesen Mondgott.

Das charakteristische Merkmal des Mondgottes Sin, die Hörnerkrone, ist also dasselbe wie bei dem Gotte **El**.

Die »Hörner der Göttlichkeit« galten als das alleinige Vorrecht der Götter.

Dennoch treffen wir nicht selten bei Abdrücken von Rollsiegeln auf sumerische Helden, die ebendieses Zeichen der Göttlichkeit tragen – unter anderem auch Gilgamesch.

Das heißt, dass die Gottheit, die anonym im Hintergrund die Geschehnisse bei Gilgamesch lenkt, die gleichen charakteristischen Eigenschaften aufweist wie die Gottheit **El**.

Spätestens jetzt musste die Frage gestellt werden: Wenn eine solche Verbindung bestehen würde, dann müsste es wohl in dem Epos Hinweise auf eine entsprechende rituale Zeremonie in Verbindung mit Gilgamesch geben, die weit über das bloße »Segnen« hinausgeht.

Mit anderen Worten, eine kultische Handlung zur Erhebung in den Stand, in dem der Berufene zum Erlöser wird.

Und in der Tat diesen Hinweis gibt es!

Henoch wurde an jenem Ort der Entführung im Angesicht des HERRN vom Erzengel Michael mit der »*guten Salbe*« eingerieben und mit der »*Kleidung der Herrlichkeit*« bekleidet.

Mit diesem Akt wurde er in den messianischen Stand erhoben.

Folglich befand sich Henoch an einem heiligen Ort, der dazu legitimiert war, dass derartige kultische Handlungen dort vollzogen werden konnten.

Und man mag es kaum glauben: Die gleiche Zeremonie wird Gilgamesch am Aufenthaltsort des Utnapischtim erleben.

»Nimm ihn, Urschanabi, bring ihn zum Waschort,
Dass er wasche mit Wasser seinen Schmutz – wie Schnee!
Seine Felle werf er ab, dass das Meer sie entführte!
Sein schöner Leib werde benetzt!
Seines Hauptes Binde werde erneuert!
Ein Gewand zieh er an, das seiner Würde gemäß ist!«
(11. Tafel 239 - 243, Das Gilgamesch Epos, Reclam)

Bei Gilgamesch schlüpft der Schiffer **Urschanabi** in die Rolle des Erzengels Michael, während Utnapischtim den Vollzug der einzelnen kultischen Handlungen bestimmt.

Natürlich kann Gilgamesch seinem vorsintflutlicher Urahne nicht leibhaftig begegnen. Die Aussagen dürften vielmehr darauf hindeuten, dass sich die Handlungen dort abspielten, wo die Kunde von der Sintflut aufbewahrt wurde: Der Ort also, an den Henoch vor der Sintflut entführt wurde.

In dem Gedicht erfahren wir, dass Gilgamesch erst von seiner »*irdischen Kleidung*«, wie einst Henoch, befreit und gründlich gewaschen wird, ehe sein Leib benetzt, womöglich gesalbt wird. Erst danach wird er mit einem Gewand bekleidet, das nun seiner Würde entspricht.

Genau wie einst Henoch vor gut tausend Jahren.

Der benetzende Wasserstrahl spült jegliche Unreinheit mit sich fort und verleiht dem Betreffenden den Idealzustand von Reinheit und Hygiene, die Voraussetzungen also, um rituelle Handlungen zu vollziehen.

Somit bezieht sich diese Szene eindeutig auf ein religiöses Umfeld, wo die Reinheit und die Einsetzung als Hohepriester im Dienste einer Gottheit im Vordergrund stehen.

Und wenn wir an dieser Stelle auf Beobachtungen des griechischen Historikers Herodot über die Regeln priesterlicher Reinheit im alten Ägypten zurückgreifen, wird die Aussage »*seine Felle werfen*« bei Gilgamesch verständlich: Im alten Ägypten spielt das Reinigungswasser, das als Wasserschwall aus rituellen Gefäßen dargestellt wird, die entscheidende Rolle bei der Erlangung der Reinheit und ermächtigt somit den Betroffenen, mit der Gottheit Kontakt aufzunehmen und ihr zu dienen.

Diese Reinheitszeremonie verlief gemäß Herodots Angaben nach peinlich genauen Regeln in einer bestimmten Reihenfolge.

Zunächst wird der Anwärter vollständig rasiert, dann erfolgt die Waschung und schließlich das Ankleiden mit einem Leinengewand.

Und genau in dieser Reihenfolge wird die Zeremonie bei Gilgamesch vollzogen.

Sein Fell, also die nach der langen Reise auswuchernden Bart- und Kopfhaare, muss er vom Leibe werfen, sich vollständig rasieren.

Auf die Waschung erfolgt die Bekleidung.

Somit rückt Gilgamesch in den Stand eines Gesalbten und dürfte demnach auch mit messianischen Erwartungen in Verbindung gebracht werden.

Folgerichtig wird er im Epos, wie sein Weggefährt Enkidu, mit der Gottesdetermination beschrieben, die ihn zum Gott erhebt und ihm den Titel »**himmlischer Gilgamesch**« beschert.

Dass Gilgamesch an jenem Ort nicht nur Kunde von der Sintflut erlangt hat, sondern auch in einen theologisch-weltlichen Stand erhoben wurde, beweisen die Handlungen, die er nach seiner Rückkehr in Uruk-Gart vollzieht und die mitunter den Schluss zulassen, dass der Rückkehrer ein völlig anderer Gilgamesch war als jener ungebildete und ungestüme Abenteurer, der einst Uruk-Gart verließ.

»Als sie hinein nach Uruk-Gart kamen,
Sprach Gilgamesch zu ihm, zum Schiffer Urschanabi:
›Steig einmal, Urschanabi, auf die Mauer von Uruk, geh fürbass,
Prüfe die Gründung, besieh das Ziegelwerk, Ob ihr Ziegelwerk nicht aus
Backstein ist,
Ihren Grund nicht legten die sieben Weisen!
Ein Sar [Maßeinheit] der Stadt, ein Sar der Palmgärten,
Ein Sar die Flußniederung, dazu das [heilige] Gebiet des Ischtartempels:
Drei Saren nebst dem [heiligen] Gebiet von Uruk umschließt sie!«
(11. Tafel, 302 - 307, Das Gilgamesch Epos, Reclam)

Als Gilgamesch von seiner Reise zurückkehrt, hat er genaue Angaben über den Plan einer heiligen Stadt, die er vor dem Verlassen Uruk-Garts nicht kannte.

Genaue Baupläne zu erhalten und folglich den göttlichen Auftrag zur Errichtung eines Gotteshauses (*Ischtartempel*) in die Tat umzusetzen bedeutet aber letztlich auch, dass hier ein Bezug besteht zu dem, was ihm bei Utnapischtim zuteilwurde, nämlich seine Berufung als religiöses Oberhaupt.

Der Schiffer **Urschanabi** scheint dabei eine bedeutende Rolle bekleidet zu haben: Er stand nicht nur als Schiffer im Dienst des Utnapischtim, sondern kannte sich zudem an jenem heiligen Ort gut aus.

Das heißt, er war offenbar einer der Stellvertreter, die imstande waren, Kontakte zwischen dem »Paradies des Henoch« und den Menschen herzustellen.

Urschanabi dürfte demnach alles andere als ein gewöhnlicher »Schiffer« gewesen sein.

Nach den Schilderungen in dem Epos besaß er die erforderlichen Legitimationen, um die Reinigungszeremonie und die anschließende Ankleidung des Gilgamesch durchzuführen und somit die kultische Handlung der Salbung zu zelebrieren.

Auch dass er Gilgamesch bei der Errichtung des Tempels aktiv beisteht, deutet auf eine theologisch führende Position hin.

*»Steig einmal, **Urschanabi**, auf die Mauer von Uruk, geh für baß, Prüfe die Gründung, besieh das Ziegelwerk.«*

Alles in allem wäre man in Anbetracht der Art seiner umfangreichen Tätigkeiten geneigt anzunehmen, dass er dieselbe Rolle bekleidete, die einst der Erzengel **Michael** bei Henoch innehatte.

Zu einer späteren Zeit wird Urschanabi aus der mythischen Schale entschlüpfen und seine wahre Gestalt offenbaren.

Den bisherigen Überlegungen folgend, spricht nun einiges dafür, dass der Mesopotamier Abraham später in denselben historischen Grundstoff eingebettet wurde, aus dem auch der dichterische Stoff des Gilgamesch-Epos gewebt wurde.

Demnach wurde der Kern der Erzählung fast ein Jahrtausend später von anderen Menschen für sich vereinnahmt und dem Zeitgeist angepasst. Hierdurch entstanden zwei Geschichten, die den Anschein erwecken, als seien die Ereignisse von damals sich erst in der Gegenwart zugetragen haben.

Und dies erklärt, warum niemals ein archäologischer Hinweis über Abraham in jenen Schichten zu finden ist, wo er nach etablierter Datierung gesucht wird.

Noch einmal müssen wir auf Haran zurückkommen.

»Und der HERR sprach zu Abram: Geh aus deinem Vaterland und von deiner Verwandtschaft und deines Vaters Hause in ein Land, das ich dir zeigen will. Und ich will dich zum großen Volk machen und dich segnen und dir einen großen Namen machen, und du sollest ein Segen sein. [...] So nahm Abram Sarai, seine Frau, und Lot, seines Bruders Sohn, mit aller ihrer Habe, die sie gewonnen hatten, und die Leute, die sie erworben hatten in Haran, und zogen aus, um ins Land Kanaan zu reisen.« (1. Mose 12,1 - 5)

Diesen Aussagen ist zu entnehmen, dass der eigentliche Ausgangspunkt Abrahams Mission offensichtlich erst in Haran ihren Anfang nahm.

Kurze Zeit danach erschien ihm der HERR in Kanaan, der ihm und seine Nachkommen das Land versprach.

Demnach bestand Tharahs Aufgabe darin, den Boden in Kanaan zunächst einmal für die bevorstehende Mission Abrahams zu ebnen.

Erst als die politischen Voraussetzungen geschaffen wurden, bricht Abraham aus Haran zu seiner göttlichen Mission auf.

Warum nun ausgerechnet Haran?

Auch hierauf haben die oft verschmähten apokryphischen Bücher eine plausible Antwort: Dies hängt unmittelbar mit der Verhängung der tausendjährigen Schweigeperiode zusammen, an deren Ende Abrahams Berufung prophezeit wurde.

In dem Anhang an das slawische Henoch-Buch heißt es:

»Und wenn sein wird das zwölfte Geschlecht und sein wird tausend Jahre und siebzig, wird in diesem Geschlecht ein gerechter Mensch geboren werden, und es wird sprechen zu ihm der Herr, dass er hinaufgehe auf jenen Berg, wo stehen wird die Arche Noahs [...]« (Anhang von Priestertum Methusalems, Nirs und Mechisedeks, Kap. 4,6)

Nach den biblischen Angaben soll die Arche auf dem Ararat gestrandet sein. Haran liegt südlich von dieser Bergkette.
Die abrahamische Mission ist demzufolge allem Anschein nach zunächst eng mit der Arche Noah verbunden.
Was Abraham dort tat und was dies mit seiner unmittelbar bevorstehenden Mission zu tun hatte, bleibt womöglich ein gehütetes Geheimnis der Geschichte.

Aus dem bisher Gesagten lässt sich durchaus die Hypothese ableiten, dass gegen Ende des vierten/zu Beginn des dritten Jahrtausends v. Chr. eine seit der mesopotamischen Sintflut tausendjährige kulturelle Schweigeperiode zu Ende ging, woraufhin ein neues Zeitalter eingeläutet werden sollte, letztendlich mit dem Ziel, ein ewiges Gottesreich zu gründen.
Um 2800 v. Chr. tritt diese Bewegung in die entscheidende Phase, begleitet von großräumigen kriegerischen Völkerbewegungen.
Zu diesem geschichtlichen Gärungsprozess gehört in erster Linie die Wiederherstellung der Schriften und der alten vorsintflutlichen kulturellen Elemente.
Es galt aber darüber hinaus auch, die menschliche Vergangenheit für die gegenwärtigen und zukünftigen Geschlechter zu erschließen.
Doch diese Vergangenheit fußte auf einer einzigen Sprache: die Vorsintflutliche.
Die Wiederherstellung der Schrift war demnach damit eng verbunden, jene mit der babylonischen Urkatastrophe verwirrte adamitische Sprache neu zu entdecken und somit in das Goldene Zeitalter vorzustoßen und auf literarischem Weg alte Kapitel der Menschheitsgeschichte aufzuschlagen, die einen Einblick in die ersten adamitisch-göttlichen Stunden erlaubt hätten.
Der Mensch hätte damit begonnen, die Götter von einst sprachlich zu berühren und allmählich ihre verborgenen Mysterien zu entschleiern und somit die Vergangenheit zu verstehen.
Doch nichts dergleichen geschah!

Das Angestrebte schlug fehl, die göttliche Mission verpuffte und endete in einem Fiasko, und zwar in einer weiteren Strafzeit, die 400 Jahre andauern sollte.

Abraham, genauso wie sein Pendant Gilgamesch, verschwindet aus der Geschichte, gerät in Vergessenheit und bleibt nur noch in wenigen Überlieferungen erhalten.

Die monotheistische Gottheit, die Abraham angeblich einzuführen gedachte, geht unter und gerät schließlich während der nachfolgenden Generationen völlig in Vergessenheit – so wie später zurzeit des Exodus.

Die Israeliten und selbst Moses verlassen Ägypten, um einem Gott zu folgen, den sie nicht einmal kannten:

»*Mose sprach zu Gott: Siehe, wenn ich zu den Kindern Israels komme und spreche zu ihnen: Der Gott eurer Väter hat mich zu euch gesandt! und sie mir sagen werden: Wie ist sein Name? was soll ich ihnen sagen?*« (2. Mose 3,13)

Die Götter von einst waren hoffnungslos in Vergessenheit versunken.

Und mit Ihnen die adamitische Sprache?

Viertes Kapitel
Achsenzeit
Sturz des Fruchtbaren Halbmonds

Unsere Einstellung zu Mythen und Legenden ist unausgewogen, weil wir den Überlieferten auf diesem Gebiet kaum mit der gebotenen Ernsthaftigkeit begegnen.

In dieser Haltung sind wir allerdings inkonsequent.

Würden wir uns unbeirrt dazu bekennen, so müssten wir sämtliche heiligen Bücher und demzufolge die daraus abzuleitenden Religionen als Sagen betrachten. Denn all diese Schriften wurden grundsätzlich über unzählige Generationen hinweg mündlich überliefert und stellen somit nach den Grundsätzen moderner Historik lediglich Mythen dar.

Trotz unserer modernen Ansichten empfinden die meisten nichts dabei, an Engel zu glauben, die irgendwie ab und zu vom Himmel herabsteigen, für Menschen Partei ergreifen, Propheten in den Himmel befördern und nicht selten göttliche Lehren übermitteln, zu denen wir uns letztlich bis heute bekennen.

Behauptet hingegen jemand, ein UFO gesichtet zu haben, dann reagieren die meisten von uns völlig anders und verbannen sogleich solche Erzählungen ins Reich der Fantasie.

Bei Heiligen und Propheten empfinden wir es als selbstverständlich, dass diese Umgang mit Engeln hatten, Gott begegneten und ihn mit eigenen Augen gesehen haben wollen, ja, darüber hinaus wird häufig unkritisch hingenommen, wie manche Propheten sogar mit Gott haderten oder kämpften.

So soll Jakob aus einem direkten Kräftemessen mit Gott siegreich hervorgegangen sein. (1. Mose 32,28)

Würden wir also kritische Maßstäbe auch gegenüber heiligen Geschichten ansetzten, so kämen wir unschwer zu dem Ergebnis, dass so manche Behauptung nicht einmal in Märchen Platz finden würde.

Wie konnte eigentlich Moses mit Gott kämpfen, ja, sogar Gott in seinem Zorn beinahe seinen Propheten töten?

Gott wird dabei als Herr über die Schöpfung verstanden, der die Gewalt über ein Universum innehat, das nach Einschätzung von Astronomen ein Durchmesser von etwa 93 Milliarden Lichtjahre hat und somit in seiner geschätzten Ausdehnung und Masse ein für uns völlig unbegreifliches Gebilde darstellt.

Dass Gott mit Moses kämpfte, würde demnach in etwa vereinfacht ausgedrückt bedeuten, dass ein Mensch irgendwann damit beginnt, mit einer Bakterie zu hadern und in diesem Konflikt handgreiflich zu werden!

Wir „denken" in Metern, die Schöpfung hingegen in Lichtjahren: Zwei Komponenten also auf zwei ganz und gar verschiedenen Ebenen, die niemals aufeinandertreffen oder zueinanderfinden würden.

Eine gedachte Schöpfung nach unserem heutigen rationalen Denken, die solche gigantischen Dimensionen erschaffen hat, würde nicht einmal im Entferntesten unsere Existenz wahrnehmen.

Und genau an diesem »inflationären Verhältnis« scheiterten die orientalischen alten Kulturen, nämlich an der Erfindung der Religionen, oder besser gesagt der Einführung und Einsetzung des Hohenpriesters über den Menschen als Wächter und verlängerter Arm eines Gottes, mit dem niemals je ein Mensch hätte kommunizieren können.

Der Vergleich »Gilgamesch/Abraham« im vorigen Kapitel hat diesbezüglich einiges verdeutlicht.

Dasselbe historische Geschehen wurde von zwei Völkern aus verschiedenen Kulturkreisen auf zwei Personen übertragen.

Das Ergebnis zeigt dabei auf beeindruckende Weise das Dilemma, in dem die alten orientalischen Kulturvölker steckten und erklärt, warum all diese großartigen Kulturen letztendlich zum Scheitern verurteilt, dem Untergang geweiht waren.

Die biblischen Verfasser betrachten jede Handlung als eine von Gott gewollte und gesteuerte Tat. Nicht der agierende Held löst das Geschehen aus, sondern Gott.
Alles, was geschieht, muss seinen tieferen Sinn in dem haben, was Gott durchzuführen gedenkt, mit dem wir uns abzufinden haben – auch wenn es gegen uns gerichtet ist.
Der Mensch ist also lediglich ein Handelnder, der den Willen Gottes unterwürfig und widerspruchslos in die Tat umsetzt.
Dementsprechend wird die im Mittelpunkt der Ereignisse wirkende Person als von Gott berufene verstanden und somit faktisch zu seinem Vertreter erhoben, und all das, was geschieht und gedacht wird, wird der Religion untergeordnet.
Völlig normale geschichtliche Abläufe werden von ihrem eigentlichen Verursacher, dem Menschen, losgelöst und vergöttlicht.
Das Geschichtsbuch wird somit zur Heiligen Schrift.

Die sumerischen Denker hingegen, zeitlich viel näher das Geschehen erlebend, sahen die Dinge so, wie sie sind: Ereignisse, die aufeinanderfolgen, ausgelöst von sterblichen Menschen.
Zwar wird Gilgamesch als zu 2/3 göttlich beschrieben, aber die Definition dieses Begriffes unterliegt offenkundig bei ihnen völlig anderen Maßstäben, die weit entfernt von unserer heutigen Vorstellung von Gott liegen.
Aus denselben geschichtlichen Handlungen, die auch der Bibel zugrunde liegen, schufen die sumerischen Denker ihre Heldengedichte.
Gilgamesch ist demnach im Gegensatz zu Abraham alles andere als ein Mann Gottes, sondern ein Held und Abenteurer, der im Kreis der „vielen" Götter agiert und selbst in deren Stand erhoben wird: Der Vorläufer der griechischen Helden.
Es kommt also nicht auf den überlieferten Stoff an sich, sondern

ausschließlich darauf an, wer diesen verfasst hat.

Und es ist in erster Linie eine Frage, wie man mit dem Althergebrachten und Überlieferten umgeht und definiert, welchem Zweck das verschriftlichte Produkt dienen soll.

Während die Heiligen Schriften in der Erzählform verfasst wurden, sind die Heldenepen hingegen oft in der poetischen Form abgefasst.

Dichter zu sein bedeutet aber nicht anderes, Schöpfer sprachlicher Kunstwerke zu sein – eine Form der Philosophie also.

Somit sind wir bei jenem Begriff angelangt, an dem ausnahmslos alle orientalischen alten Kulturen zerbrachen, während andere zu erblühen begannen und endgültig die Fackel der Zivilisation übernahmen.

Die Kulturen des sogenannten Fruchtbaren Halbmonds haben erhabene Zivilisationsformen geschaffen, deren Hinterlassenschaften uns immer wieder von Neuem in Begeisterung versetzten.

Die Welt der Sumerer mit ihrer verschwenderischen und unnachahmlichen Lebensart verdient unsere Bewunderung, versetzt uns in das paradiesische Zeitalter.

Auch die gigantischen Denkmäler der Pharaonen scheinen uns in eine Welt zu entführen, die beinahe irreal auf uns wirkt.

Und wer, wie beispielsweise einst Napoleon, voller Ehrfurcht vor den Pyramiden von Gizeh steht, dem wird erst bewusst, welche Meisterleistung die Ägypter Jahrtausende vor unserer Zeitrechnung vollbracht haben, wahre Weltwunder, die obendrein immer noch ungelöste Rätsel beherbergen.

Doch am Ende einer besonnenen Betrachtungsweise müssten wir uns eigentlich fragen: Welchen reellen Einfluss hätten all diese Kulturen auf den darauffolgenden Entwicklungsprozess der Zivilisation gehabt?

Eine gigantische Pyramide aus Steinquadern wurde als immenser Kraftakt und unter großen Opfern aufgetürmt, offenbar nur um den Leichnam eines einzigen Pharaos zu beherbergen.

Demnach haben Generationen einer Hochkultur den ausschließlichen Sinn ihres Lebens darin gesehen, einer einzigen Leiche zu dienen, sie in einem unsinnigen und unzweckmäßigen Grab aufzubewahren, ihre kulturelle Errungenschaft und ihr Know-how einzig darauf ausgerichtet.

Generationen lebten ausschließlich dafür, um diesen »Traum« von Grab eines einzigen sterblichen Menschen zu verwirklichen.

War das denn wirklich eine nach vorn schauende und schöpferische Kultur, und kann man bei einem solchen anormalen Verhalten von den Anfängen der Kultur reden, aus denen unsere heutige Zivilisation emporwuchs?

Markiert dies den Beginn der menschlichen Kultur oder aber in Wirklichkeit ein immer stärkeres Abdriften und Sich-Entfremden davon?

Allerhöchstens wäre dies als eine Totengräberkultur, die am Ende die Balsamierungskunst perfektionierte und die Menschen auf ein einziges Ziel vorbereitete: die Reise ins Jenseits und eben das Leben im Reich der Toten.

Dieser Sichtweise zufolge wird der Mensch nicht geboren, um zu leben, um seinen Geist in den wenigen ihm zugestandenen Jahren seines Daseins frei zu entfalten und seine Umwelt nach Gutdünken zu entdecken und zu gestalten, sondern ausschließlich, um sich für das Jenseits zu rüsten.

Er wird geboren, um sich auf den Tod vorzubereiten!

Welch ein absonderlicher kultureller Gedanke, der die simpelsten Schöpfungsprinzipien außer Kraft setzt, ja, die Grundprinzipien der Evolution verhöhnt.

Am Ende gelangte keiner der Pharaonen mit seinen reichlichen Beigaben und inhaltslosen Beschwörungsformeln im Schoße des Osiris in das gelobte Jenseits, sondern respektlos in die Hände von Grabräubern.

Auch die Sumerer, die einen eher lockeren Umgang mit den sogenannten Göttern hatten und oftmals als die wahren Kulturschöpfer gehandelt werden, waren, wie wir gesehen haben, nicht die Erfinder der Kultur, sondern lediglich »Widerhersteller« der alten Zeiten, also stets rückwärts orientiert in dem Goldenen Zeitalter verweilend.

Die Vergangenheit war stets das Maß aller Dinge und die unüberwindbare Grenze zugleich!

Was also haben all diese hochgelobten alten Kulturen wirklich bewirkt?

Im Grunde genommen nichts!

Sie stellten mit ihrer pedantischen Weltanschauung eine Art »Kulturbremse« dar, die jede ideologische Reform oder zivilisatorischen Fortschritt zunichtemachte.

Der Übergang von der »bloßen« Steinkultur zur fortschrittlichen Zivilisation konnte hier auch im Verlauf Jahrtausende nie vollzogen werden.

Sie alle sind kläglich gescheitert und bis zu ihrer neuen Entdeckung in unserer Zeit in Vergessenheit geraten, ja, das Volk der Sumerer wäre sogar beinahe unentdeckt geblieben.

Die gigantischen Statuen von Ramses II. des wiederaufgebauten Abu Simbel mögen die Touristen an seiner einstigen Größe erinnern, doch am Ende hat er kulturgeschichtlich für uns nichts bewegt, außer zu einer Touristenattraktion verdammt zu werden.

Kultur findet hier ihren Ausdruck und ihre Umsetzung in erster Linie in dem Gigantismus ihrer Tempel und stummen wie nutzlosen Götter.

Auf diese Weise wird zum Ausdruck gebracht, wer die Geschehnisse im Hintergrund steuert, wer die Menschen stets in Atem hält und wer die eigentlichen Herrscher waren: das Geschlecht des wachenden Priestertums.

Jahrtausendelang wurden Tempel mit derselben Hilflosigkeit »gereinigt« oder kompromisslos zerstört und neu aufgebaut, das Blut von Tausenden wehrlosen Tieren sinnlos vergossen und die obskursten Rituale abgehalten, um doch letztlich im Nichts zu enden, in göttlicher Leere zu münden.

Kein himmlischer Schöpfer hat sich je für ihr abnormes Tun interessiert!

Sie scheiterten alle, weil alles, was sie schufen, einschließlich ihres irdischen Daseins im Kreislauf der Religion oder der alten Goldenen Zeiten eingebunden und fest verankert war, ein Kreislauf, dem keiner entrinnen konnte.

Wahrlich eine Kultur der verlorenen und verstörten Seelen.

Keiner hat diesen aussichtslosen Zustand irdischen Daseins zutreffender beschrieben als der Seher Hermes Trismegistos:

»Weißt du nicht, o Asklepios, dass Ägypten das Bild des Himmels und das Widerspiel der ganzen Ordnung der himmlischen Angelegenheiten hienieden ist? Doch du musst wissen: Kommen wird eine Zeit, da es den Anschein haben wird, als hätten die Ägypter dem Kult der Götter vergeblich mit so viel Frömmigkeiten obgelegen, als seien all ihre heiligen Anrufungen vergeblich und unerhört geblieben. Die Gottheit wird die Erde verlassen und zum Himmel zurückkehren, da sie Ägypten, ihren alten Sitz, aufgibt, verwaist von Religion, beraubt der Gegenwart der Götter ... Dann wird dies von so vielen Heiligtümern und Tempeln geheiligte Land mit Gräbern und Toten übersät sein. O Ägypten, Ägypten! Von deiner Religion werden nur leere Erzählungen, die die Nachwelt nicht mehr glauben wird, und in Stein geschlagenen Worte bleiben, die von deiner Frömmigkeit erzählen.«

Und es scheint tatsächlich so zu sein, als ob die alten Kulturen des Ostens selbst zur ihrer Blütezeit in einem fortdauernden kulturellen Stillstand verharrten und somit einem ständigen Rückentwicklungsprozess unterlagen.

Wann der Mensch diese kulturell ausweglose Situation abschüttelte und somit den Grundstein für unsere heutige aufgeklärte Zivilisation legte, kann nur vage umrissen werden.

Eine einleuchtende Zauberformel hierzu lautet: **die Achsenzeit**.

Diese vom deutschen Philosophen Karl Jaspers vertretene These legte er in seinem Buch »*Vom Ursprung und Ziel der Geschichte*«

dar.

Dabei geht er bei seiner geschichtsphilosophischen Betrachtung von einer Zeitspanne zwischen 800 und 200 v. Chr. aus.

In dieser Zeit, so Jaspers, wurden gleichzeitig, aber unabhängig voneinander in vier Kulturräumen jene außergewöhnlichen philosophischen und technologischen Fortschritte vollbracht, die noch heute die Grundlage aller Zivilisation bilden.

In seinem Buch zitiert Jaspers den Philosophen Peter Ernst von Lasaulx wie folgt:

»*Es kann unmöglich ein Zufall sein, dass ungefähr gleichzeitig, sechshundert Jahre vor Christus, in Persien Zarathustra, in Indien Gautama-Buddha, in China Konfutse, unter den Juden die Propheten, in Rom der König Numa und in Hellas die ersten Philosophen, Jonier, Dorier, Eleaten, als die Reformatoren der Volksreligion auftreten.*«

Bei Viktor von Strauß heißt es hingegen: »*In den Jahrhunderten, da in China Laotse und Kungtse lebten, gingen wundersame Geistesbewegungen durch alle Kulturvölker. In Israel weissagten Jeremias, Habakuk, Daniel, Ezechiel, und in einem erneuerten Geschlechte wurde (521 – 516 v. Chr.) der zweite Tempel in Jerusalem erbaut. Bei den Griechen lebte Thales noch: Anaximander, Pythagora, Heraklit, Xenophanes traten auf, Parmenidis wurde geboren. Unter den Persern scheint eine bedeutende Reformation der alten Lehre Zarathustras durchgeführt zu sein. Und in Indien trat Schakia-Muni hervor, der Stifter des Buddhismus.*«

Mit Anbruch dieses Zeitalters scheint die bis dahin gültige menschliche Geschichte unterbrochen zu sein, in deren Verlauf Zerstörung und Neues hervorbringen, ohne je eine Vollendung zu erreichen, die Grundlage des Daseins war.

Zur fraglichen Zeit wirkte ein Faktor begünstigend und unterschied sich grundlegend von den davorliegenden Epochen, in denen es auch großräumige kulturelle Bewegungen und geistige Anstrengungen gegeben hatte: Die seit Jahrtausenden bestehenden alten Kulturen hörten mit der Achsenzeit auf zu bestehen.

Zugleich verlieren die vorhergehenden Hochkulturen endgültig ihre Gestalt, die sie tragenden Völker werden unsichtbar, indem sie sich der Bewegung der Achsenzeit versinken.

In diesem Zeitalter, so Jaspers weiter, wurden die Grundkategorien hervorgebracht, in denen wir bis heute denken, und es wurden die Ansätze der Weltreligionen geschaffen, nach denen die Menschen bis heute leben.

War dies aber wirklich so?

Hätten die erwähnten Personenkreise tatsächlich solch eine globale und fundamentale Wende bewirken, alle bis dahin gültigen weltlichen Ordnungen zum Einsturz bringen und den Weg für etwas völlig Neues ebnen können?

Liegt hier nicht ein eklatanter Widerspruch zum Werdegang der Geschichte vor?

Bei dieser Annahme muss schließlich festgestellt werden, dass die meisten dieser angeblichen revolutionären »Reformer« immer noch fest in den alten religiösen Anschauungen eingebunden waren, deren eng gesteckte ideologische Grenzen gerade jede Art geistigen Ausbruchs bisher zu verhindern wussten.

Hätten also etwa Propheten, die durchgehend aufhetzend Untergang und Vernichtung predigten, ein Weltbild zum Einsturz gebracht, welches die eigentliche Grundlage ihres Wirkens und ihrer Macht bildete und garantierte?

Die Gründe für eine derartige grundlegende kulturelle Umwälzung müssen also ganz woanders liegen, eine Ursache haben, die bis dahin im Orient gänzlich unbekannt und deshalb etwas Andersartiges hervorzubringen imstande war.

Anders formuliert: Im Vorderen Orient müssen neuartige politische Bedingungen eingetreten sein, die das seit Jahrtausenden starre und unreformierbare politische Systeme zum Umsturz gebracht haben.

Und tatsächlich lässt sich während dieses Zeitabschnitts feststellen, dass allmählich ein Prozess der geistigen Erneuerung in Bewegung geraten war, der stets an den Grundfesten der starren alten Weltanschauungen des Fruchtbaren Halbmonds nagte, bis er diese aushöhlte und schließlich zum Einsturz brachte.

Es war der Ausbruch des menschlichen Geistes aus der irrealen Welt der seit Jahrtausenden im Goldenen Zeitalter verweilenden Kulturen des Ostens, deren Blick stets der Vergangenheit zugewandt war und die ihre ganze Kraft dafür einsetzten, die alte Ordnung verwaltend aufrechtzuerhalten, jedem diesem System nicht dienlichen Fortschritt oder kulturellen Ausbruch mit barbarischer Gewalt entgegenzuwirken und ihm im Keime zu ersticken.

Es war der Beginn des Kampfes gegen den Mythos vonseiten der Rationalität und der rational geklärten Erfahrung, also sozusagen des Logos gegen die Mythen.

Die neu entstandene Situation war nur möglich, weil eine neue Kraft als Gegenpol zu dem »**Priester-Gottes-Typus**« entstand, die nun zum ersten Mal während der Achsenzeit auftrat und im Westen immer mehr Anhänger fand: **die Philosophen**.

Genauer gesagt, waren es die griechischen Philosophen, die den Kampf des Logos gegen die Mythen eingeläutet hatten.

Zu dem selbst ernannten Vertreter Gottes auf Erden, der mittels göttlicher Gesetze und drakonischen Vorschriften über das Volk züchtend und wachend richtet, gesellte sich ein Typus der anderen Art, der genau in die entgegengesetzte Richtung denkt und handelt und deshalb die verkrusteten alten Ideologien des Osten zu durchstoßen imstande war.

Im antiken Griechenland bezog sich der Begriff »Philosophie« auf eine Denkart, die bestrebt war, das mystische Denken zu überwinden und zwar zugunsten einer mehr rationaleren Welterklärung.

Somit war der geistige Grundstein gelegt, sich vom starren Erblastdenken der orientalischen Kulturen zu befreien, tabuisierte Themen in ihre einzelnen Teile zu zerlegen, auf ihren Wahrheitsgehalt hin zu prüfen und nachzuforschen, was wahr oder unwahr sein kann.

Diese Trendwende setzte sich etwa im 6. Jahrhundert v. Chr. ein. Zu dieser Zeit wurde die mystische Weltansicht im Griechenland von einer mit Mitteln der kritischen Vernunft errichteten Deutung der Phänomene abgelöst. Das Kennenlernen fremder Sitten und Mythen regte zum Vergleichen an.

Zugleich vermittelten die Kulturen aus Ägypten und Mesopotamien reiches Material aus den verschiedensten Wissenszweigen.

Die hervorragende Leistung der Griechen gipfelte in der theoretischen Verarbeitung dieses Materials, wodurch sie zu den Begründern wissenschaftlichen Denkens wurden.

Philosophie, d. h. »Liebe zur Weisheit« wie Platon es formulierte, war die ursprüngliche Wissenschaft überhaupt.

Aus ihr gliederten sich schon in der Antike eine Reihe von Einzelwissenschaften aus.

Die vorsokratische Philosophie wandte sich zunächst den Problemen des Werdens und Vergehens zu und versuchte sie durch Annahmen eines oder mehrerer Elementarstoffe zu erklären. Bald entdeckte man in der Veränderung das bleibende Gesetz oder stellte dem Schein der Wahrnehmungswelt das im Denken erfasste Sein gegenüber.

Die Sophistik des 5. Jahrhunderts mit ihrer radikalen Infragestellung der Möglichkeit rationalen Erkennens brachte eine Wende zur Erkenntniskritik, Ethik, Staats- und Religionsphilosophie.

In Auseinandersetzung mit der Sophistik begründete Sokrates die Ethik neu.

Neben ihm waren Platon und Aristoteles die Hauptvertreter der griechischen Philosophie.

Die von ihnen in Athen gegründeten Schulen bestanden bis zum Ende der Antike.

Dazu kamen am Ende des 4. Jahrhunderts die hellenischen Schulen der Stoa und Epikurs, wodurch die Philosophie ihr auf das Ganze des Seins gerichtetes theoretisches Interesse verlor und praktische Lebenslehre wurde.

Wo die Stoa einen Pflichtbegriff ausbildete, der staatsbürgerliche Verantwortung und Wissen um die Gemeinschaft aller Menschen einschließt, verkündete Epikur eine Ethik des sich bescheidenden Lebensgenusses.

Ein großer Teil des Wissens, welches die Griechen in ihrem philosophischen Zirkel aufnahmen und bearbeiteten, entstammte dem langjährigen intensiven Kontakt mit dem pharaonischen Ägypten.

Somit wären wir an einen Punkt gelangt, an dem sich der Begriff »**Dilemma der alten Kulturen**« veranschaulichen lässt.

Die Ägypter, auf welche die Griechen treffen, besaßen ein Wissen, das offensichtlich seit Urzeiten in den Archiven der heiligen Tempel aufbewahrt wurde.

Der überwiegende Teil dieses Wissen begegnet den Griechen zum ersten Mal.

Griechische Größen wie Solon (um 640 - 560 v. Chr.) oder Hekataios (um 560 v. Chr.) sollen in Ägypten so mache Informationen über Griechenland entdeckt haben, die im Mutterland selbst verloren gegangen und in Vergessenheit geraten waren.

So soll Solon während seines Besuches bei den Priestern von Sais u. a. etwas über Atlantis erfahren haben und vor allem über das alte Sais und dessen enge Beziehungen zu Ur-Athen: Beide Städte sind Gründungen derselben Göttin. Das vor 8000 Jahren gegründete Sais verdankte seine Errettung vor der atlantischen Unterdrückung dem Heroismus der Athener, deren Sieg über Atlantis die Mittelmeerwelt gerettet hatte.

Demnach hatte Sais nicht nur die Erinnerungen an diese in Griechenland selbst vergessenen Ereignisse bewahrt, sondern besaß auch die politische Ordnung, die damals Athen und Sais gemeinsam hatten und die so eigentümlich mit Platons Vorstellung vom idealen Staat übereinstimmt.

Somit fanden Solon und Hekataios in Ägypten nicht nur die eigene griechische Vergangenheit, deren Kunde in Griechenland verloren gegangen war, sondern darüber hinaus auch eine gemeinsame Vergangenheit, auf der sich eine gemeinsame Zukunft aufbauen ließ.

Das, was als kulturelles Erbe der gesamten Menschheit zu gelten hat, erfährt Solon von Priestern eines Heiligtums, in dem dieses Wissen seit unzähligen Generationen wie ein göttliches Vermächtnis gepflegt wird.

Das bedeutet: Wissen wird ausschließlich als göttliches Werk von der religiösen Schicht gehütet.

Somit blieb das menschliche Erbe ein Privileg der Priester, woraus sie ihr Wissen und somit ihre Überlegenheit begründen und folglich ihre Macht erhalten konnten.

Demnach wird das vorhandene Wissen lediglich für die eigenen Zwecke verwaltet und als ewiger und unumstößlicher Leitfaden praktiziert.

Niemals käme jemandem in den Sinn, einen kulturellen Wandel oder theologische Reformen zu bewirken – oder gar revolutionäre Gedanken zu entzünden.

Alles, was mit Neuorientierung oder Reformen verbunden ist, würde zugleich unweigerlich das eigene Weltbild zum Umsturz bringen und folglich das Ende der eigenen Machtausübung einläuten.

Hingegen wurde alles, was die Griechen in Ägypten in Erfahrung brachten, »zivilen« Personen zugänglich gemacht und in Akademien und öffentlichen Plätzen diskutiert.

Viele Gedanken prallten aufeinander, und jeder war bestrebt, das Überlieferte unter philosophischen Gesichtspunkten zu betrachten, zu definieren und daraus neue Gedanken zu entwickeln, Philosophie also als freie Geisteskultur.

Diese Griechen sind demnach keine sturen Verwalter alter Schriften oder Überlieferungen mehr, sondern jene, die daraus Nutzen ziehen und somit vervollständigend weiterentwickeln wollten, also quasi neue Wege der Zivilisation suchten.

Bei ihnen findet daher ein wichtiger Umkehrprozess statt, wodurch die wiederhergestellten Urschriften »entheiligt« und »vermenschlicht« werden.

Auch ein Vergleich mit den biblischen Propheten der Achsenzeit macht den Unterschied zwischen Griechen und Orientalen anschaulich.

Die babylonische Gefangenschaft (597 und 586 v. Chr.) findet zu Beginn der von Jaspers vermuteten Achsenzeit statt und dürfte durchaus als Indiz dienen, dass in dieser Epoche grenzüberschreitend etwas Weltbewegendes in Gang gesetzt worden war.

In diese Zeit, in der unter anderem die Wiederherstellung der Schriften stattfindet, fällt die Fertigstellung des 5. Buches Moses. Dieses wurde damals zu einer Art Grundgesetz, auf dem die Propheten Esra und Nehemia um 450 v. Chr. ihre Reform aufbauten, mit der sie ein neues jüdisches Leben im Land Israel begründeten. Esra ist eines der biblischen Bücher, das im Umfeld des nachexilischen Judentums gegen Ende der Perserzeit angesiedelt ist. Es soll mit den Chroniken und Nehemia vom gleichen Autor verfasst worden sein.

Das Buch Esra schließt an die zweite Chronik an und beginnt mit der Rückkehr der Israeliten aus der babylonischen Gefangenschaft, die der Perserkönig Kores ermöglicht hatte. (Esra 1)

Unter dem Namen Esra finden sich das kanonische Buch Esra, das apokryphe Buch Esras sowie das IV. Buch Esra (eine Apokalypse). Im Letzteren erfahren wir unter der Überschrift »*Die Wiederherstellung der Heiligen Schriften*« u. a. folgende Anweisung an Esra:

» [...] So wurden in den vierzig Tagen niedergeschrieben vierundneun- zig Bücher. Als aber die vierzig Tage voll waren, da sprach der Höchste zu mir also: Die vierundzwanzig Bücher, die du zuerst geschrieben, sollst du veröffentlichen, den Würdigen und Unwürdigen zum Lesen; die letzten siebzig aber sollst du zurückhalten und nur den Weisen dei- nes Volkes übergeben. Denn in ihnen fließt der Born der Einsicht, der Quell der Weisheit, der Strom der Wissenschaft [...]« (Die Apokryphen, E. Weidinger, Pattloch Verlag)

Demnach gab es Schriften, die für die gewöhnliche Bevölkerung bestimmt waren, die Bücher aber, auf die es wirklich ankommt, in denen Mysterien, Weisheit und Wissenschaft seit Urzeiten flie- ßen, dürfen nur an bestimmte Kreise übergeben werden, nämlich an die sogenannten Ältesten des Volkes, deren Zahl mit derjeni- gen der Bücher identisch ist, nämlich 70.
Somit wird das Volk von der Teilnahme am überlieferten Wissen abgeschnitten und ausgeschlossen.
Dieses Gremium, das Esra in Jerusalem neu gründet, ist seit Mo- ses bezeugt.

»Und der HERR sprach zu Mose: Sammle mir siebzig Männer unter den Ältesten Israels, von denen du weißt, dass sie Älteste im Volk und seine Amtleute sind, und bringe sie vor die Stiftshütte.« (4. Mose 11,16)

Dann erfahren wir, welche Rolle sie übernehmen sollen:
Nachdem Moses die Männer versammelte, stellten sie sich rings um die Stiftshütte:

»Da kam der HERR hernieder in der Wolke und redete mit ihnen und nahm von dem Geist, der auf ihm war, und legte ihn auf die siebzig Äl- testen. Und als der Geist auf ihnen ruhte, gerieten sie in Verzückung wie Propheten und hörten nicht auf.« (4. Mose 11,25)

Diesen Männern fiel offensichtlich die Aufgabe zu, während der

»Verzückung« mündlich überliefertes Materials auswendig zu lernen.

In der Tradition der mündlichen Überlieferung fiel dem 70er-Gremium die wichtige Aufgabe zu, das Überlieferte von einer Generation zur anderen zu bewahren.

Diesem 70er-Gremium, überwiegend aus Priestern bestehend, werden wir später in dem ptolemäischen Alexandria erneut begegnen.

In dieser Epoche, der Achsenzeit, treffen wir also im Westen und im Osten auf zwei völlig unterschiedliche geistige Auffassungen in Bezug auf das überlieferte kulturelle Erbe: In Griechenland die großzügige und sachliche Offenlegung der Schriften, im Osten hingegen die Fortsetzung der bisherigen verwalterischen Geheimhaltungtradition und die irrige Einstufung als Heilige Schriften.

Dies dürfte jeder Überlegung widersprechen, wonach die orientalischen Geistlichen begünstigend auf die Achsenzeit gewirkt haben sollten.

Die geschichtlichen Rahmenbedingungen für diese in Griechenland einsetzende Entwicklung teilen sich in drei große Epochen: *die Epoche der Reisenden*, von der Saitenzeit bis zur Gründung Alexandrias (ca. 650 - 320 v. Chr.), *die Epoche der Wissenschaft*, von Hekataios von Abdera bis Strabon (ca.320v.Chr. - 50 n. Chr.), und *die Epoche der Mystiker und Philosophen*, von Chaeremon bis Jamblichus (ca. 0 - 350 n. Chr.). (Jahn Assmann, Das Bild der Griechen von Ägypten, C. H. Beck Verlag)

Der Historiker Herodot (485 - 425 v. Chr.) verkörpert die Zentralfigur der ersten Epoche, der Ägypten sein II. Buch widmet und mit seinem umfassenden Werk neue Maßstäbe der Geschichtsschreibung setzt.

Diese drei Epochen veranschaulichen, im Gegensatz zu den längst stagnierenden und verkrusteten Kulturen des Orients, die kontinuierliche Entwicklung der hellenischen Epoche.

Mehrere Jahrhunderte lang ergießen sich griechische Gelehrte forschend über den alten Orient und werten das gesammelte Wissen nach ihrer philosophischen Auffassung aus – eine Epoche des Erforschens und Lernens.

Hierzu gesellte sich später ein entscheidender Faktor, welcher die Entwicklung nicht nur beschleunigte, sondern überhaupt möglich machte: das Militär.

Die politische Innenlage Griechenlands wurde letztlich durch die Machtergreifung Philipp II. (382 - 336 v. Chr.) und die Reorganisation des makedonischen Heeres gefestigt, sodass sich die Hellenen in der Lage sahen, einen Rachefeldzug gegen Persien vorzubereiten.

Als Philipp II. ermordet wird, tritt sein von Aristoteles erzogener Sohn Alexander (356 - 323 v. Chr.) in seine Fußstapfen.

Während der Regierungszeit des jungen Königs (336 – 323 v. Chr.), vollzieht sich nunmehr das eigentliche und alles entscheidende Ereignis, das den Ausbruch überhaupt zu einer neuen Zeit erst möglich machte: Der Hellene besiegt das weit überlegene Heer des persischen Königs Darius III. zunächst bei Issos (333 v. Chr.), erobert anschließend Ägypten, wo er 331 v. Chr. die Stadt Alexandria gründet, ehe er wieder zum endgültigen Kampf gegen die Perser aufbricht und sie bei Gaugamela (331 v. Chr.) endgültig besiegt. Schließlich marschiert er bis zum Pandschab-Gebiet in Pakistan, kehrt zurück nach Babylon, wo er am 13. 6. 323 v. Chr. vermutlich an Fleckenfieber stirbt.

Er hinterlässt das größte Reich in der Geschichte der Alten Welt. Alexander mag nun vieles in seinen kurzen Leben bewegt haben. Seine bedeutendste Tat dürfte allerdings der Sieg über die Perser gewesen sein, ein Sieg der die Welt nachhaltig beeinflussen und stetig verändern sollte.

Verbohrte Nationalisten mögen darin zwar den Triumph des Westens über den Osten sehen, der Makedonier hatte jedoch keinen Sieg für Griechenland oder den Westen errungen, es war ein befreiender Triumph für die gesamte zivilisierte Welt und ihre Kultur, mit dem er, wenn auch unbewusst, die Weichen für die Zukunft und unsere heutige Zivilisation stellte.

Denn mit diesem Sieg wurde zum ersten Mal in der langen und leidensvollen Geschichte der Alten Welt die starre und despotische orientalische Vorherrschaft gebrochen – eine Herrschaft, die mit ihren paradoxen Ideologien stets den alten, idealen Zeiten zugewandt war, in denen sozusagen »der Himmel offen stand«, und infolgedessen jeder geistige Ausbruch oder jenes Entfernung davon zunichte gemacht wurden.

Zum ersten Mal in der Geschichte des alten Orients wurden die seit ewigen Zeiten unterjochten Völker aus den Krallen rückständiger und verblendeter Herrscher befreit, und zum ersten Mal steht das Gebiet des Fruchtbaren Halbmonds unter europäischer Militärgewalt.

Und zum ersten Mal weht kulturell ein neuer, unverbrauchter Geist über den Orient.

Allein dies war der entscheidende Punkt.

Man kann nun über die Griechen der hellenischen Zeit denken, wie man will, ob sie Demokraten oder in Wahrheit Barbaren und Rassisten waren.

Dies alles dürfte jedoch für die Geschichte unerheblich sein.

Für die Weiterentwicklung der Kultur ist nur eines von Relevanz: Die militärische Unterwerfung des Ostens und die Auflösung der orientalischen Herrschaftsstruktur.

Was dann darauf folgte, kann man mit Recht als die eigentlichen Früchte der Achsenzeit bezeichnen: Unmittelbar danach folgt die Alexandrinische Epoche, die Sternstunde menschlichen Geistes und das tragende Fundament unserer heutigen Zivilisation.

Und Babylons Erbin.

Nach Alexanders Tod wurde das neu gegründete Alexandria unter den beiden ersten ptolemäischen Herrschern rasch zu einer der berühmtesten Städte der damaligen Welt.

Ptolemaios I. Soter (360 - 283 v. Chr.) legte den Grundstein für die sprichwörtliche Intellektualität der Stadt, indem er Wissenschaften und Künste förderte. Unter seiner Herrschaft wurde 288 v. Chr. die berühmte Bibliothek von Alexandria gegründet.

Mit der Herrschaft der Hellenen über Ägypten öffnen sich nun zwangläufig die Pforten der heiligen Tempel, und somit werden die aufbewahrten Heiligen Schriften für ihre Gewährsmänner und folglich für die übrige Welt zugänglich.

Die seit Jahrtausenden engstirnige Macht der ägyptischen Priester als Hüter der Schriften war somit durchbrochen.

Sie alle müssen sich von nun an dem neuen griechischen Herrscher unterordnen.

So verfasst der Hohepriester Manetho, ein Tempelschreiber aus Sebennytos in Theben, im Auftrag Ptolemaios I. in griechischer Sprache die Geschichte Ägyptens in drei Büchern, von den ältesten Zeiten an bis zur makedonischen Eroberung.

Aus den von ägyptischen Priestern seit vielen Generationen gehüteten »Heiligen Schriften« entsteht schlicht und einfach das, was sie in Wahrheit sind: Geschichtsbücher, die jedem Interessierten zugänglich sind.

Unter der Herrschaft von Ptolemaios II. Philadelphos (285 - 246 v. Chr.) erlangte die Stadt womöglich ihre Vollendung.

In dieser Zeit wurden die wichtigsten Gebäude einschließlich des Leuchtturms von Pharo, fertiggestellt.

Auch er war ein großer Förderer der Wissenschaft und Dichtkunst. Wissenszweige, die einen bis dahin noch nie gekannten Höhepunkt im »Museion« erlangten und Alexandria zum Nabel der geistigen Welt aufsteigen ließen.

Modern ausgedrückt war das »Museion« ein großes Forschungsinstitut für die literarischen, mathematischen und physikalischen, vor allem auch medizinischen, Wissenschaften, der Prototyp einer Universität.

Mit ihr eng verbunden war die nicht weniger berühmte Bibliothek, die in der hellenischen Zeit als die größte Sammlung von Schriften der antiken Welt galt.

Das ptolemäische Alexandria war nicht nur ein von Leben überquellendes politisches und wirtschaftliches Zentrum, sondern auch die wissenschaftliche und literarische Hauptstadt der Welt. Zurzeit Ptolemaios II. entstand auch eine Errungenschaft, die wir der hellenischen Nüchternheit zu verdanken haben: Nach Vollendung des alexandrinischen Weltwunders, dem Leuchtturm, treffen der Legende nach 70 oder 72 jüdische Gelehrte aus Jerusalem ein. In der Einsamkeit der Insel Pharos, unter dem Schutz der ewigen Göttin Isis und im Zeichen des neuen hellenischen Staatsgott Serapis – einer Mischung aus dem Stiergott Apis und Osiris – übersetzen die jüdischen Gelehrten ausgerechnet vor dieser fremden und »frevelhaften« Kulisse die ersten fünf Bücher Mose (*Pentateuch*) aus dem Hebräischen ins Griechische.

Wie grenzenlos muss damals die geistige Freiheit in Alexandria gewesen sein?

Und von Heiligkeit der Schriften keine Spur!

Das Werk, das sie vollenden, hat den gleichen wissenschaftlichen Wert wie jene des Manethos: Geschichte aus der Sicht jüdischer Gelehrter.

Kein Hellene und kein Interessierter wäre wohl damals beim Studieren der Zeilen auf den Gedanken gekommen, ein heiliges Buch zu lesen, in dem Monotheismus gepredigt wird.

Wären diese Bücher wirklich das, was wir ihnen heute gern zusprechen wollen, wäre im Alexandria des dritten Jahrhunderts v. Chr. der Monotheismus ausgebrochen und die tausend Götter, die über dem alexandrinischen Himmel so hell leuchteten, wären zum Einsturz gebracht worden.

Und genau hier liegt die unendlich große geistige Errungenschaft der Hellenen, literarische Brücken zwischen der Gegenwart und der Vergangenheit herzustellen, so wie sie in Wahrheit sind: Geschichte und Wissen zum Anfassen.

Und vor allem Religionsfreiheit und somit Liberalismus zu gewähren.

Somit ähnelt das hellenische Zeitalter in mancher Hinsicht unserem Jahrhundert.

Es war eine Zeit intellektueller Gärung, eine Zeit der Reisen und des Tourismus, der Wissenschaft und Forschung, der Volksbildung, der Klubs und Gesellschaften und vor allem der Erfindungen.

Und mit Recht könnte behauptet werden, Alexandria sei der Ort gewesen, an dem das moderne Zeitalter der Naturwissenschaften schon vor über 2000 Jahren beinahe ausgebrochen wäre, um dann doch unter der Last der aus der geistigen Freiheit hervorgegangenen Religionen im Keim wieder erstarb.

Demnach wären die eigentlichen Früchte der Achsenzeit in der alexandrinischen Epoche zu suchen.

In jener Zeit, etwa von 300 v. Chr. bis 500 n. Chr., hat der alexandrinische Geist so viele wissbegierige Menschen aller Rassen in seinen Bann gezogen, so dass sie in grenzloser Freiheit und Toleranz die Grundlage unseres heutigen Wissens schufen.

Intellektualität triumphierte in dieser Epoche über die dunklen Zeitalter, in denen der menschliche Geist im Namen des Glaubens eingekerkert wurde.

Doch auch die alexandrinische Epoche musste vergehen.

Mit ihrem Untergang fällt die Welt danach in finstere Zeiten, in denen religiöse Fanatiker und selbst ernannte Gotteskrieger die aus der hellenischen Epoche hervorgegangenen Zivilisation auslöschen und die Menschheit in die dunkelsten und blutigsten Jahrhunderte stürzen.

Gut ein Jahrtausend später wird Europa dann von einer Bewegung erfasst, die der ptolemäischen Epoche stark ähnelt und zu der Hypothese verführt, der alexandrinische Geist würde von Neuem aufkeimen, diesmal auf europäischem Boden: es begann das Zeitalter der Aufklärung. Diese Epoche der intellektuellen Entwicklung der westlichen Gesellschaften in der Zeit vom 16. bis

18. Jahrhundert ist besonders durch das Bestreben geprägt, das Denken von althergebrachten, starren und überholten Vorstellungen, Vorurteilen und Ideologien zu befreien und Akzeptanz für neu erlangtes Wissen zu schaffen.

Wie einst die Griechen, so schwärmen nun die Europäer über das Gebiet des längst erloschenen und fast in Vergessenheit geratenen »Fruchtbaren Halbmonds« aus.
Nach der babylonischen Urkatastrophe von vor fast sechs Jahrtausenden kehren Menschen in den einstigen Kulturraum zurück, von denen nun viele in der Lage sind, den Spuren der Vergangenheit nachzuspüren und diese wissenschaftlich für die moderne Geschichte zu erschließen.

Der nachforschende »Gilgamesch« kommt diesmal aus der entgegengesetzten Richtung: aus dem Westen.

Aus den Ruinen in Mesopotamien und am Niltal beginnen die stummen Zeugen widerwillig einen Teil ihrer Geheimnisse preiszugeben und uns in längst vergangene und vergessene Zeiten zu entführen.
Und allmählich fühlen wir uns in die Zeit der babylonischen Urkatastrophe zurückversetzt, mit dem das menschliche Urdrama begann.

Doch die babylonische Verwirrung hatte, wie der HERR es voraussagte, viele hässliche Narben im Gedächtnis der Menschheit hinterlassen.
Vieles bleibt, obwohl es entziffert werden konnte, im Dunklen verborgen, bewahrt sein Geheimnis.
Das Wort, das »am Anfang war«, ist nicht mehr zu verstehen.

Fünftes Kapitel
Herodot
Sprach der Grieche ägyptisch?

»Ich fühle mich verpflichtet, wiederzugeben, was mir gesagt wurde; alles zu glauben, bin ich aber nicht verpflichtet.«

So lautete die Maxime des großen griechischen Historikers Herodot, die ihm nicht nur Lob von seinen Landsleuten bescherte.

Geboren ist Herodot um 484 v. Chr. in Halikarnassos als Sohn einer wohlhabenden Familie. Der Vater, Lyxes, war als semitischer Karer aus dem südwestlichen Kleinasien aus griechischer Sicht ein Barbar, die Mutter war eine dorische Griechin.

Herodot starb um 420 v. Chr.

Weil die Familie Herodots in politische Intrigen gegen den Tyrannen Lygdamis verwickelt war, musste Herodot nach Samos ausweichen, von wo aus er in geschäftlichen und wissenschaftlichen Belangen nach Ägypten, Kyrene, Palästina, Phönizien, Babylonien und hinauf in die nördliche Ägäis ins Schwarze Meer bis ins Land der Skythen reiste.

Etwa 447 v. Chr. kam er nach Athen, wo er wohl engen Kontakt zu großen Persönlichkeiten dieser Zeit pflegte, zu denen Sophokles und Perikles gehörten.

Herodot gilt als der »Vater der Geschichtsschreibung« und der Ethnografie.

In der Zeit vor ihm gab es nur Chroniken und Epen als Formen der Geschichtsschreibung.

Herodot war jedoch der Erste, der nicht nur die Vergangenheit registrierte, sondern sie zusätzlich als philosophisches Problem oder Forschungsprojekt behandelte und hinterfragte, welche Kenntnisse des menschlichen Verhaltens sich daraus ergeben könnten.

Seine Auswahl der Ergebnisse folgt dabei meist weniger »wissenschaftlichen« Kriterien als vielmehr künstlerischen und philosophischen Überlegungen.

Herodot selbst versteht sich als Forscher, der berichtet, ohne ein subjektives oder emotionales Urteil zu fällen.

Zu seiner Zeit war dies nicht unumstritten, war doch Hellas nach Meinung seiner Landsleute und Zeitgenossen das Maß aller Dinge.

Aus diesem Grund wurde er von seinen Landsleuten gelegentlich auch als Barbarenfreund bezeichnet.

Am bekanntesten ist seine Reise etwa im Jahr 450 v. Chr. durch Ägypten von der Nilmündung bis zum ersten Katarakt zur Insel Elephantine (heute Assuan), die ca. 1000 km auf dem Nil entlangführte.

Zwischen Mai und September beginnt er mit der Erforschung des Landes von Naukratis aus am westlichsten Mündungsarm des Nils. In dieser großen griechischen Handelsstadt bestanden gute Verbindungen zur Tempelstadt Saïs.

In Memphis lässt er sich von den Priestern die ägyptische Königsgeschichte erzählen, die er dann mitsamt den bedeutendsten Taten der einzelnen Könige festhält.

Min, der erste König Ägyptens, hat das Gebiet um Memphis trockengelegt und dort die Stadt gegründet. Sesostris hat die Kanäle graben lassen und das Land aufgeteilt, dabei sei auch die Feldmesskunst erfunden worden. Später lernte man diese auch in Griechenland kennen.

Überhaupt, so gesteht Herodot, haben die Ägypter fast alle nützlichen Erfindungen gemacht, die von den Griechen dann übernommen wurden.

Staunend steht er vor den gewaltigen Epochen der geschichtlichen Überlieferung, die sich in ununterbrochener Reihenfolge vor ihm auftun. Vom ersten König Min an bis zu Pharao Sebichos.

Zurzeit des Niedergangs des Neuen Reiches seien es 341 Menschenalter gewesen, berichten die Priester. Insgesamt zählen sie 330 Könige nach Min, darunter 18 »Aithiopen« und eine Frau namens Nikotris.

Da drei Menschenalter 100 Jahre sind, ergäbe dies eine 11 340 Jahre zurückreichende Geschichte.

Und der Grieche will dabei festgestellt haben, dass sich während dieser ganzen Zeit in Ägypten nichts geändert habe, weder in der Hinsicht, was den Menschen aus der Erde oder aus dem Fluss zuteil wurde, noch was Krankheiten oder Todesarten betraf.

In Theben, der gewaltigen Tempelmetropole – mit den Anlagen von Karnak und Luxor –erfährt Herodot, was die Priester zum Ausdruck bringen wollten, als sie gegenüber dem Athener Solon bekundeten: »*ihr Hellenen bleibt doch immer Kinder!*«

Man führt ihn ins riesige Tempelinnere und zählt, mit dem Finger darauf weisend, die Statuen der Oberpriester auf: Zu jedem König gab es eine.

Herodot sammelt eine Fülle an Informationen, die gründliche und ausgedehnte Nachforschungen voraussetzen.

Er war einer der Ersten, der die Pyramiden als Königsgräber identifizierte. Sein Bericht ist besonders bezüglich der Mumifizierung und anderer altägyptischer Bestattungsbräuche eine sehr aufschlussreiche Informationsquelle.

Insgesamt muss Herodot stumm vor Staunen gewesen sein und sich gefühlt haben, als wandere er durch eine andere märchenhafte Welt.

Der Grieche ist dann auch derart von der Kultur am Nil fasziniert, dass er seine Reisetermine über den Haufen wirft und sich entschließt, ausführlich von Ägypten zu berichten, »*weil es mehr wunderbare Dinge und erstaunliche Werke enthält, als alle anderen Länder*«.

Vieles, was er schrieb, wurde von seinen Kritikern belächelt oder in Frage gestellt, doch niemals vermochten sie die Einzigartigkeit seiner Werke zu entzaubern.

Gerühmt wird im Allgemeinen Herodots Bemühen um Objektivität: Auch ihm wenig glaubhaft erscheinende Behauptungen seiner Gewährsleute erwähnt er und überlässt es der geneigten Leserschaft, nach eigenem Ermessen ein Urteil darüber zu fällen.

Auf diese Weise verdanken wir ihm so manche als Märchen abgetane Aussagen, an die er mitunter selbst nicht so recht glaubte, die sich dann zu späterer Zeit jedoch als geschichtliche Fakten erwiesen haben.

So nimmt er in seinen Historien eine Entdeckungsreise auf, deren Initiator Pharao Necho war. Dieser hatte phönizische Seeleute beauftragt, Afrika vom Roten Meer aus zu umsegeln. In dem Bericht der Seeleute wurde vermerkt, dass während der Seereise die Sonne, statt wie anfänglich auf der linken, auf einmal auf der rechten Seite aufging.

Selbst Herodot vermag dies nicht zu glauben.

Was Herodot – und noch vielen nach ihm – so unglaubwürdig erschien, ist freilich gerade der Beweis für die geglückte Umsegelung Afrikas. Tatsächlich mussten die phönizischen Seeleute, wenn sie das südliche Afrika westwärts umsegelten, die aufgehende Sonne zur rechten Seite haben.

Auch ein weiterer Bericht erntete Ignoranz.

Die ägyptischen Priester erzählten Herodot, dass unter der Pyramide des Cheops unterirdische Kammern bestehen. Nicht in der Königskammer selbst sei Cheops begraben, sondern auf einer künstlichen Insel unter der Pyramide, umgeben von einem See.

Lange Zeit wurde diese Aussage als ein Märchen abgetan, doch inzwischen ist Herodot einmal mehr rehabilitiert.

Archäologen fanden unter den Pyramiden eine monumentale Anlage, deren Beschaffenheit an jene erinnert, die Herodot in seinen Historien verewigte.

Auch in den anderen Ländern, die er bereiste, berichtete Herodot als Forscher und Wissenschaftler in reichem Maße über die bunten orientalischen Völker und hielt so manchen wichtigen Hinweis für kommende Generationen fest.

War Herodot ein Märchenerzähler?

Diejenigen, die ihm dies unterstellten, waren entweder verblendete Provinzler, die außerhalb Griechenlands nur Barbaren mutmaßten, oder solche, die nicht einordnen konnten, was »zukunftsorientierte Forschung« zu bedeuten hat.

Die fremden Kulturwelten, die Herodot staunend durchstreift, verfügen zwar über umfangreiche schriftliche Hinterlassenschaften, doch vieles davon beruht traditionsgemäß auf mündlich Überliefertem, worin nicht selten Mythen aus den dunkelsten Epochen überlebt haben.

Herodot lässt einfach jene, deren Vergangenheit er erforscht, ihre eigene Herkunft und Kultur erzählen – »Barbaren« wie Griechen gleichermaßen. »Mythos« und »Logos« stehen sozusagen in einer wechselseitigen und ergänzenden Beziehung zueinander.

Älteste Erinnerungen mit ihren mystischen Gestalten werden hierdurch lebendig, und es wird der Geist offenbart, in dem eine jede Menschenart ihre Vergangenheit und Gegenwart sieht, samt den göttlichen Mächten, die sie regieren.

Dabei sind dem Historiker Herodot stets die ihm vorgetragenen Überlieferungen ehrwürdig genug, um getreu für die Nachwelt bewahrt zu werden. (Herodot, Historien, Kröner Verlag)

Offenbar empfindet der eingefleischte Historiker es gerade als seine heilige Pflicht, ausnahmslos das Kulturerbe, das er überall aufspürt und vorfindet, in einer Art Bestandsaufnahme für die Nachwelt »einzufrieren«.

Nicht er soll über ihren Inhalt richten, sondern die kommenden Generationen, an die er eigentlich seine Historien richtet.

Was dann dabei zustande kommt, stellt eine sonderbare Mischung aus Erlebtem und Erkundetem dar, häufig jedoch vom

Mythos überwuchert.

Herodot schlüpft also in dieser Beziehung in die Rolle des Verwalters alter Kunde, damit *»bei der Nachwelt nicht in Vergessenheit gerate, was unter Menschen einst geschehen ist«*, wozu in erster Linie bei der Suche nach der historischen Wahrheit die korrekte Wiedergabe des Erforschten ein unerlässliches Instrument darstellen dürfte.

Wo die schriftliche Überlieferung gänzlich gefehlt hat, waren die Mythen sozusagen die einzige Brücke zur Vergangenheit.

Ohne sie hätten wir nie etwas von Adam oder Noah erfahren.

Gäbe es nicht seit Urzeiten mündliche Überlieferungen, in denen der Mythos die Grundlage der Berichterstattung gebildet hat, wäre u. a. das Alte Testament für immer verloren gegangen.

Die Art und Weise, in der die Bewahrungskunst der Vergangenheit in Ägypten in ihrer Vollkommenheit unerreichbar zu sein scheint, und wie es um das Gedächtnis der Griechen bestellt war, veranschaulicht ein Dialog zwischen einem Griechen und einen ägyptischen Priester.

In den Tempeln von Sais im Nildelta erhält der Athener Gesetzgeber Solon (640 - 550 v. Chr.) zum ersten Mal Informationen, die in Griechenland längst verloren gegangen waren, die angeblich damals schon fast 9000 Jahre zurückliegen sollten.

Offensichtlich hatte Solon zuvor vor dem saitischen Priester mit seiner griechischen Herkunft und seinem Wissen ein wenig geprotzt, was seinen ägyptischen Gesprächspartner relativierend auf den Plan ruft. Er verspottet seinen hochmütigen Gast mit den Worten:

»[...] ihr Hellenen bleibt doch immer Kinder, und einen alten Hellenen gibt es nicht«, worauf Solon erwidert: »Wieso? Wie meinst du das?« Darauf antwortet der Ägypter: »Ihr seid alle jung an Geist ... denn ihr tragt in ihm keine Anschauung, welche aus alter Überlieferung stammt, und keine mit der Zeit ergraute Kunde [...]«

Und genau das, was der ägyptische Priester vor über 2500 Jahren über die Bedeutung des Überlieferten zu verkünden wusste, zeichnete die Arbeiten eines Herodots aus.

Welchen Stellenwert Herodots Arbeiten für die moderne Geschichte haben, ist in vielen konträren Richtungen seit der Antike diskutiert worden.

Doch bei all dem Lob und Tadel vergaß man die Frage zu stellen, auf die es eigentlich ankommt. Wie hat sich Herodot in Ägypten – aber auch in den anderen orientalischen Ländern – verständigt, wie konnte er unversehrt 1000 Kilometer in den tiefsten Süden des Landes vordringen und, vor allem, wie konnte er sich überall Zugang zu den wichtigsten Tempeln Ägyptens verschaffen, die nur für Eingeweihte bestimmt waren?

Seine ausführlichen Informationen über Religion und Vergangenheit konnten nur aus erster Hand in den Tempeln erfragt werden.

Auch Auskünfte über das alltägliche Leben der Bevölkerung und die ausgedehnten Reisen setzten eine fließende und umfassende Verständigung in der hiesigen Sprache voraus.

Seit unendlichen Generationen wurden die Überlieferungen in den ägyptischen Tempeln wohl in einer Sprache verfasst, die, wie in dem Bericht von Solon dargelegt wird, seit Urzeiten im Gedächtnis ihrer Träger bewahrt wurden.

In einer uralten Sprache also.

Wenn wir andererseits einräumen, dass im Nildelta zu der fraglichen Zeit diverse griechische Kolonien bestanden haben, im übrigen Ägypten aber die alte Tradition und die eigene Sprache gepflegt wurden, so drängt sich die Frage unvermeidlich auf, wie sich Herodot auf einer solchen Ebene in Ägypten verständigen konnte.

Konnte er mit den ägyptischen Priestern in einer Sprache reden,

von der wir nichts wissen, die wir aber der Einfachheit halber Alt-
ägyptisch nennen wollen, also eine Art Sprache der Pharaonen?
Doch die Sprache ist nicht das einzige Problem.

Wie konnte der Grieche überall spontanen Kontakt zu den führenden Schichten in Ägypten herstellen und in den Genuss kommen, Zugang zu den geheimen Archiven der Tempel zu erlangen,
sich ausgiebig mit den Priestern unterhalten und sicher sein, Informationen zu bekommen?

Genügte es zu sagen: »Hallo, da bin ich, Herodot der Grieche«,
und schon öffneten sich alle Türen in Ägypten – und auch in den
anderen Ländern des Orients?

Wohl kaum, und erst recht nicht, da er ein Ausländer war.

Wenn Herodot dennoch eine ehrenvolle Aufnahme überall in
Ägypten und im Orient erfährt, dann kann es dafür nur eine einzige Erklärung geben: Er verstand nicht nur die heilige Sprache
der Priester, sondern gehörte obendrein einem privilegierten Zirkel an, was seinen Umgang mit den höheren Schichten ermög-
lichte.

Das Gleiche gilt auch für andere Griechen, die es verstanden haben, erfolgreiche Forschungsreisen in Ägypten zu unternehmen,
so wie zum Beispiel Solon.

Da Herodot sich im Vorderen Orient genauso wie in Ägypten mit
den führenden Schichten verständigen konnte, musste es sich
also um eine Sprache handeln, die am Nil und ebenso im Gebiet
des Fruchtbaren Halbmondes – wenn auch womöglich in verschiedenen Dialekten – in Gebrauch war.

Das heißt also, dass unsere starre geschichtliche Vorstellung, wonach wir die einzelnen Völker des alten Orients als in sich abge-
schottete und rivalisierende Gesellschaften betrachten, von denen jeder sein eigenes »Süppchen« kochte, ist korrekturbedürftig.
Vielmehr ist davon auszugehen, dass sich die alten Ägypter trotz
ihrer Erhabenheit mit den anderen orientalischen Völkern

sprachlich verständigen konnten, da sie alle ein und dieselbe Vergangenheit aufweisen – eine Vergangenheit, in die einst die Griechen auch eingebunden waren.

Was konnte dies also für eine Sprache gewesen sein?

Mit dieser Frage wären wir erneut in Sais am Nildelta angelangt.

In Solons Bericht finden wir die ersten Hinweise.

Der saitische Hohepriester bekundete Solon ja in seiner Erzählung, dass die Kunde, von der berichtet wird, schon vor 9000 Jahren ihren Anfang hatte.

Auch wenn wir dieser Zeitangabe skeptisch gegenüberstehen würden, spricht der Ägypter dennoch eindeutig von Ur-Athen und Ur-Sais – von Städten also aus der vorhistorischen Zeit, mit denen wir in irgendeiner Weise die adamitische Epoche tangieren.

War der saitische Bericht über Atlantis in der adamitischen und somit der göttlichen Sprache von einer Generation zur anderen überliefert worden?

Wurde am pharaonischen Hof und in den heiligsten Gemächern die vermeintlich verschollene adamitische Sprache in Erinnerung bewahrt?

Doch Adamitisch würde nichts anderes bedeuten als die babylonische Sprache, jene Sprache, mit der die Verständigung zwischen den Menschen einerseits und Gott andererseits erfolgte.

Sprachen die Pharaonen etwa Babylonisch?

Kann ein Volk, das uns wie kein anderes dieser Erde so viel Erbe und archäologische Zeugnisse hinterlassen hat, eine solche verblüffende Überraschung für uns bereithalten?

Was ist aber die adamitische Sprache, mit der sich Gott mit unseren Urahnen verständigt haben soll?

Diese Sprache scheint sich wie ein roter Faden durch die Vergangenheit zu ziehen und immer wieder in enger Beziehung zum Göttlichen zu stehen.

Henoch wird vor der Sintflut von zwei Engeln entführt, deren Sprache er kennen muss, obwohl er nach eigenem Bekunden solchen Wesen noch nie zuvor auf Erden begegnete.

Auch im sogenannten Paradies scheint sich diese Sprache zu Henochs Zeit erhalten zu haben.

Denn auch dort kann er sich nicht nur mit dem HERRN und seinen Untertanen unterhalten, sondern auch das ihm mündlich Vorgetragene in schriftliche Form umsetzten.

Gilgamesch muss diese Sprache ebenfalls gekannt oder zumindest nachträglich erlernt haben: Auch er fachsimpelt mit Utnapischtim und seiner Frau, genauso wie er sich zuvor mit Urschanabi unterhalten kann, mit dem er anschließend eine lange Reise unternimmt.

Und Abraham?

Auch bei ihm finden wir einen wichtigen Hinweis, der auf verblüffende Weise die Annahme verstärkt, dass er und Gilgamesch in dieselben historischen Geschehnisse eingebettet wurden: Auch er war bei seinem Urahnen Noah, dem Pendant des sumerischen Utnapischtim.

Nach der hebräischen Mythologie über Abrahams Geburt wird berichtet:

»[...]Abram suchte seine Vorfahren Noah und Schem auf, in dessen Haus er 39 Jahre lang das Gesetz studierte [...]« (Hebräische Mythologie, Robert von Ranke-Graves / Raphael Patai)

Natürlich konnte Abraham seinen vor tausend Jahren verstorbenen Urahnen nicht treffen, wohl aber, genau wie Gilgamesch, den Ort aufsuchen, an dem u. a. die Kunde über die Sintflut als mündliche Überlieferung bewahrt wurde.

Zwei Jahrtausende nach Gilgamesch ist der assyrische König Assurbanipal bestrebt, das Überlieferte aus der Zeit vor der Sintflut, was schwer verständlich war, wiederherzustellen.

Auch Mose bekommt plötzlich eine »schwere Zunge«, als er sich die Worte des HERRN einprägen sollte, die er dem Pharao vortragen sollte. Hier liegt die Vermutung nahe, dass die Sprache, in der sich der Gesandte des HERRN mit dem Pharao verständigen sollte, jener »Babylonischen« ähnelte.

Und selbst die Engel zurzeit des Propheten Mohammed dürften diese Ursprache noch in der mündlichen Überlieferung bewahrt haben – zum Leidwesen des Propheten.

Wie ist ein solcher Vorgang vorzustellen?

Schon in der Genesis wird klargestellt, dass am Anfang das **Wort** war – eine Aussage, die im vollen Umfang den Kern der Sache trifft.

Als mündliche Überlieferung werden Geschichten, Legenden und Traditionen bezeichnet, die von Generation zu Generation weitererzählt werden und erst in jüngerer Zeit schriftlich festgehalten wurden.

Somit bilden sie einen beachtlichen Teil der eigentlichen Geschichte und sind in ihren elementaren Formen, wie Märchen oder Mythos, lyrisches Lied oder epische Erzählung, Legende oder Hymnus, erheblich älter als die Schrift.

Die Stärke des Gedächtnisses muss also früher tatsächlich weitaus größer gewesen sein, als es heute überhaupt vorstellbar ist. So muss es Menschen gegeben haben, die Meister des Erinnerungs gewesen sind. So wie es heute noch in Afrika, Asien und Südamerika –zwar immer weniger werdend – analphabetische erzählende Sänger mit einem weitläufigen Repertoire gibt, das seit Urzeiten überliefert wurde. So gab es wahrscheinlich in den frühesten Kulturen hauptberuflich singende Erzähler, die ihre an wahrhaftig Geschehenem angelehnten Geschichten über viele Generationen hinweg, ja, über Jahrtausende hin, unverfälscht tradierten.

Im Bereich der Religion stellte die fortgesetzte mündliche Überlieferung die etablierte und eigentliche Tradition dar.

Gautama Buddha, der Begründer einer Weltreligion, hat nichts Schriftliches hinterlassen. Schließlich gab es ja schon lange eine große sakrale Literatur: die Veden der Hindus. Erst während des letzten vorchristlichen Jahrhunderts wurden auf der Insel Ceylon die Reden Buddhas schriftlich festgehalten und im Pali-Kanon gesammelt.

Buddha lebte vermutlich von 570 bis 490 v. Chr. – oder, wie neuere Forschungen ergaben, von ca. 450 bis 370 v. Chr.

Folglich wurden die Erzählungen und Reden aus seinem Leben fast ein halbes Jahrtausend lang von seinen Jüngern lediglich mündlich überliefert.

Wie war dies bei dem enormen Textumfang des Pali-Kanons möglich?

Noch während der Verbrennungsfeierlichkeiten des Buddha wurden die Anwesenden fünfhundert »Heiligen« dazu aufgefordert, in der nächsten Regenzeit bei einem Treffen zusammenzukommen, um die mündliche Tradierung dessen, was der Buddha mit seiner »Löwenstimme« gelehrt hatte, zueinander in Vergleich zu stellen.

Bei diesem ersten Konzil rezitierte der Lieblingsjünger Ananda die Lehrreden, die Sutras, und Upali die Ordensregeln. Dabei konnte jeder anwesende Mönch seine eigenen Erinnerungen an Buddhas Worte zur Diskussion stellen. Auf diese Weise waren allein sieben Monate notwendig, bis das Konzil den Stoff sortiert und anerkannt hatte.

Dann wurden die Texte auswendig gelernt. Auch wenn die Mönche dabei in Gruppen aufgeteilt bestimmte Stoffe memorierten, muss die Gedächtnisleistung außerordentlich gewesen sein.

Die übermäßig umfangreichen heiligen Texte wurden monatelang in Gruppen memoriert. Sollte aber im Chor gesprochen werden, konnte dies nur rhythmisch geschehen. Also wurden die Textmassen, auch wenn sie nicht direkt in Verse gefasst waren, rhythmisch umformuliert. Dies geschah auch aus einem weiteren Grunde: Rhythmisches prägt sich dem Gedächtnis grundsätzlich besser ein, was auch wir noch von den Merkversen her kennen.

Weshalb aber wurden die drei Konzilien zu diesem überwältigenden Memorieren und nicht zu großen Schreibaktionen genutzt? Palmblätter als Schreibmaterial waren schließlich längst verfügbar.

Der Grund dafür liegt in einer zu der unserigen komplett konträren Denkweise: Im alten Indien glaubte man, dass die mündliche Überlieferung zuverlässiger sei als die Schriftliche.

Und angesichts der Tatsache, dass in allen philosophischen und religiösen Schulen Indiens das Gedächtnis sehr intensiv trainiert wurde, war wohl diese Überzeugung auch richtig.

Auch bei den Indern verhielt sich dies nicht anders: Ihre ältesten religiösen Texte sind die Veden.

Der Rigveda, »*das aus Versen bestehende Wissen*«, ist die älteste und zugleich reichhaltigste der vier vedischen Sammlungen.

Die ursprünglichsten Teile des Rigvedas dürften um 1200 v. Chr. im Nordwesten Indiens entstanden sein: 1028 Hymnen, religiösmagische rituelle Preislieder, natürlich in metrischen Versen verfasst.

In der altindischen Religion waren die Götter zunächst sterblich. Um dem Tode zu entrinnen, »hüllten sie sich in die Metren«, die dementsprechend »chandas« (metrische Preislieder) heißen.

Auch »flüchteten [sie] sich in den Klang« der Silbe »Om«.

Auf diese Weise »wurden sie unsterblich und furchtlos.« (Die Veden. Chandogya Upanishad, 4. Khanda 2 - 4)

Erst nachdem sie in die Verse und den Klang »eingehüllt« sind, werden die Götter also zu dem, was für uns ihr Wesen ausmacht: ewig.

Die vedischen Hymnen sind über viele Jahrhunderte hinweg von Rischis, hinduistischen Weisen, ausschließlich in mündlicher Tradition weitergegeben und im Gedächtnis der Brahmanen bewahrt worden.
Die Überlieferungstreue gilt als außergewöhnlich hoch.
Daher wird der so lange mündlich tradierte Veda stets als »shruti«, d. h. »Gehörtes«, bezeichnet.
Die Entwicklung der ältesten Teile wird auf die Zeit zwischen 1300 und 1000 v. Chr. datiert. Die heute vorhandenen Texte wurden vermutlich erst im dritten vorchristlichen Jahrhundert niedergeschrieben. Ihre Überlieferung vollzog sich demnach mindestens 700 Jahre lang auf mündlichem Wege.
Bis zum heutigen Tag gilt in Indien nur die mündliche Tradition als autoritativ. Sie hat, wie zahlreiche innere Kriterien belegen, die Wortgestalt originalgetreu bewahrt.
Die Veda ist also bis heute eine von den Brahmanen größtenteils mündlich überlieferte sakrale Poesie von äußerst erstaunlichem Ausmaß: Die schriftlich fixierte Sammlung der Veden übersteigt den Umfang der Bibel um das Sechsfache!
Zur vedischen Literatur zählen auch die zunächst ebenfalls mündlich überlieferten Upanischaden. Dieses, dem Sanskrit entlehnte Wort bedeutet im eigentlichen Sinn: dicht (upa) zu den Füßen des Lehrers nieder (ni) sitzend (schad), um – ohne belauscht zu werden – die Geheimlehre zur Erlosung durch das Wissen (veda) zu erhalten.
Ursprünglich wurde die Veda von den nordindischen Ariern bewusst nicht aufgeschrieben, sondern in jahrelanger Anstrengung – man spricht von zwölf Jahren – auswendig gelernt und mittels Rezitierens weitergegeben.

Wurde aber ein Angehöriger einer nichtarischen Kaste unabsichtlich Zeuge einer vedischen Rezitation des Geheimwissens, wurde ihm, so heißt es, als Bestrafung glühendes Blei in die Ohren gegossen.

Auf dem europäischen Kontinent finden wir die gleichen Traditionen vor. Pythagoras (etwa 570 bis 500 v. Chr.), sämtlichen Schüler bekannt durch seine Dreiecksformel, war in den drei letzten Jahrzehnten des 6. vorchristlichen Jahrhunderts Leiter einer religiös-politischen Lebensgemeinschaft. Als Lehrer teilte er seine Schüler in drei Klassen ein: 1. die akoustikoi, welche schweigend zuhören mussten, 2. die mathematikoi, welche Fragen stellen durften, und 3. die physikoi, welche die eigentliche Erkenntnis besaßen.
Die Lehre wurde geheim gehalten und durfte nur mündlich unter dem Siegel der Verschwiegenheit weitergegeben werden.

Während der ersten Hälfte des 3. Jahrhunderts v. Chr. waren die Kelten oder Gallier das mächtigste Volk in Europa, und ihre Herrschaft erstreckte sich vom Atlantischen Ozean bis in das Herz Kleinasiens und an die Küste des Asowschen Meeres.
Allerdings hat es nie ein geeintes keltisches Reich gegeben. Die Institution der Druiden, einer Priesterkaste, genügte wohl, um ihnen das Gefühl sozialkultureller Zusammengehörigkeit zu vermitteln.
Die zweite Klasse im altkeltischen Gelehrtenstand bildeten die Barden. In Begleitung der Harfe besangen sie als Hofdichte die tapferen Taten berühmter Männer.
Die dritte Klasse war die der Seher.
Obwohl es die Schrift kannte, hinterließ das sagenumwobene Volk der Kelten trotz seiner hohen Kultur keine schriftlichen Zeugnisse.
Wie konnte das geschehen?

Die umfangreichen religiösen Texte der Druiden sowie auch die Gesänge der Barden wurden durch über viele Generationen hinweg ausschließlich mündlich weitergegeben.

Von der lediglich oral überlieferten Poesie der Festlandkelten ist daher nichts erhalten geblieben. Von allen Völkern West- und Nordeuropas erreichte das Volk der Gälen nach Annahme des Christentums nur in Irland und Schottland eine umfangreiche Aufzeichnung seiner Literatur. Dies geschah um 600 n. Chr. Neben dieser schriftlichen dauert die mündliche Überlieferung aber bis heute fort.

Von hoher Berühmtheit ist eine Passage in Cäsars »De bello Gallico« (VI, 14), in der beschrieben wird, wie im 1. Jahrhundert v. Chr. die Priesterkaste der Druiden ihr Herrschaftswissen als Geheimlehre sicherte.

In ihren Schulen, so heißt bei Cäsar, lernten die Druiden eine große Menge an Versen auswendig. Daher blieb so mancher zwanzig Jahre lang in der Schule. Es war ihnen streng verboten, ihre Lehre zu verschriftlichen – in fast allen Dingen aber, so im öffentlichen und privaten Verkehr, durften sie die griechische Schrift verwenden.

Und Cäsar meint weiter: »[...] *Dies scheinen sie mir aus zwei Gründen so zu halten: Sie wollen ihre Lehre nicht in der Masse verbreitet sehen und zudem verhindern, dass die Zöglinge im Vertrauen auf die Schrift ihr Gedächtnis zu wenig üben [...]*«

Die indogermanischen Thraker waren über Jahrhunderte hinweg eines der großen Völker der Antike. Sie besiedelten Südosteuropa und Teile Kleinasiens, um anschließend in zahlreiche (laut Herodot neunzig) kriegerische Einzelstämme zu zerfallen.

Ihr Hauptland war das heutige Bulgarien.

Die untergegangene Kultur der Thraker ist heute vor allem durch beachtliche Goldfunde bekannt.

Rätselhaft blieb dieses Volk trotzdem – so hat es keinerlei schriftliche Überlieferungen hinterlassen, abgesehen von wenigen Votivinschriften.

Ihr esoterisch geschlossenes Geistesleben wurde, wie es vor allem Herodot bezeugt, von dionysischer Geheimbund-Religiosität beherrscht, die voller Mysterien und orgiastischer Kulte war. So gilt es als sicher, dass sie sich bewusst für eine ausschließlich mündliche Überlieferung und gegen die schriftliche Fixierung ihrer Existenz entschieden haben.

So ging das Wissen der Thraker für immer verloren.

Schließlich darf in diesem Zusammenhang Tibet nicht unerwähnt bleiben.

Aufgrund seiner naturbedingten Isolation gelang es hier, die esoterische Lehre des buddhistischen Lamaismus zu bewahren. In Tibet gelten Worte als Siegel des Geistes, als Stationen von Erfahrungen, die aus Urzeiten in die Gegenwart hineinreichen. Abgesehen von den heiligen Schriften gibt es bis heute eine mündliche Tradition, vor allem der geheimen Lehren.

Die Magie des Wortes, die im Mantra ihren Höhepunkt erreicht, hat einen starken Einfluss auf das gesamte Leben der Tibeter. Es ist Verkörperung des Geistes und trägt die geheimnisvolle, geheiligte Tradition.

Auch heute noch werden in Tibet und in Ladakh (Klein-Tibet) wesentliche Bestandteile tantrischer Geheimlehren nur für Eingeweihte mündlich tradiert – mit dem ausdrücklichen Befehl und unter Androhung massiver Strafen, nicht ohne gesonderte Erlaubnis darüber zu sprechen.

Auch die orientalischen Religionslehrer stammten aus der traditionellen mündlichen Überlieferung.

Mose, Jesus und Mohammed – unumstritten große Lehrer der Menschheit – bestimmen mit ihren Lehren in unterschiedlichem

Maße noch heute das Leben großer Teile der Weltbevölkerung. Dennoch hat keiner von ihnen seine Lehre schriftlich fixiert.

Sie alle lehrten ausschließlich auf mündlichem Wege, meist im direkten Gespräch mit einer kleinen Gruppe von Schülern und Jüngern, und folgten damit der alten Tradition.

Befürchteten sie nicht, dass ihre weltbewegenden Lehren mit dem Verklingen ihrer Stimmen, mit dem eigenen Tod und dem Tod ihrer Jünger, aus der Welt verschwinden würden?

Offenbar nicht.

Und tatsächlich wurden ihre Worte von den Schülern verkündet und memoriert, bis sie dann irgendwann gesammelt und aufgeschrieben wurden.

Mose, der wahrscheinlich im 13. Jahrhundert v. Chr. lebte und als die Gründergestalt der jüdischen Religion schlechthin gilt, hat offensichtlich nichts geschrieben. Jedenfalls nicht die sogenannten *»Fünf Bücher Mosis«*, welche die hebräische Bibel eröffnen. In diesen finden sich keinerlei Hinweise darauf, dass er sie geschrieben hat.

Außerdem lehnt die moderne Bibelwissenschaft dies strikt ab.

Dass Moses sein Wissen ausschließlich mündlich zusammentrug, wird durch den babylonischen Talmud bestätigt:

»[…] Wenn dies bei Aaron nötig war, der aus dem Munde Moses lernte, und Mose aus dem Munde des Allmächtigen […]« (Eruwin 54b)

Der Pentateuch ist vielmehr das Ergebnis eines sich über mehrere Jahrtausende erstreckenden Prozesses, in dem mündlich weitergegebenes Sagen Gut sowie historische und theologische Tradition anfangs in einzelnen Quellen gesammelt und diese wiederum viele Jahre später mit deutlichem redaktionellen Zugriff zu einer Einheit zusammengefügt wurden.

Jesus durchwanderte einst in Begleitung der zwölf Aposteln und einer Gruppe von Jüngern und Jüngerinnen das jüdische Land, mündlich lehrend, innerhalb kleiner Kreise und auch vor größeren Menschenmengen. Die Idee, seine weltbewegende neue Lehre in einem Buch, in einem Katechismus etwa, festzuhalten, war ihm offenbar völlig fremd – Jesus hat nicht eine einzige Zeile geschrieben.

Im Islam geht man davon aus, dass der Koran die authentischen Aussprüche des Propheten Mohammed (570-632) beinhaltet. Über die Entstehung des Korans im ersten Drittel des 7. Jahrhunderts lässt sich mit Sicherheit aber nur feststellen, dass die Verschriftlichung sich von Mohammeds erstem Auftritt in der Öffentlichkeit über einen Zeitraum von mehr als zwanzig Jahren hinzog und erst posthum ihre Vollendung gefunden hat.
Der Prophet selbst war vermutlich weder zum Lesen noch zum Schreiben fähig.
Allem Anschein nach wurden aber bereits zu Mohammeds Lebzeiten viele seiner Verkündigungen niedergeschrieben. Eine erste Sammlung von Suren soll post mortem von Mohammeds früherem Schreiber Saidiq al Thamid zusammengestellt worden sei. Diese wurde dann unter dem Kalifen Utman 653 verbindlich redigiert. Doch diente die Schrift in erster Linie als Gedächtnisstütze. Der Wortlaut wurde und wird immer noch auswendig gelernt und so von Generation zu Generation direkt weitergegeben. Deshalb ist der Koran in rhythmischer Reimprosa geschrieben, sodass seine angepriesene Klangschönheit allein im teils gesungenen Vortrag erlebbar wird.

Um sich die ungeheuren Zeiträume, die mündliche Überlieferungen überdauern, vergegenwärtigen zu können, stellt wohl der Bericht über die Sintflut ein hervorragendes Beispiel dar. (Gen 6,5-9,17)
Schon seit Langem war man davon überzeugt, dass diese Sage einen historischen Kern besitzt.

In den zwanziger Jahren des 20. Jahrhunderts lieferte der englische Archäologe Woolley archäologische Beweise hierfür. Laut seinen Berechnungen hatte die Flutkatastrophe etwa im Jahr 4000 v. Chr. nordwestlich vom Persischen Golf ein Gebiet von 630 Kilometern Länge und 160 Kilometern Breite vernichtet.

Einem anderen, neueren Forschungsergebnis zufolge könnte ein noch früheres Ereignis Auslöser einer weiteren Sintflut gewesen sein.

Zwei amerikanische Ozeanforscher haben auf dem Grund des Schwarzen Meeres eine versunkene Steinzeitlandschaft entdeckt. Als das Mittelmeer durch das Schmelzen der Gletscher stark anstieg, floss das Wasser in einem ungeheuren Kataklysmus durch die Enge des Bosporus in dessen Becken, sodass das Schwarze Meer entstand.

Vor 7500 Jahren wurden demnach die dort siedelnden Bauern von der Flut verschlungen.

In vielen Ländern der Welt existieren Sintflut Sagen.

Am wirksamsten aber dürfte zweifellos der Sintflut Bericht der hebräischen Bibel sein.

Wann aber wurde er aufgeschrieben? Wie alt ist der Pentateuch, der Anfang des Alten Testaments?

Die älteste der vier Quellenschriften ist wahrscheinlich die des sogenannten Jahwisten, die dem 9. Jahrhundert entstammt. Zeitlich gesehen besteht also der Abstand zur Flutkatastrophe in Mesopotamien über 3000 Jahre, der zum Schwarzmeer-Kataklysmos über 4500 Jahre.

Vergleichbare Entwicklungswege müssen auch der Sintflut Sage des Gilgamesch-Epos zu Grunde liegen.

Der sumerische König Gilgamesch selbst hat vermutlich um 2800 v. Chr. gelebt. Die ältesten Teilstücke des Epen-Zyklus kommen aus der Zeit um 2000 v. Chr.

Zweifellos haben sich die einzelnen Schreiber jeweils auf mündliche Berichte gestützt. Diese sind wohl seit der Herrschaft des

Königs Gilgamesch etwa 800 Jahre lang oral tradiert worden.

Es ist in der Altphilologie allgemein üblich, beim detaillierten Untersuchen der frühen Texte anfangs kurz darauf aufmerksam zu machen, dass diese das Endergebnis langer mündlicher Überlieferungsprozesse sind.

Doch woher kommt diese traditionelle Entschlossenheit bei vielen früheren Kulturen, das Überlieferte beharrlich auf dem mündlichen Weg zu erhalten und dies dem Schriftlichen vorzuziehen?

Sokrates (ca. 470-399) kannte eine Geschichte darüber.

Der Grieche, einer der wenigen wahrhaft maßgebenden Menschen und wegweisenden Philosophen, hat bewusst nur mündlich gelehrt.

Schriftliche Aufzeichnungen galten ihm nur als Gedächtnisstütze für denjenigen, der längst weiß, wovon das Geschriebene handelt.

So erzählt er gegen Ende von Platons »*Phaidros*« (274 c-276 a), der ägyptische Gott Theut (Thot), der Erfinder der Schrift, habe dem König Thamos seine Erfindung mit der Begründung empfohlen, sie werde die Ägypter »*weiser und erinnerungsfähiger machen*«.

Der König aber habe ihn mit den Worten zurückgewiesen:

»*Vergessen wird dies in den Seelen derer, die es kennenlernen, herbeiführen durch Vernachlässigung des Erinnerns, da sie nun im Vertrauen auf die Schrift von außen her mittels fremder Zeichen, nicht aber von innen her aus sich selbst das Erinnern schöpfen. Nicht also für das Erinnern, sondern für das Gedächtnis hast du ein Hilfsmittel erfunden. Von der Weisheit aber bietest du den Schülern nur Schein, nicht Wahrheit dar.*«

Sokrates fährt dann fort: »*Wer also glaubt, eine Kunst in Buchstaben zu hinterlassen, und andererseits wer diese annimmt, so als ob aus*

Buchstaben etwas Deutliches und Zuverlässiges entstehen werde, der dürfte wohl von großer Einfalt sein.«

Doch die sokratische Gelehrsamkeit berücksichtigt mit keinem Wort den eigentlich tragenden Gedanken, aus dem die mündliche Überlieferung entsprungen war: Schriftliches kann leicht falsch gelesen werden, indem man Worte betont und Sätze nicht richtig abteilt. Zudem können sich leicht Fehler einschleichen.

Beim Hersagen des Gelernten achtete man dagegen streng auf die richtige Betonung und Unterteilung der Sätze.

So überlieferte man das Gehörte nicht nur wort-, sondern auch lautgetreu.

Eine Verwechslung nahezu identischer Begriffe wurde dadurch ausgeschlossen oder zumindest minimiert.

Zudem hat der Rezitierende dem Schriftkundigen gegenüber einen Vorteil: Er kann sogar ein Analphabet sein.

Statt der Feder braucht er kein anderes Medium als Stimme und Ohren! Er konnte also zum Beispiel ein gewöhnlicher und ungebildeter Hirte sein, so wie manche Propheten es waren.

Durch mündliche Überlieferung konnte offenbar das Weitererzählte jahrtausendlang so lebendig bleiben, als würde der einstige Meister gerade in der Gegenwart vor uns stehen und reden, als würde man die Stimme des Herrn der ersten Stunde leibhaftig erleben.

Somit vergeht das einstig gesprochene Wort nicht mit dem Hauch der Stimme.

Ihr Nachhall wird verewigt im Gedächtnis.

Demnach stellten diese Menschen nichts anderes dar als biologische Tonträger, mit deren Zunge der alte Meister redete.

Und hierin liegen die Einzigartigkeit und Genialität der mündlichen Überlieferung.

Welche Relevanz haben nun diese Erkenntnisse bei der Suche nach der babylonischen Sprache?

Um das, was uns die Alten mitteilen wollten, richtig zu verstehen und somit die sprachlichen Urgesteine aufzuspüren, reicht es nicht, wenn wir lediglich die spätere schriftliche Fixierung dieser Mitteilungen lesen.

Nicht auf das Gelesene kommt es an, sondern ausschließlich auf das einst gesprochene Wort, woraus erst das Handgeschriebene resultierte.

Wie kann man also einen Umkehrprozess herbeiführen, mit dem das Geschriebene in das vor Jahrtausenden ursprünglich ausgesprochene Wort transformiert wird?
Hier kann es ausschließlich einen einzigen Weg geben.
Wer der Definition eines Wortes mit komplizierten linguistischen Erklärungen und moderner philosophischer Methodik auf die Spur kommen will, der wird womöglich wohl in ein sprachliches Chaos versinken und Missdeutungen ernten.
Nicht auf die Auslegung späterer Schriftgelehrter kommt es an, sondern ausschließlich auf den »**Klang**« eines Wortes, das man einst empfangen hat und nach **Gehör** niederschrieb.

Spätere Schriftgelehrte und Religionisten hatten nur eins im Sinn: Unverständliches so auszulegen, bis es in ihr ideologisches Gerüst hineinpasste, und zwar selbst dann, wenn es linguistisch unbegründet oder abwegig war.
Die überlieferten Worte der Vorzeit, später meist von Analphabeten rezitiert, unterlagen keinen linguistischen Zwängen oder von späteren Generationen erfundenen grammatikalischen Grundregeln.

Um das zu verstehen, was diese Menschen uns mit einfachen Sätzen vermitteln wollten, dürfte eine Deutung gemäß unserem heutigen Verständnis untauglich sein.

Dass es in erster Linie bei dem Überlieferten auf die Sprechweise ankam, wird im slawischen Henoch-Buch bekundet:

»[…] Es erzählte mir Vrevoel dreißig Tage und dreißig Nächte, und nicht verstummte sein Mund redend. Ich aber ruhte nicht schreibend alle Kennzeichnungen aller Kreatur […]« (Cap. XXIII, 10)

Hier wird die Rolle der einzelnen Akteure verdeutlicht: Der Engel rezitiert, was er seit seiner Kindheit auswendig in seinem Gedächtnis gespeichert hat. Henoch, der Schriftkundige, setzt die nach Gehör vernommenen »Töne« in Buchstaben um.

Henoch verstand also die Ursprache der Engel und die des HERRN: die vorsintflutliche Sprache.

Zugleich erfahren wir in diesem Zusammenhang etwas Bemerkenswertes.

Der HERR vertraut Henoch an: *»[…] Höre, Henoch, und vernimm diese meine Worte. Denn auch meinen Engeln habe ich meine Geheimnisse nicht kundgetan […]«* (Cap. XXIV, 5)

Wie ist diese Aussage mit dem übrigen Textinhalt in Einklang zu bringen, in dem zuvor berichtet wird, dass Henoch alle Geheimnisse durch den redenden Engel Vrevoel erfährt?

Die Erklärung ist verblüffend: Vrevoel war ein waschechter Analphabet!

Der Engel des Herrn hat also Wissen auswendig gelernt und in seinem Gedächtnis gespeichert, ohne dessen Bedeutung zu begreifen oder im Ansatz zu verstehen, was er den Zuhörern vorträgt.

Somit stellt Vrevoel den Prototyp einer sonderbaren Kaste da, die sich in ihrem Gehirn Daten vom Hörensagen einprägt, ohne jemals deren Sinn oder Deutung zu verstehen.

Und das Analphabetentum?

Auch dies war seit Urzeiten gewollt und stellte eine tragende Säule dieser Doktrin dar.

Damit soll bezweckt werden, dass die Erzähler niemals in die Lage kommen, sich zu verselbstständigen und das, was sie vortragen, niederzuschreiben.

Ihnen fiel die Aufgabe zu, lediglich den Strom des mündlich Überlieferten aufrechtzuerhalten.

Wahrscheinlich wurden solche Personen schon bei der Geburt hierfür bestimmt.

Von Kind auf wuchs dann derjenige in seine Aufgabe hinein, ohne jemals zu verstehen, was in dem monotonen Gesang vorgetragen wird.

So konnte gewährleistet werden, dass nur die Menschen, für die die Informationen bestimmt waren und die die Sprache verstehen konnten, das Vorgetragene verarbeiteten und verwerteten.

Sollten also tatsächlich die Worte Adams auf diesem Weg bis zum Propheten Mohammed gelangt sein?

Sechstes Kapitel
Zero-Adges
Kultur auf Abruf

Die menschliche Geschichte musste immer wieder neu entdeckt, erforscht und niedergeschrieben werden.

Das Zeitalter von Adam bis Abraham erscheint uns alles in allem weit entrückt in einer mystischen Welt voller Geheimnisse.

Dazu gehören zweifellos auch die sogenannten »Zero-Adges«, in denen der Fortbestand der Kultur zum Erliegen kam.

Während dieser Zeit dominierte die mündliche Überlieferung.

Diese dunkle Seite menschlicher Geschichte hat viele rätselhafte Gesichter.

Wie bereits geschildert, lässt sich zwischen der Sintflut und dem Auftauchen von »Abraham/Gilgamesch« eine tausendjährige Schweigeperiode – Zero-Adges – erkennen.

Erst mit dem Ende dieser Periode beginnt die »Geschichte« sich uns zu offenbaren und greifbare Geschehnisse zu erzählen.

Schrift taucht in Mesopotamien und wenig später in Ägypten auf, die jedoch trotz nachweisbarer archäologischer Beziehungen zueinander völlig verschiedene Entwicklungswege gehen. Zumindest von Gilgamesch wissen wir aus dem gleichnamigen Epos, dass er mit den Seinigen die Alte Welt durchstreifen, und auf eine abenteuerliche Weise, die stark an die Irrfahrten des Odysseus erinnert, den Ort aufsuchen wird, an den Henoch vor fast einem Jahrtausend entführt wurde: das angebliche Paradies.

Förmlich spürt der Leser des sumerischen Epos den Entdeckungs- und Forscherdrang, der die Menschen um Gilgamesch – im Epos lediglich durch den Held und seinen Begleiter Enkidu vertreten – förmlich zu erfassen scheint.

Mit dem Ausklang der Zero-Adges beginnt das Schriftliche zu dominieren, obwohl das mündlich Überlieferte keineswegs vernachlässigt wird.

Kultur und Geschichte, deren Umrisse von Mund zu Mund unermüdlich weitergereicht und nicht zuletzt von blinden Harfensängern vorgetragen wurden, beginnen schriftlich zu pulsieren und für die Gegenwart von Neuem entdeckt zu werden.

Es ist zugleich die Zeit der Schriftgelehrten, und der selbst ernannten Vertreter Gottes auf Erden, die nun das Erbe der Menschheit in schriftlicher Form umsetzen, aber auch vieles verfälschen, missverstehen und unterschlagen, um die eigenen religiösen und politischen Ziele durchzusetzen und zu etablieren.

Das kulturelle Vermächtnis Adams und die einst darin eingehüllten zivilisatorischen Keime schrumpfen mit jeder Wiederherstellung immer mehr zusammen, werden von religiösen Anschauungen überwuchert und unter göttliche Zensur gestellt.

Die Religion wird erfunden, um die Menschen unterdrückend in Schach zu halten.

Die gesamte Kulturlandschaft unseres Planeten wird auf diese Weise stetig von einem hysterischen theologischen Zwang erfasst, den die Menschheit nie mehr entrinnen wird, selbst dann nicht, wenn sie später die einstigen zivilisatorischen Grundpfeiler wiederentdeckt.

Doch warum haben es die biblischen Verfasser als notwendig erachtet, die überlieferte Geschichte in Dynastien zu zerstückeln, wo man doch eigentlich stets peinlich darauf bedacht war, die direkte Beziehung zu Adam ohne Umwege zu untermauern?

Wieso beginnt das Geschlechtsregister mit Adam und endet bei Noah, um später mit einer neuen Völkertafel fortgesetzt zu werden?

Dazwischen lag offenkundig ein historisch zwingendes Ereignis, das eine solch klare Trennlinie erforderlich machte.

Wenn wir nun einräumen, dass die tausendjährige Periode von Noah bis Abraham mit einer Art Bestrafung eingeleitet wurde, nämlich mit der Sintflut, so zwingt uns die gleiche Logik, vorauszuschicken, dass in dem davorliegenden adamitischen Zeitalter eine Sünde begangen wurde, mit dem dieses Zeitalter abrupt zu Ende ging.

Frieden und Eintracht auf Erden wurden sozusagen aus dem Gleichgewicht gebracht.

Diese Annahme findet in den Apokryphen ihre Bestätigung:

»[...] In Jareds fünfhundersten Jahr übertraten Seths Kinder die Eidschwüre, womit ihre Väter sie beschworen hatten, und begannen vom heiligen Berg in der Schlechtigkeit Lager der Kinder des Mörders Kain hinabstiegen. So vollzog sich der Fall der Kinder Seths. Im vierzigsten Jahre Jareds war das Ende des ersten Jahrtausends, das von Adam bis Jared reichte [...]« (Schatzhöhle, 10. Kapitel, 14-16)

Die Vertreibung aus dem Paradies hatte also offenbar zunächst den Effekt ausgelöst, dass die Menschen – wie später in Babylon – in alle Winde zerstreut wurden.

Diesen Aussagen zufolge soll die Bußzeit, die mit der Vertreibung aus dem Paradies ihren Anfang nahm, in Jareds Zeiten geendet haben.

Diese Annahme scheint folgerichtig zu sein, denn mit der Geburt des später in den Himmel entführten und gesalbten Henoch befanden wir uns in einer Zeit messianischer Erwartung.

Henoch verkörpert demnach den nach der Schweigezeit erwarteten Messias.

Die Bibel wartet allerdings mit einer anderen Variante auf:

»Und Kain erkannte sein Weib; die ward schwanger und gebar den

Henoch. Und er baute eine Stadt, die nannte er Henoch.« (Genesis 4,17)

Das Geschlechtsregister von Adam bis Noah (Genesis 5) gibt hingegen Jared als Henochs Vater an. Auch die Verfasser der Apokryphen hinterließen ähnliche Aussagen.
Unter der Überschrift »*Kain und Abel, Adams Kinder*«, Vers 9, wird Kains Vaterschaft bestätigt:

»*Und Kain nahm sich seine Schwester Awan zum Weibe, und sie gebar ihm den Henoch am Ende des 4. Jubiläums. Und im 1. Jahre in der Jahrwoche des 5. Jubiläums wurden Häuser auf der Erde gebaut, und Kain baute eine Stadt und benannte ihren Namen nach dem Namen seines Sohnes Henoch.*« (Die Apokryphen, Tod Adams und Kains, 30, E. Weidinger, Pattloch Verlag, S. 148)

Auch dort ist die Rede von einer tausendjährigen Periode:

»*Und 70 Jahre fehlten an 1000 Jahren.*« (Die Apokryphen, Tod Adams und Kains, 30, E. Weidinger, Pattloch Verlag, S. 149)

Das heißt, die tausendjährige Frist nach Adam fiel aus irgendwelchen Gründen um 70 Jahre kürzer aus und wurde demzufolge vorzeitig abgebrochen.
Und dies führt nun zu einer erstaunlichen Feststellung.
Diese Aussage würde ja im Kern bedeuten, dass die darauffolgenden tausendjährigen »Zero-Adges« 70 Jahre früher beginnen würden, als in den himmlischen Büchern vorgesehen war. Anders ausgedrückt: Die darauffolgenden tausend Jahre werden um 70 Jahre verlängert.
Umso Erstaunlicheres müssen wir aus völlig anderen Überlieferungsquellen, nämlich dem Anhang des slawischen Buches Henoch, erfahren, wann diese angekündigte Periode, die mit »Abraham/Gilgamesch« beginnt, erfüllt ist:

»[...] Und wenn sein wird das zwölfte Geschlecht und sein werden tausend Jahre und siebzig, wird in diesem Geschlecht ein gerechter Mensch geboren werde, und es wird sprechen zu ihm der Herr [...]« (Cap. III, 31-VI)

Bei der anbrechenden tausendjährigen Periode wurden also die fehlenden 70 Jahre berücksichtigt.
Welch eine bemerkenswerte Übereinstimmung!

Die apokryphischen Aussagen erklären zugleich, warum in der Bibel eine der bedeutendsten Persönlichkeiten wie Henoch so offenkundig ignoriert wurde: Er soll der Sprössling eines Mörders gewesen sein!
Die apokryphischen Angaben, wonach zurzeit Kains eine Stadt gebaut wurde, erinnern stark an den Textkomplex, der die Grundlage für die Entstehung des babylonischen Mythos bildete und in dem es u. a. heißt:

»Wohlauf, lasst uns Ziegel streichen und brennen.«

Diese Formulierung vermittelt den Eindruck, als würde gerade damit begonnen, Städte zu bauen, eine Aussage, die sich wiederum mit derjenigen der Apokryphen – *„wurden Häuser auf der Erde gebaut"* – decken würde.
Den Beginn des Städtebaus in die adamitische Epoche vorzuverlegen würde sich ja auch eher mit unseren archäologischen Kenntnissen über Mesopotamien decken.
Befinden wir uns also mit Kain oder Jared in einem Zeitalter voller Bautätigkeit – Bauten, die während der darauffolgenden tausendjährigen Schweigeperiode vernachlässigt und zu Bauruinen werden, später jedoch von Gilgamesch entdeckt und wiederaufgebaut werden?

Wie dem auch sei, wir können davon ausgehen, dass es seit Adam zwei aufeinanderfolgende Zero-Adges von je tausend Jahren gegeben hat.

Der Neuanfang nach Ablauf dieser beiden Perioden steht jeweils im Zeichen ungewöhnlicher Bautätigkeit und der Wiederherstellung der Schriften.

Denn mit Henoch, unmittelbar auf den adamitischen Zeitabschnitt folgend, befinden wir uns in jener Zeit, in der die Schriften wiederhergestellt werden.

Die Apokryphen gehen sogar noch weiter:

»[…] Dieser (Henoch) *nun ist der erste von Menschenkindern, von denen, die auf der Erde geboren sind, der Schrift und Wissenschaft und Weisheit lernte und der die Zeichen des Himmels nach der Ordnung ihrer Monate in ein Buch schrieb […]«* (Leben und Bedeutung Henochs, 17, S. 148)

Die Wiederherstellung der Schrift steht also im engen Zusammenhang mit dem Ende eines Zero-Periode und dem Beginn eines neuen Zeitalters.

In Falle des Henoch tritt jedoch ein Sonderfall ein.

In die Elias-Apokalypse steht über den Messias:

»Der wahre Gesalbte schafft Himmel und Erde neu und herrscht mit den Heiligen tausend Jahre«.

Demnach hatte mit Ablauf des adamitischen Zeitalters eine tausendjährige Zeit geendet und mit Henochs Geburt jenes tausendjährige Messiasreich begonnen.

Die adamitische Zeit wird jedoch 70 Jahre vor Ablauf dieser Zeitspanne aus zwingenden Gründen unterbrochen, sodass Henoch sein messianisches Erbe nicht antreten kann, sich ins Paradies zurückzieht und bei den Menschen nicht mehr gesehen wurde.

Die tausendjährige Herrschaft des Gesalbten findet also nicht statt.

Warum?

Auch hierauf finden wir in den Apokryphen eine einleuchtende Antwort, die indirekt in der Bibel bestätigt wird.

»[...] Und er (Henoch) ward weggenommen unter den Menschenkindern und wir führten ihn in den Garten Eden zu Hoheit und Ehre und siehe, er schreibt dort das Gericht und das Urteil über die Welt und alle Bosheiten der Menschenkinder. Und seinetwegen brachte Gott die Sintflut über das ganze Land Eden [...]« (Leben und Bedeutung Henochs, 23,24)

Statt unter den Menschen zu verweilen und das messianische tausendjährige Reich zu gründen, verbringt Henoch den Rest seines Lebens an jenem Ort, an dem man ihn entführt hat, schlüpft dort in die Rolle des Weltenrichters.

Somit vertreten die Apokryphen eine theologische Auffassung, die im krassen Widerspruch zu der biblischen steht: Henoch spielt demnach nicht nur eine theologische Schlüsselrolle, sondern erfährt höchste Verehrung.

Wieso aber die Sintflut?

»[...] Sie aber (die Kinder Seths) wollten weder auf Jareds Gebot noch auf Henochs Worte hören, sondern erdreisteten sich, das Gebot zu übertreten. So stiegen hundert Männer, Recken an Kraft, hinab. Da sahen sie Kains Töchter, die schön von Ansehen waren und ohne Scham ihre Schande entblößten. Da stürzten sich Seths Söhne durch die Unzucht mit Kains Töchtern ins Verderben [...] (12. Kapitel, 10-17) Da wurden diese schwanger und gebaren ihnen riesenhafte Männer, ein Geschlecht von Riesen, Türmen gleich [...]« (15. Kapitel, 3)

Von der Geburt der Riesen wussten auch die biblischen Verfasser zu berichten:

»Zu der Zeit und auch später noch, als die Gottessöhne zu den Töchtern der Menschen eingingen und sie ihnen Kinder gebaren, wurden daraus die Riesen auf Erden. Das sind die Helden der Vorzeit, die Hochgerühmten.« (Genesis, 6,4)

Eigenartig dabei dürfte der Umstand sein, dass die Bibel und im Gegensatz zu den Apokryphen dem Geschlecht der Riesen keineswegs so feindlich gesinnt gegenübersteht.

Und während die Apokryphen übereinstimmend die Riesen als Grund für die Sintflut anführen, weiß die Bibel keine plausiblen Details darüber zu berichten, wieso eigentlich die Erde überflutet wird.

Pauschal wird behauptet, dass *»der Menschen Bosheit groß war«*.

Diese konträre Auffassung, wie auch schon bei Henoch, könnten bei tiefgründigen Nachforschungen erklären, wieso das eine oder andere Buch in der Bibel aufgenommen wurde, andere dagegen unberücksichtigt geblieben sind und nicht anerkannt wurden.

Das Zeitalter Adams, mit dessen Ende die messianischen Zeiten auf Erden eingeläutet wurden und Gottesreich die Erde erfassen sollte, endet also vorzeitig mit einem Fiasko: der Geburt der Riesen.

Und somit haben auch wir einen plausiblen Grund dafür, warum die tausendjährige adamitische Frist früher abgebrochen werden musste.

Erneut erlebt die Menschheit einen Rückfall, der mit der Sintflut und einer erneuten tausendjährigen kulturellen Stagnation begegnet wird.

Es galt, die Erde rein zu waschen und die Spuren der sündigen Vermischung – die Riesen – zu vertilgen.

Das Geschlecht der Riesen wird sozusagen zum Töten freigegeben.

Somit tauchen zum ersten Mal in den Überlieferungen Berichte auf, in denen das Töten von Menschen als eine von Gott gewollte und beschlossene heilige Mission betrachtet wird.

Die hemmungslose Abschlachtung von Menschen aus religiösweltanschaulichen Gründen wird somit legitimiert.

Eine Verhängnisvolle Handlung, die später bei Beginn jeder neuen Religionsperiode unrühmliche Nachahmungen auslösen wird.

Unbelehrbare und verblendete Religionisten werden später nach Ablauf einer »Zero-Adges-Periode« die Zusammenhänge völlig missverstehen und das adamitische Vermächtnis dahingehend deuten, dass die Gründung eines Gottesreiches mit einer menschlichen Sühne, mit Blutbädern beginnen muss.

Und genau dieser Zeitpunkt markiert die Wendung hin zur zügellosen Tötung unter den Menschen, selbst als die Riesen längst ausgerottet waren.

Wenn wir den bisherigen Aussagen der Überlieferungen Glauben schenken, so können wir davon ausgehen, dass es von Adam bis Abraham zwei Perioden von jeweils tausend Jahren gegeben hat, von denen jede unter einem anderen Stern stand.

Jede dieser Perioden hat, wie bereits erwähnt, ihren eigenen und unverwechselbaren Charakter.

Die erste Periode, die adamitischen, ist zu Anfang von einem Lernprozess geprägt, in dem »Adam« die göttlichen Laute vernimmt und somit in die Kunst des gesprochenen Wortes eingeführt wird.

„Gott" lehrt ihn, wie er die einzelnen Tiere, Vögel und Pflanzen zu nennen hat, wie er bäuerliche und andere Aufgaben des täglichen Lebens bewältigen kann.

Auch wird ihm beigebracht, seine Umwelt und die himmlische Ordnung zu verstehen, beim Namen zu nennen.

Wilde Geschöpfe werden also behutsam und phlegmatisch kultiviert.

In dieser neu geschaffenen Welt scheint der Begriff Religion, in welcher Form auch immer, keinen Platz zu haben.

Im Paradies dürfte das Wort anbeten, sich also vor einer Gottheit unterwürfig zu verneigen, völlig unbekannt gewesen sein.

Und mit keinem Wort wird bei Adam der Begriff „Götzendiener" je erwähnt und auch nicht, dass er sich religiösen Vorschriften unterwerfen musste.

Bis zu seiner Vertreibung genießt Adam sprichwörtlich das paradiesische Leben.

Auch dürfte der adamitische „Gott" ein zivilisierter und friedfertiger gewesen sein, der weder zürnt noch Menschenleben mit der Schärfe des Schwerts einfordert.

Allerdings ist uns bisher aus dieser Zeit etwas Entscheidendes entgangen.

Das wichtigste Merkmal dieser Periode, das eigenartigerweise unverdrossen von kommenden Generationen übernommen wurde, dürfte darin bestehen, das Symbol der **Göttlichkeit** mit einem Buchstaben in Verbindung zu bringen.

Der erste Buchstabe des Alphabets, das »A«, scheint eine der wichtigsten Rollen im kulturellen Leben der adamitischen Zeit zu spielen.

Adam beginnt mit »A«, ebenso wie sein bevorzugter Sohn **Abel**, der aus Missgunst von Kain ermordet wird.

Kain besitzt dieses Merkmal nicht.

Deshalb sah der HERR sein Opfer nicht gnädig an. (Genesis 4,4)

Dafür heiratet er seine Schwester »Awan«, die ihm auch folgerichtig den messianischen Henoch schenkt, dessen Name allerdings aus zwingenden Gründen mit keinem »A« beginnt und demzufolge in der biblischen Geschichte keine Rolle spielt.

Dass Abels »Ersatz«, Seth, nicht mit »A« beginnt, wird ebenso wie der Name Eva später zu klären sein.

Auch die Götter der ersten Stunde scheinen in dieses System eingeflochten zu sein.

Der erste sumerische Hauptgott war *An*, Gott des Himmels, Sohn des *Ansarr* und Vater aller Götter. *An/Anu* war zurzeit Gilgameschs oberster Gott des Pantheons in Sumer.

Bei den Babyloniern ist der Hauptgott **Anu**, sein erster Sohn **Ansarr** wurde Herr der Erde. **A**dad (babyl.) war der akkadisch-babylonische Wettergott.

Adonis war vor seinem Einzug ins griechische Pantheon ein phönizischer Gott und symbolisierte die von der heißen Sommersonne ausgedörrte Vegetation. Sein Hauptsitz war die Stadt Byblos.

Aja (babyl.), Göttin der Morgendämmerung, Gemahlin des obersten Gottes **A**n und ursprünglich eine unabhängige Göttin, wurde später mit Ishtar verbunden.

Anat/Anath (Kanaan) war Göttin des ugaritischen und phönizisch-kanaanitischen Pantheons: Kriegerin, Mutter, Jungfrau, Dirne. Obwohl sie die Geliebte aller Götter war, verlor sie nie ihre Jungfernhaut. Sie ist zugleich die Schwestergemahlin des Baal.

Anatu, »Große Göttin« Mesopotamiens, Herrscherin über die Erde und Königin des Himmels, wurde später mit Ishtar gleichgesetzt.

Anunit (babyl.), Göttin der Stadt Akkad, später auch »Ishtar von Akkad« genannt, herrschte über den Mond oder den Abendstern, wurde durch eine Scheibe mit acht Strahlen symbolisiert und auch »Herrin der Schlacht, Trägerin von Pfeil und Bogen« genannt. Sie ist mit dem Mondgott Sin verwandt, ob er nun ihr Bruder oder Vater war, ist nicht ersichtlich.

Und dann gab es noch die *Anunnaki*, Götter im Himmel und auf der Erde.

Auch in Ägypten lässt sich dieses Phänomen feststellen.

Amaunet ist die Urgöttin. Mit **A**mun stellt sie ein Götterpaar da und wurde als »Mutter, die Vater war« bezeichnet, da sie als Urgöttin keinen Gatten brauchte. Sie wird als Schlange oder schlangenköpfig mit der unterägyptischen Krone dargestellt.

Amun, später mit Re zu **A**mun-Re zusammengefasst, wurde in Menschengestalt mit hoher Federkrone dargestellt. Durch seine Verbindung mit dem Fruchtbarkeitsgott Min kann er als sich selbst erzeugender Ur- und Schöpfergott **A**mun-Min-Kamutef gesehen werden und in seiner Verbindung mit Re als Garant der sich ständig erneuernden Welt sowie als König der Götter und Herrscher der irdischen und himmlischen »Sphäre«.

Amun bildet mit *Amaunet* ein Götterpaar.

Anubis ist der ägyptische Totengott. Seit der Frühzeit ist er als Schutzgott der Nekropolen belegt und wird in Schakalsgestalt oder mit Menschenkörper und Schakalskopf dargestellt.

Zusammen mit seiner Mutter, der Kuhgöttin Hesat, und dem Stiergott Mnevis bildet er eine Götterfamilie. In späteren Texten wurde er auch als Sohn des Osiris angesehen, während er bei Desroches-Noblecourt als Sohn des Re bezeichnet wird.

Als »Herr der Gotteshalle« war er für die Vorbereitung der Leichen zuständig und galt daher als Balsamierungsgott, als Wächter der Geheimnisse und als Totenrichter, der die Verstorbenen in die Unterwelt begleitet. Beim Totengericht nimmt er die Abwägung der Herzen auf der Waage der Ma'at vor.

Apis wurde seit der Frühzeit in Memphis verehrt. Er war der Fruchtbarkeitsgott und Gott der Zeugungskraft. Als Stiergott galt er als Erscheinungsform des Ptah. Aufgrund eines besonderen Stirnmals (Stirnblesse) und anderer Merkmale wurde er aus den Viehherden als göttlicher Stier auserwählt. Nach ihrem Tod wurden die heiligen Stiere mumifiziert und ab dem Neuen Reich im Serapeum von Saqqara bestattet.

In der Ptolemäer Zeit entstand aus der Vereinigung von Osiris und Apis ein neuer ägyptisch-hellenistischer Gott mit dem Namen Serapis.

Atum war der Ur- und Schöpfergott von Heliopolis.

Sein Name soll sowohl »nicht sein« als auch »vollständig sein« bedeuten. Diese Doppeldeutigkeit weist auf die Schöpfungssituation hin, in der sich **Atum** manifestiert. Diese Gottheit brachte aus sich die Elemente der Schöpfung und die Vielheit der Seinsformen hervor. Er wurde in Menschengestalt mit königlicher Doppelkrone dargestellt und galt in seinem Hauptkultort Heliopolis auch als abendliche Form des Sonnengottes.

Auch bei den Griechen ist es nicht anders:

Athene, Göttin und Tochter des Zeus, dem Haupt ihres Vaters entsprungen und ewig jungfräulich (**Athene** Parthenos), Schutzherrin der Helden, der Städte, des Ackerbaus, der Wissenschaft und der Künste. Ihre Attribute waren Ölbaum und Eule. Von den Römern wurde Athene mit Minerva gleichgesetzt. In der Kunst erscheint sie schon im 6. Jahrhundert v. Chr. mit Helm, Aigis und Speer, so auf den Giebeln des Aphaiatempels in Ägina. Ihre in der Antike berühmteste Darstellung war das nicht mehr erhaltene Goldelfenbeinbild des Phidias im Parthenon in Athen.

Aphrodite, Göttin der sinnlichen Liebe, der Schönheit und Verführung, von den Römern der Venus gleichgestellt. Aphrodite war ursprünglich wahrscheinlich eine semitische Gottheit, die von den Griechen wohl in mykenischer Zeit (über Zypern [Beiname «Kypris«] und die Kykladen) übernommen wurde.

Semitischen Ursprungs ist auch die Verbindung **Aphrodites** mit

Adonis und die Tempelprostitution in Korinth. In der Mythologie ist **A**phrodite die Gemahlin des Hephaistos und darüber hinaus Geliebte des **A**res und des **A**nchises, dem sie **Ä**neas gebar.

Ares, der griechische Kriegsgott, Sohn des Zeus und der Hera, Liebhaber der Aphrodite, von den Römern mit Mars gleichgesetzt, wurde als bärtiger Krieger, später als kräftiger, jugendlicher Mann dargestellt.

Die auffällige Anhäufung solcher Fälle lässt darauf schließen, dass eine theologisch gewollte Absicht bzw. Systematik dahintersteckt, auf die noch näher einzugehen sein wird.

Darüber hinaus lassen sich in der adamitischen Ära weitere Eigentümlichkeiten feststellen.

Als Adam aus dem Paradies vertrieben wurde, finden sich in diesem Zusammenhang keine Hinweise auf irgendwelche Himmelfahrten oder eine Zurückversetzung in verschiedener Stufen des Himmels.

Zudem ist nirgends die Rede von sieben Himmeln.

Dieses Geschehen spielt sich also eindeutig auf unserem Planeten ab.

Die Akteure sind bodenbeständig, und das Paradies bleibt für die damaligen Menschen auch nach ihrer Vertreibung erreichbar.

Daher lässt der HERR die Cherubim mit dem flammenden, blitzenden Schwert vor dem Garten »Eden« postieren, um diesen zu bewachen. (Genesis 3,24)

Die **zweite Periode** endet mit der Geburt Abrahams, der als Haupt der neuen Generation zu gelten hat.

Somit hat Abraham eindeutig eine ähnliche Funktion wie Henoch: Er verkörpert die messianischen Erwartungen.

Auf ihm lastete die Gründung des messianischen Reichs, das nunmehr tausend Jahre andauern soll.

Die Periode, die er nun verkörpert, hat ebenfalls ihre charakteristischen Merkmale.

Die geschichtlichen Ereignisse lassen unweigerlich den Eindruck aufkommen, dass von nun an **der Mensch** das Geschehen bestimmt und steuert, dass vieles sich außerhalb der »göttlichen« Kontrolle und Aufsicht abspielen wird.

Es ist die Zeit, in der sich der Begriff »sieben Himmel« etablieren wird, ein Begriff, der auf Henochs Himmelsreise zurückzuführen ist.

Und es ist die Periode, in der das Wort **Götzendiener** zu einer Ingredienz der Menschheitsgeschichte wird.

Dies findet seine Bestätigung in den Apokryphen:

»[...] *Denn vor der Sintflut gab es auf Erden keine Götzen [...]*« (26. Kapitel, 14)

Auch der HERR erfährt einen entscheidenden Wandel.

Jener, der »HERR« genannt wird, nach dessen politischem Willen gehandelt und vollstreckt wird, ist nunmehr eine grausame und kriegerische Gottheit, die weit entfernt von dem zivilisationsbringenden Gott am Anfang der adamitischen Zeit ist.

Die Menschenkinder scheinen von diesem Zeitpunkt an völlig auf sich selbst angewiesen, der Willkür bestimmter Führungsschicht ausgeliefert zu sein.

Es ist auch die Zeit, in welcher das göttliche Emblem, das »**A** - Zeichen«, einen Umbruch und zugleich Umsturz erfährt.

Zwar beginnt der Name Abraham mit dem traditionellen »**A**«, doch das Göttliche steht nun eindeutig im Zeichen der Gottheit „**El**".

Seine Berufung scheint letztlich dazu zu führen, dass aus dem alten adamitischen Erbe eine neue theologische Plattform entsteht, die den Weg für unsere heutigen Glaubenslehren ebnete.

Denn es sind nun andere »HERREN«, die im Namen des »**El**« in das irdische Geschehen eingreifen.

Darüber hat uns eine Sonnengöttin namens Schapsu etwas zu berichten, die die zweite Frau des **El** gewesen sein soll, mit der er weitere Kinder gezeugt hat.

Sie nahm zeitweise in der Vorstellung der Menschen in Israel die Stelle der Ehefrau von Jahwe ein.

Auf einem in Kuntillet Adschrud gefundenen Vorratskrug aus dem 8. bis 7. Jahrhundert v. Chr. stand folgende Inschrift:

... Ich habe Euch gesegnet durch JHWH und seine Aschera.
Amaryo sprach zu seinem Herrn: ...
Ich habe dich gesegnet durch JHWH und seine Aschera.
Er möge dich segnen, und er möge dich behüten.
***El** ist »Schöpfer der Erde« und »Vater der Menschheit«.*

Auch später wird der Gott **El** bei der Entstehung des Begriffes Allah eine fundamentale Rolle spielen.

Eine verblüffende Erwähnung bezüglich der göttlichen Umstellung von »**A**« auf »**El**« finden wir in einer berühmten Dichtung. Dante di Alighieri, einer der ganz großen Dichter während der Renaissance in Italien, meint in seinem »Paradiso«, XXVI, 124-138:

Die Sprache, die ich sprach, ist ganz erloschen.
*Eh ich hinabstieg in der Hölle Bangen, hieß »**I**« auf Er-*
den jenes höchste Wesen.
Von dem die Freud kommt, die mich umhüllet.
*»**El**« hieß es später, und das musste kommen, denn aller*
Menschen Sitte gleicht dem Laube der Bäume, das vergeht
und wiederkehret.

Was diese Aussagen zu bedeuten haben, wird noch zu klären sein.

Am Ende der zweiten Periode und zu Beginn der darauffolgenden Neuzeit findet auch hier eine völkische Expansion statt, durch die der göttliche »El« ab 2800 v. Chr. in die verschiedensten Ecken der Erde exportiert wird.

Auch das Paradies hatte bereits eine wesentliche Änderung erfahren.

Während der adamitischen Zeit war dieser Ort ohne Mühe erreichbar und musste vor möglichen Eindringlingen geschützt werden.

In der Zeit danach finden wir das Paradies an einen anderen, geheimen Ort verlagert, der nun für normale Menschen unerreichbar ist.

Nur wenige Eingeweihte, wie etwa der Schiffer Urschanabi, sind in der Lage, nach sehr langer Seereise dorthin zu gelangen.

Es gab aber auch die himmlischen Engel, die einst Henoch entführten, die in wenigen Tagen die gleiche Distanz zurücklegen konnten und bei Bedarf die Alte Welt aufsuchen.

Fassen wir nun das Wesentliche zusammen:

Während der adamitischen Ära wird aller Wahrscheinlichkeit nach in verschiedenen Teilen der Alten Welt das göttliche Initial »A« durch Einwanderer importiert.

»A« am Anfang bestimmter Namen und Begriffe weist auf deren Zugehörigkeit zu dieser Epoche hin.

Demnach ist der Gebrauch dieses Buchstaben in bestimmten Konstellationen, auf die im nächsten Kapitel näher eingegangen wird, ein Hinweis auf die erste und ältere Periode.

Der Beginn der »abrahamischen/gilgamischen« Ära markiert später in denselben Gebieten die Dominanz der Gottheit El, die

Abkehr vom göttlichen »A«.

Gewiss, all diese Aussagen wirken zum gegenwärtigen Zeitpunkt höchst geheimnisvoll wie unverständlich.

Dennoch werden sie uns letztlich auf die Spuren der adamitischen Sprache führen.

Und somit sind wir erneut bei der Sprache angekommen.

Vieles, was wir heute geschichtlich anerkennen, wurde selten von der richtigen Seite betrachtet. Die fiktiven Zusammenhänge der einzelnen Textpassagen wurden einfach vernachlässigt – so zum Beispiel die Geschichte um Moses.

In der Überlieferung finden wir die weltlichen Rollen der einzelnen Akteure bereits vergeben, was unsere Voreingenommenheit entscheidend beeinflusst und zur Verdrängung diverser, aber wichtiger Indizien und Details führt.

Unser Augenmerk bleibt unbewusst auf den eigentlichen Kern der Geschichte fixiert, nämlich die Errettung der Kinder Israels aus den Händen des Pharaos, alles andere verkümmert zur Nebensache.

Und die Schilderung verleitet uns zu der Vorstellung, dass die Ägypter einem völlig anderen Kulturkreis angehörte als jenes Volk um den HERRN.

Es hat sozusagen zwei verschiedene Welten gegeben, die zwar in demselben Kulturraum existierten, sich jedoch offenkundig völlig voneinander unterscheidend: die eine irdischen, die andere göttlichen Ursprungs.

Und dennoch haben beide mehr Gemeinsamkeiten, als man zunächst vermuten würde.

Was wir nämlich dabei übersehen, ist die Tatsache, dass der HERR und seine Untertanen, die im Begriff sind, die kulturellen Grundpfeiler des Landes am Nil zugrunde zu richten, zumindest eine gemeinsame Sache mit dem Pharao verbindet: die Sprache.

Beide Parteien, und mögen sie sich in der Überlieferung noch so gravierend voneinander unterscheiden, haben eine gemeinsame Vergangenheit, die erst bei einer kritischen Auslegung der Texte sichtbar wird.

Die Bibel berichtet, dass der HERR seinen Propheten Moses beauftragt, dem König von Ägypten Folgendes zu sagen:

»[…] *Der HERR, der Gott der Hebräer, ist uns erschienen. So lass uns nun gehen drei Tagereisen weit in die Wüste, dass wir opfern dem HERRN, unserem Gott* […]« (2. Moses 3,18)

Im Grunde also eine simple und kurze Mitteilung.

Man kann wohl dabei davon ausgehen, dass der HERR es als völlig normal erachtete, dass die Worte, die Moses in seinem Namen nachsagen soll, vom Pharao verstanden werden.

Der HERR und der Pharao beherrschen also eine Sprache, die von beiden verstanden wird und offensichtlich am pharaonischen Hof als Umgangssprache in Betracht kommt.

Nach einer kontroversen Diskussion wartet Moses jedoch mit einer fragwürdigen Aussage auf:

»[…] *Ach, mein HERR, ich bin von jeher nicht beredet gewesen, auch jetzt nicht, seitdem du mit deinem Knecht redest; denn ich hab eine schwere Sprache und eine schwere Zunge* […]« (2. Moses 4,10)

Da Moses lange Zeit zuvor mit dem HERRN hadert und mit einer »flüssigen« Zunge fachsimpelt, ist davon auszugehen, dass er dies in einer Sprache vorträgt, die als seine eigene zu betrachten ist.

Wenn er aber plötzlich eine schwere Zunge bekommt, und zwar genau in dem Moment, als der HERR ihm die Botschaften an den Pharao beibringen will, dann bedeutet dies, dass Moses jene Sprache nicht oder kaum versteht.

Und tatsächlich beginnen seine sprachlichen Probleme erst dann,

als der HERR ihm die Botschaften an den Pharao mitteilen will.
Der HERR unternimmt einen weiteren Versuch, um Moses umzustimmen:

»[…] *Der sprach zu ihm: Wer hat dem Menschen den Mund geschaffen? Oder wer hat den Stummen oder Tauben oder Sehenden oder Blinden gemacht? Habe ich's nicht getan, der HERR? So geh nun hin: Ich will mit deinem Munde sein und dich lehren, was du sagen sollst […]«*
(2. Moses 4,11,12)

Der HERR muss eine ungeheure Anstrengung vollbringen, um Moses einen einzigen und einfachen Satz beizubringen.
Wenn der HERR mit Moses Mund vor dem Pharao reden will, dann bedeutet dies, dass die Umgangssprache am ägyptischen Hof tatsächlich eine andere als die Muttersprache Moses war.
Der HERR will sich sozusagen die Zunge des Moses »leihen«, um mit dem Pharao zu reden.
Moses entstammt also einem anderen Kulturkreis.
Doch nichts konnte ihn dazu bewegen, die vorgetragenen Worte zu erlernen, selbst dann nicht, als der HERR zornig wurde:

»*Mose aber sprach: Mein HERR, sende, wen du senden willst* « (2. Moses 4,14)

Letztlich fällt die Wahl auf eine Person, deren Namen mit einem »**A**« beginnt, nämlich **A**aron, der Priester der Leviten.
Und mit Aaron haben wir letztlich den Hinweis in den Texten, dass ein Priester, dessen Name mit einem »**A**« beginnt, imstande wäre, sich mit dem Pharao in dessen Sprache zu verständigen.
Kurz davor erfahren wir in der Bibel, an wen sich Moses in Ägypten wenden soll:

»[…] *Darum geh hin und versammele die Ältesten von Israel und sprich zu ihnen: Der HERR hat gesagt, der Gott eurer Väter ist mir erschienen* [...] *und hat gesagt: Ich will euch aus dem Elend Ägyptens führen* [...]« (2. Moses 3,16,17)

Moses soll also in Ägypten zuerst die Ältesten Israels kontaktieren und ihnen ankündigen, dass die Befreiung aus Ägypten unmittelbar bevorsteht.

Demnach befanden sich die Ältesten Israels schon seit angem in Ägypten.

Die Ältesten (griechisch: Presbyter), sind im Judentum die Mitglieder des Hohen Rats.

Dieser Rat besteht gewöhnlich aus 70 Personen:

»[...] *Und zu Mose sprach er: Steigt herauf zum HERRN, du und Aaron, Nadab und Ahibu und* **siebzig von den Ältesten Israel**, *und betet an von ferne* [...]« (2. Moses 32,1)

Nach der babylonischen Gefangenschaft wird ein Gelehrten-kollegium von Esra und Nehemia gegründet, woraus später der sogenannte Sanhedrin, der religiös-juristische Gerichtshof der siebzig Schriftgelehrten, hervorgeht.

Bei der Wiederherstellung der Heiligen Schrift sind diese Männer dazu auserwählt, die »letzten siebzig Bücher« in Empfang zu nehmen und sich über ihren Inhalt zu informieren.

Und den Ältesten Siebzig begegnen wir zurzeit Ptolemäus II. in Alexandria, denen die Aufgabe zufiel, die fünf Bücher Moses ins Griechische zu übersetzen.

Doch die Wurzeln dieses eigenartigen Gremiums reichen offensichtlich in graue Vorzeit zurück.

Die hebräische Mythologie bringt die Zahl 70 sogar mit der Sprachverwirrung in Verbindung.

So sollen die Ruinen von Babel so genannt worden sein, weil Gott die Sprachen der Menschheit verwirrte und ein einziges Volk in siebzig Völker aufsplitterte.

In diesem Zusammenhang ist die Rede von 70 Engeln, mit deren Hilfe Gott die Sprache der Babylonier verwirren wollte.

»[…] *Gott sprach dann zu den siebzig Engeln, die Seinem Thron am nächsten waren, und sagte: ›Wir wollen hinuntergehen und ihre Sprache verwirren und aus einer siebzig machen!*«* (Hebräische Mythologie, der Turm zu Babel, S. 156)

Und schließlich sind es die 70 Weisen, von denen in den Apokryphen behauptet wird, sie hatten den Strom der Überlieferungen seit Adam aufrechterhalten:

»[…] *In diesem Jahr, wo Noe die Arche betrat, war das Ende des zweiten Jahrtausends; dies reichte von Adams Nachkommenschaft bis zur Sintflut, wie uns jene siebzig weisen Schriftsteller überlieferten […]*« (Apokryphen, 17 Kap. 22)

Wenn wir all diesen Aussagen Glauben schenken, würde dies bedeuten, dass die adamitische Sprache trotz der Jahrtausende andauernden kulturellen Unterbrechung und auch danach noch in der Erinnerung der Menschheit bewahrt wurde.

Was war das also für eine Sprache, mit der offensichtlich alles Kulturelle begann, mit der Adam zu reden begann?

Auf der Suche nach der babylonischen Ursprache wurden viele Theorien und Vermutungen aufgestellt.

Für die Kirchenväter von Origenes bis Augustinus stand unerschütterlich fest, dass das Hebräische vor der babylonischen Sprachverwirrung die Ursprache der Menschheit war.

Diese Idee des Hebräischen als die Sprache Gottes zieht sich dann durch das gesamte Mittelalter hindurch.

Doch bald ändert sich allerdings die Situation.

Im ausgehenden sechzehnten und beginnenden siebzehnten Jahrhundert begnügte man sich nicht mehr mit der bloßen theoretischen Behauptung, das Hebräische sei die Ursprache gewesen, sondern man fing an, Fragen zu stellen und Nachforschungen anzustellen.
Neue Überlegungen blieben hierauf nicht aus, die allerdings immer noch einen starken Hang zum Hebräischen hatten.
So kommt beispielsweise der Berater des Königs von Frankreich, Guillaume Postel (1519 - 1581) zu der Hypothese, die hebräische Sprache stamme von den Nachkommen Noahs ab und von ihr seien das Arabische, das Chaldäische, das Indische und mittelbar auch das Griechische abgeleitet worden. (Die Suche nach der vollkommenen Sprache, Umberto Eco, C. H. Beck Verlag, S. 86)

Bezugnehmend auf diese indoeuropäische Hypothese, beginnt schließlich schrittweise die Abwendung von der hebräischen Dominanz.
Im ausgehenden achtzehnten und beginnenden neunzehnten Jahrhundert verbreitet sich der Gedanke, dass es im Laufe der historischen Differenzierung zu viele Veränderungen und Entstellungen gegeben hat, als dass es noch möglich wäre, zu einer ursprünglichen Sprache zurück zu gelangen, selbst wenn es sie gegeben hätte.
Dennoch hat es nicht an so manchen Theorien gefehlt.

So vertrat Fabre d' Olivet im Jahre 1815 die Auffassung von einer Ursprache, die kein Volk jemals gesprochen hat und von der das Hebräische lediglich der berühmteste Spross ist, da es ursprünglich nichts anderes als das mosaische Ägyptisch war.

Das mosaische Ägyptisch- welch eine Aussage!

Kam d' Olivet mit dieser Definition -unahnend- dem Kern der Sache unendlich nah?

War das Ägyptisch am Hofe des Pharaos zurzeit Moses, wie vorhin vermutet wurde, ein Ableger jener Ursprache, die auch der HERR zu beherrschen schien und die andererseits der Zunge des Propheten so viel zu schaffen machte?
Oder war die Sprache gar mit jener identisch, die mit der babylonischen Urkatastrophe beseitigt werden sollte?

Kann es also handfeste Belege dafür geben, dass die alten Ägypter tatsächlich eine Art adamitische Sprache artikuliert haben?
Und kann ein solcher Beweis überhaupt angeführt werden?

Siebtes Kapitel
Die Umkehrung
Wiederherstellung der adamitischen Sprache

Mit seiner Theorie des „volgare illustre" versuchte Dante Alighieri die vollkommene Sprache wiederzufinden, die Adam als göttliche Gabe besaß.

Doch auch er suchte vergeblich nach einem Phantom, das nie existiert hat.

Die Bemühungen all derjenigen, die einer völlig unbekannten und außerhalb der menschlichen Vorstellungskraft existierenden Universalsprache nacheiferten, es mit uferlosen grammatikalischen Formeln und Sprachwissenschaft zu rekonstruieren versuchten, waren zum Scheitern verurteilt.

Die adamitische Sprache ist alles andere als eine perfekte ›forma locutionis‹ (»*geformte Sprache*«, Umberto Eco, Die Suche nach der vollkommenen Sprache, S. 54), woraus eine vollkommene Sprache hätte abgeleitet werden können.

Wer die einstige paradiesische Sprache aus dem Dunkel der Vorgeschichte entlocken möchte, der muss auf die einfachsten Mittel zurückgreifen und vor allem nicht das Geschriebene suchen, sondern nach den sprachlichen Klängen horchen, sein Gehör schärfen.

Man mag ein Wort so zu Recht in einzelne Teile zerlegen, um letztlich eine Essenz für eine linguistische Definition auszumachen und diverse Verbindung zu anderen Stammwörtern herzustellen, doch am Ende ist allein die Art entscheidend, wie das Urwort aus dem Munde klingt, so wie es seit Jahrtausenden von einer Generation zur anderen jenseits jeder grammatikalischen oder linguistischen Zwänge überliefert wurde.

Die Sprache, die wir bisher vergeblich suchten, ist nicht über diejenige der Naturvölker hinausgewachsen!

Als wir dem Irrtum verfielen, eine göttliche Sprache könne nur auf Vollkommenheit und unerreichbare Perfektion gründen, entfernten wir uns mit der Suche von den eigentlichen adamitischen Lauten und jener Sprache, die Adam auf dem Pfad der Erkenntnis gegeben wurde.

Kaum die ersten Hinweise in diese Richtung erkannt, hielt ich dies alles nur für eine Verkettung von Zufällen und verwarf nach kurzer Zeit jeden sich aufzeigenden Weg.
Das, was zunächst zaghaft zu erkennen war, erschien mir allein schon wegen seiner Schlichtheit völlig abwegig zu sein.
Immer wieder lautete am Ende die Frage, ob dies wirklich die Lösung des babylonischen Rätsels sein könne, nach der Generationen vergeblich gesucht haben, und ob eine göttliche Sprache sich so anhören könne.
Nachdem sich dann die „Zufälle" häuften, war der Weg zur Lösung unausweichlich: Die paradiesischen Laute der ersten Stunde waren zu vernehmen.
Der Adam-Code war bald darauf geknackt!

Das Bemerkenswerte dabei war, dass die linguistisch gefundene Formel sich wie ein roter Faden durch die überlieferten Geschichten zog und Anwendung fand.
Schon bald ließen sich Begriffe wie Israel, Babel, Hammurabi bis hin zu Allah in ihre Urbestandteile zerlegen und deren sprachlicher Sinn definieren.
Und vieles aus der Vergangenheit, vom undurchdringlichen Schleier der Jahrtausende umschlossen, trat in seinem ursprünglichen Gewand hervor.
Was verbirgt sich etwa hinter dem faszinierenden Sammelbegriff „Pharao" und welche zwingenden Kriterien haben dazu geführt,

dass Adam, Abel oder Eva, nach dem Schöpfungs-mythos also Menschen der ersten Stunde, ausgerechnet solche Namen erhielten. Ebenso Jerusalem – ein Name, dessen Zerlegung in seine Urform uns dann verständlich macht, warum diese Stadt bis zu unseren Tagen zum Zankapfel der Weltreligionen wurde und zugleich eine der größten religiösen Überraschungen in sich birgt. Wie in einem fahrenden Zug ziehen historische Persönlichkeiten und geschichtsträchtige Schauplätze der Weltgeschichte den linguistischen Schleier der Jahrtausende abschüttelnd an uns vorbei und offenbaren erstaunliche Geschichten.

Und letztlich schrumpft der Zauber der Vergangenheit auf ein irdisches Maß.

Zu der Lösung haben maßgeblich drei Komponenten geführt.

Die erste betraf die Auslegung so mancher hebräischer Worte.

So soll zum Beispiel der Begriff »*qabbalah*« (Kabbala) Überlieferung und »*Thora*« Anweisung oder Belehrung bedeuten, »*Adam*« mit Mensch und der von Jesaja prophezeite Name des kommenden Messias »*Immanuel*« mit »Gott in uns« gleichzusetzen sind.

Diverse Recherchen hierzu aus einem anderen linguistischen Betrachtungswinkel haben letztlich den Verdacht erhärtet, dass diese Definitionen alles andere als zutreffend sind.

Wenn ein Volk jedoch nicht in der Lage ist, die Bedeutung seiner eigenen Begriffe zu erklären, gerät er unweigerlich in den Verdacht, nicht der Urheber derselben zu sein.

Diese Wörter müssen also im Laufe der Geschichte, ohne deren genaue sprachliche Bedeutung zu kennen, übernommen worden und demnach nicht der hebräischen, sondern einer anderen Sprache zuzuordnen sein, die demzufolge älter als das Hebräische sein muss.

Die zweite Komponente ergab sich aus einer eigenartigen Geschichte bei Herodot, in der es während der Regierungszeit des ägyptischen König Psammetich um die Frage ging, wer das älteste Volk der Erde sei.

Als der König keine Antwort darauf finden konnte, griff er zu einem eigenartigen Experiment:

> *»Psammetich gab einem Hirten zwei Neugeborene von beliebigen Eltern; er soll sie zu seiner Herde mitnehmen und so aufziehen, dass niemals in ihrer Gegenwart ein Wort gesprochen werde […] So wollte er hören, was für ein Wort die Kinder als Erstes aussprechen würden […] Nachdem der Hirte die Kinder zwei Jahre lang so versorgt hatte, riefen sie ihm, als er eines Tages die Tür öffnete und eintrat, bittend das Wort ›Bekos‹ entgegen, wobei sie die Hände emporstreckten […] [Psammetich] fand heraus, dass die Phryger das Brot ›Bekos‹ nannten. So räumten die Ägypter ein, dass die Phryger noch älter seien als sie.«* (Historien, II, 1)

Keiner kann heute nachvollziehen, wie die Phryger sprachen. Dennoch lässt sich mit letzter Gewissheit feststellen, dass unter den gegebenen Umständen keines der beiden Kinder jemals dieses Wort hätte sprechen können, denn Sprache ist selbstverständlich nicht vererbbar.

Die Legende will uns also in ihrem ursprünglichen Kern etwas anderes mitteilen.

Die naheliegende Erklärung hierzu liefert uns der Mythos um Dumuzi-Tammuz.

Dumuzi war der Bruder und Gemahl der Inanna, die ihn der Unterwelt preisgab, wo er als König herrschte.

In erster Linie war er jedoch eine Fruchtbarkeitsgottheit und Sinnbild der Auferstehung: Die abgestorbene Natur blüht im Frühjahr wieder auf.

Das Christentum dachte ihn sich als gefallener Engel Gottes.

In der alten Stadt des Dumuzi-Mondes Haran, wo auch Abraham einst zeitweilig gelebt hat, war der ländliche Tammuz-Kult noch im Mittelalter bei den Sabiern lebendig.

Von arabischen Schriftstellern sind uns Einzelheiten der Zeremonien der Sabier beim sogenannten Fest »buqat« überliefert.

Im alten Phönizien wurde Tammuz unter dem Namen Adon verehrt, der wiederum bei den Griechen zum Adonis wurde.

Bei den Römern wurde Adonis-Tammuz unter dem Namen »*Bacchus*« verehrt.

Somit nähern wir uns dem Begriff »*Bekos*«, der bei Herodot vorkommt.

Wie »*Bekos*« ist auch »*Bacchus*« ein semitisches Wort und kommt von dem Verb »**bak'ka**«.

Bezüglich der Bedeutung dieses Wortes gibt es ein Zeugnis aus berufenem Munde.

Der Kirchenschriftsteller Hesychios schreibt dazu, bei den Phöniziern «heißt Bacchus weinen«.

Doch die Deutung des Wortes bedürfte eigentlich keines Hesychios: Jedes Kind, das Arabisch spricht, weiß, dass Bak'ka (= بكي) weinen bedeutet.

Bei der Geschichte um Psammetich haben also die Kinder nicht nach Brot gerufen, sondern ganz einfach geweint – was ja auch das Natürlichste der Welt wäre.

Demnach dürfte es bei dem Kern der Legende nicht darum gehen, welches Volk das Älteste der Erde ist, sondern welche Sprache.

Also hat das geheimnisumwobene Volk der Phönizier eine semitische Sprache artikuliert, die der Arabischen ziemlich nahekommt.

Anders formuliert: Die arabische Sprache ist womöglich ein enger Verwandter jener phönizischen Sprache.

Und genau hier lag der entscheidende Schritt zur Lösung des Rätsels: Wenn wir die Begriffe deuten wollen, dann vornehmlich aus der Sicht der arabischen Sprache.

Doch dies reichte immer noch nicht aus, um einen direkten Bezug zur adamitischen Sprache herzustellen.

Es fehlte noch ein Bindeglied.

Die dritte Komponente ergab sich aus einem amüsanten Geschehen während meiner Schulzeit.

Entgegen dem Trend in Ägypten, wo die meisten Englisch als erste Sprache erlernen, schickte mich mein ehrgeiziger Vater auf eine französische Schule, damit sein Lieblingssohn nicht in der Volksmasse untergeht.

Als viele Jahre später das Erlernen einer zweiten Fremdsprache, also Englisch, zur Pflicht wurde, ergab sich für viele von uns damit eine lästige Pflicht, mit der wir uns äußerst widerwillig abfinden mussten. Während wir uns längst mit Größen der französischen Literatur wie Rousseau oder Dumas befassten, mussten wir uns nun mit Kindergartenmethoden abgeben und mit dümmlichen Sätzen wie »What is this? This is a table, this is a window« herumalbern.

Dabei machte ein simples Wort vielen von uns zu schaffen, nämlich der Artikel »the«, was daran lag, dass der nervige Englischlehrer ausgerechnet großen Wert auf die korrekte Aussprache dieses Wortes legte und beim Nachsagen so lange das Wort wiederholen ließ, bis der Betreffende den richtigen Ton getroffen hatte.

Als ein Nubier, den wir stets als die Verkörperung der Provinzialität betrachteten, irgendwann an der Reihe war, horchten alle gespannt auf das bevorstehende Schauspiel.

Doch nichts von dem, was wir erwarteten, geschah: Der Nubier stand auf, ratterte zur Verblüffung aller das »the« in vollendeter Perfektion herunter.

Hierauf später angesprochen, gab er eine Antwort, deren Tragweite ich damals nicht hätte erahnen können: »Das ist doch exakt das Gleiche, wie wir das Wort ›dies‹ bei uns in Nubien aussprechen.«

Mit dieser simplen Antwort waren der erste adamitische Laut und mit ihm schon die ersten Spuren der verschollenen babylonischen Sprache aufgespürt!

In dem ägyptischen und am meisten in der arabischen Welt verständlichen Dialekt wird das Wort »dies« = »ده« [Da(h)] ausgesprochen.
Auf Hocharabisch, aber auch in den meisten beduinischen und maghrebinischen bzw. saudischen Mundarten, bekommt der rechte Buchstabe einen Punkt, woraus das Wort zu «ذه« [ða (h)] wird.
Die Aussprache dieses Wortes entspricht die exakte Wiedergabe des englischen »the«.
Dabei ist zu bemerken, dass der Buchstabe »ذ« kein Gegenstück im deutschen Alphabet hat. Nach den Richtlinien des International Phonetic Association (IPA) wird das Zeichen ð hierfür verwendet.
Dieser Buchstabe wird in etwa so ausgesprochen wie das »S« bei dem Wort Sommer: also eine Art Kreuzung zwischen S und Z.
Während der Nachforschungen zum Thema war mir als Kenner der arabischen Sprache klar: Wo sich ein »ذه«, also »dies (ist)«, befindet, da dürfte der erste Buchstabe des arabischen Alphabets »alif« = »أ« nicht weit weg sein.
Es würde den Rahmen dieses Buches sprengen, an dieser Stelle eine Einführung in die arabische Sprache vorzutragen.
Deshalb sollen eventuelle Erklärungen nicht über das zum Verständnis des Gewollten Notwendige hinausgehen.
Zugleich erscheint der Hinweis an dieser Stelle angebracht, dass Arabisch von rechts nach links geschrieben wird.

Der Buchstabe »alif« hat eigenartige und vielfältige Funktionen. Fügt man zum Grundbuchstaben »ا« einen Umlaut an, die sogenannte Hamsa (ء), ändert sich der ausgesprochene Ton: »أ«, »إ«, »آ«.
»أ« in dieser Form bezeichnet am Anfang des Wortes die Vokale a, e, i, o, u.

Die Hamsa bestimmt also entscheidend die Tonart der Aussprache und somit auch die Bedeutung des Gesprochenen.

» أ « stellt u. a. einen Frageartikel vor die direkte oder indirekte Frage.

» ذه « = »dies (ist)« ist der Anfang einer Antwort, um auf etwas hinzuweisen oder es zu definieren.

Vor einer Antwort muss also erst eine Frage »was (ist das)?« gestellt worden sein.

» ايه « bedeutet im arabischen bzw. ägyptischen Dialekt »was«.

Dabei fällt bei der Aussprache auf, dass der letzte Buchstabe » ه « verschluckt wird.

Das Wort hört sich dann wie ein lang gezogenes »e« bzw. »äh« an, und zwar genau wie das englische »a«.

Würde man auf einen Gegenstand zeigen, reicht ein » ايه « als eine »Was ist das«- Frage aus.

So simpel kann die Formulierung im Arabischen oft sein.

Wer das Wissen besaß, um belehrende bzw. prüfende Fragen zu stellen, verkörpert den Lehrmeister.

Dieser Belehrende stellt im Verhältnis zu jenen Geschöpfen, die gerade die Grundbegriffe einer Sprache zu lernen beginnen, ein Überwesen dar, das weit über der menschlichen Rasse steht: Durch ihn erfährt der Mensch unbekannte kulturelle Weisheiten. Er verkörpert für diese einfachen Menschen eine Art göttlicher Verkünder.

Eines seiner wichtigsten Merkmale war das gesprochene Fragewort » ايه «, das nach der mündlichen Überlieferung als »A« identifiziert wurde und somit zum Wahrzeichen dieser einstigen Lehrer wurde.

Daraus ergab sich das »A« als das göttliche Ideogramm.

»A« stellt sozusagen die Beziehung zum Göttlichen dar und hat also in bestimmten Fällen die gleiche Funktion wie die Kennzeichnung von Namen in der Keilschrift mit der Gottesdetermination, mit der eine himmlische Beziehung des Betreffenden zum Ausdruck gebracht werden soll.

Was die Sprache angeht, so kann demnach die tausendjährige adamitische Zeitspanne als die Periode »A« bezeichnet werden, in der Namen und mythologische Begriffe oder Ortschaften stets in Beziehung zu dem göttlichen Emblem »A« gebracht wurden.
Das heißt, bestimmte Namen oder Begriffe, die mit »A« beginnen, stellen eine Beziehung zum Göttlichen bzw. Himmlischen her, und bestehen somit meist aus zwei Komponenten, wobei der zweite Teil definiert, in welcher Beziehung der Name oder Begriff zum Göttlichen steht.
Mit diesen denkbar simplen Erkenntnissen kann die adamitische Schule erahnt werden, in der die symbolische Person Adam die Sprache und zugleich Kultur empfing.
Und es ist wahrlich kaum zu glauben: Das dialogische bzw. schulische Niveau entsprach dem eines heutigen Kindergartens.
Dort wurden die gleichen Methoden angewendet, mit denen heute ein Vierjähriger seine Umwelt zu erlernen beginnt und die ersten Schritte der Bildung wagt.
Der Lehrmeister zeigte auf vorliegende Bilder von Tieren und Pflanzen und fragte »إيه«, worauf ähnliche Antworten wie heute »نه«(dies ist) erfolgten.
„Gott" hat nicht, wie überliefert, Adam die Tiere vorgeführt, sondern Illustrationen, in welcher Form auch immer, vorgelegt.
Die einfachen Laute

»إيه« und »نه«

bilden also die allerersten adamitischen Grundbegriffe, mit denen eine einfache Sprache zu »fließen« beginnt.
Es handelt sich um eine sprachliche Grundlage, die nicht einfacher und unkomplizierter hätte sein können, damit Menschen, die gerade an den allerersten Stufen der Kultivierung stehen, diese

überhaupt begreifen können.

Und es sind das »a /أي« und das »the/ذه«, mit denen der göttliche Dialog überhaupt begann, die später in der englischen Sprache ihren unvergänglichen Platz einnahmen und deren Aussprache im Verlauf der Jahrtausende peinlich genau beibehalten wurde.

Ein Engländer, der in seiner täglichen Umgangssprache den Artikel »the« und den unbestimmten Artikel »a« verwendet, ahnt nichts davon, dass er die ersten paradiesischen Laute in seiner Sprache konserviert hat.
Zugleich erklärt dies, wieso das »a« in Englisch ausgerechnet »äh«, wie „e" ausgesprochen wird.

Somit spricht alles dafür, dass hiermit die ersten »fragmentarischen« Spuren der verschollenen babylonischen Sprache aufgespürt wurden.
Auch europäische Artikel wie »di, da, de« oder »die, der, das« sind Überbleibsel der Ursprache.
Warum allerding „the" nicht später in diverse Artikel wie auf dem europäischen Festland aufgespalten wurde, dies lässt sich mit der isolierten Lage der britischen Inseln plausible erklären.

»ذه« [ða (h)] ist Hocharabisch, was eine mesopotamische Herkunft verrät.
»ده« [Da(h)] ist die ägyptische Mundart und lässt auf einen ägyptischen Ursprung schließen.

»ذه/the« und »ده/Da(h)« markieren die historische Zeit um -4000 v.Chr.

Somit scheinen die biblischen Aussagen durchaus reale Vorgänge wiederzugeben, wenn dort zunächst von einer »Einerlei Zunge« in Babylon die Rede ist.

Die Zerstreuung der Menschen nach dem babylonischen Vorfall nimmt somit eine historische Dimension an und reichte demnach mindestens bis zu den britischen Inseln.

Die adamitische »Schule« kann zugleich zur Klärung eines der größten Rätsel der ägyptischen Hochkultur beitragen, nämlich das der Bilderschrift.

Obwohl diese Art von Schrift im Vergleich zum pharaonischen Glanz im Grunde genommen einen kulturellen Rückschritt darstellte, wurde sie dennoch vom Beginn bis zum Untergang der pharaonischen Epochen, also fast drei Jahrtausende, kompromisslos verwendet.

Niemand kam jemals auf den Gedanken, die primitiven und schriftlich unflexiblen bildlichen Darstellungen weiterzuentwickeln und durch eine der Kultur entsprechende würdigere Schrift zu ersetzen, so wie die Phönizier, die Erfinder des Alphabets, es taten.

Anders als die Ägypter haben die Sumerer zu Beginn ihrer Hochkultur dieses Defizit schnell erkannt und die Keilschrift aus der vorhandenen Bilderschrift weiterentwickelt.

Für die alten Ägypter allerdings, nach Herodot das frömmste aller Völker, waren dies die göttlichen und unveränderlichen Zeichen, die am Anfang bereits existierten und ewig Bestand haben müssen.

Diese Zeichen der ersten Stunde aufzugeben, die einer Art ewigem Bund mit dem Göttlichen gleichkamen, hätte nicht zuletzt bedeutet, die Ebene der Verständigung mit dem Göttlichen zu verlassen und sich davon abzuwenden.

Zugleich würde dies auch erklären, warum die Schriften in anderen Regionen ebenfalls mit einem Bildzeichensystem ihre Anfänge nahmen.

Was die englische Sprache angeht, so kann aus der Sicht bisheriger Ausführungen angemerkt werden, dass der Engländer Rowland Jones mit seiner keltischen These auf dem richtigen Weg war:

»Keine Sprache außer dem Englischen erweist sich so nahe der ersten universalen Sprache und ihrer natürlichen Präzision und Korrespondenz zwischen Worten und Dingen, in der Form und in der Art, in der wir sie als universale Sprache präsentiert haben[…] Die keltischen Dialekte und das keltische Wissen stammen aus den Zirkeln des Trismegistos, Hermes, Merkur und Gomer, und die englische Sprache bewahrt sich auf eigentümliche Weise ihre Abstammung aus dieser einen, welche die reinste aller Quellen der Sprache ist […]« (The Circles of Gomer, Crowder, London 1771, II, S. 31) (Eco, C. H. Beck 112)

Und tatsächlich hat die englische Sprache in der Abgeschiedenheit von Europa viele Spuren der adametischen Sprache am besten in reinster Wiedergabe bewahrt. Selbst auf „hochgetakelte"-Art zu sprechen, wie im Hocharabisch, wurde bis zum heutigen Tag gepflegt.

Fassen wir zusammen:
Als »Adam« Sprache und Kultur zu »empfangen« begann, befand sich das Wissen und das vermittelte Know-how bereits auf Erden: Denn wir finden in der Überlieferung eine Übereinstimmung darüber, dass das Paradies, also komplette und befestigte Ortschaften, bereits vor Adams Erschaffung vorhanden war.
Wer dies alles vor der adamitischen Zeit erschaffen hat, bleibt ein Rätsel der Geschichte.
Die Verständigung zwischen Lehrmeister und Menschen erfolgte mit einfachsten sprachlichen Wörtern, Vorgänge wurden mit simplen Begriffen jenseits jeder grammatikalischen oder linguistischen Grundlagen erklärt.
Dabei war das geistige Niveau der Unterweisung so, als wenn wir heute einem vierjährigen Kind etwas Kompliziertes erklären wollen: Wir müssen uns auf die Ebene seines Verstandes begeben.

Das Eigenartige dabei war, dass die Nachkommen »Adams« diesen Stil bei der Definition von Vorgängen mit bemerkenswerter Sturheit beibehalten haben.
Was dabei herauskam, war eine merkwürdige sprachliche Schöpfung, die dennoch Jahrtausende Bestand hatte.

Beginnen wollen wir dabei mit Adam, dem Anfang aller Dinge.
Woher kommt dieser Name, der auch im Koran in unveränderter Form erwähnt wird?
Der Name des angeblich ersten Menschen besteht aus zwei Teilen.
Der erste Teil, das Ideogramm »A«, stellt die Beziehung zum Göttlichen dar.
Demnach ist die Lesart »A'dam« = »آ دام«.
Dadurch, wie nun das zweite Wort »dam« aus der Sicht der arabischen Sprache definiert bzw. ausgesprochen wird, wird erst der Sinn des ursprünglichen Namens verständlich.

»Da'm« = »دام« wird abgeleitet vom

Adverb »دوم« = »Do´m«, was im Arabischen

(an-, fort-) dauern, für immer, Bestand haben bedeutet.

Das heißt, dass sich die betreffende Person zum ewigen Bestand der Gottheit »A« bekennt: »A ist ewig«, soll also für alle Zeiten auf Erden Bestand haben.

Diese Definition erklärt zugleich ein anderes religiöses Phänomen, über das ich mich immer gewundert habe: Wieso heißt das Kölner Gotteshaus sowie viele andere seiner Art »Dom« und nicht Kathedrale oder einfach Kirche?

»Dom« bedeutet in diesem Falle nichts anderes, als dass dies im religiösen Sinne das Haus der **Ewigkeit** sei, das Zeugnis des ewigen Bundes mit Gott also.

Wenn wir uns nun mit Eva befassen, so mündet die Auslegung zugleich in einer unerwarteten Überraschung.

Der Name setzt sich aus »E« und »va« zusammen, ausgesprochen »E´va«.

»E« ist eine der Aussprachformen des ersten arabischen Buchstaben »Alif« und stellt also wie bei Adam den direkten Bezug zum Göttlichen oder Himmlischen her.

»Veh«, Fe´y ausgesprochen, würde »فى« = »in mir«, also »A in mir« entsprechen.

Dies würde zu der überraschenden Feststellung führen, dass die First Lady der Menschheit auch die erste Frau in der Geschichte sein dürfte, die für sich den Umstand beanspruchen darf, von »Gott« geschwängert worden zu sein und die einen Gottessohn geboren hat!

Das menschliche Wesen Adam konnte »Eva« bloß irdische Nachkommen bescheren.

Diese Angabe wird mitunter in der Bibel in Bezug auf Kain bestätigt:

»Ich [Eva] *habe einen Mann gewonnen mit Hilfe des HERRN.«* (1.Mose 4,1)

Auch die Apokryphen wissen von einer Verführung Evas zu berichten, allerdings steht hier Satan im Mittelpunkt der Ereignisse. Adam soll sie auf frischer Tat mit Satan ertappt und dann tief betroffen weinend gerufen haben:

»[…] Eva, Eva, wo ist nun dein Bußwerk? Wie konntest du dich abermals von unserem Widersacher verführen lassen, durch den wir entfremdet wurden der Bewohnung des Paradieses und geistlicher

Freunde? [...]« (Die Apokryphen, E. Weidinger, Pattloch Verlag, S. 25)

Demnach fand die Vertreibung aus dem Paradies nicht wegen des Verzehrs eines Apfels, sondern der Verführung Evas statt.
Eine Gegenprobe dieser Aussagen mit den hebräischen Überlieferungen verläuft ebenfalls positiv.
Dort lautet der hebräische Name für Eva »**Chawah**« und soll nach etablierter Meinung etwa »Mutter der Menschheit« bedeuten.
Doch erst aus der Sicht der arabischen Definition bekommt dieser Name einen einleuchtenden Sinn, der in enger Beziehung zu Evas Tat steht:

»خون« (**Cha´wan**) als Verb bedeutet verraten
oder treulos handeln bzw. Ehepartner betrügen!

Dies veranschaulicht zugleich, dass nach Jahrtausenden die arabisch klingenden Namen und Begriffe in der mündlichen Überlieferung wegen ihrer religiösen Bedeutung fast unverändert überlebt haben und dann einfach von anderen Völkergruppen übernommen wurden, überwiegend ohne deren Sinn zu kennen.

Ein jüdischer Gelehrter, der mit dem mündlich vorgetragenen Namen »**Chawah**« zurzeit der babylonischen Gefangenschaft konfrontiert wird, legt es gemäß dem nächstliegenden Sinn aus.
Und naheliegend ist der Umstand, dass die erste Frau der Schöpfung selbstverständlich die Mutter der Menschheit verkörpern dürfte.

Wieso allerdings Evas Sohn Kain später beim HERRN Ablehnung erntete, ist zunächst ebenso unklar wie der Grund, warum vor Kain kein »**A**« gesetzt wurde.

Verständlich dagegen dürfte das Wohlwollen sein, das »Abel« zuteilwurde.

Wenn sein Name nach dem gleichen Prinzip ausgelegt wird, nämlich »A´bel«.

»bel« = »بل / bal´l« bedeutet befeuchten oder nass machen.

Mit »A« in Verbindung gebracht würde der Begriff ergeben, dass die betreffende Person von »Gott« befeuchtet wurde, also geweiht und somit in den Zustand der Reinheit versetzt wurde.

Demnach wurde die Person, die mit »A´bel« betitelt wurde, im Rahmen einer feierlichen Zeremonie zum Hohenpriester und Vertreter Gottes erhoben.

Zugleich bedeutet dies, dass »A´bel« aus irgendwelchen nicht mehr nachvollziehbaren, aber dennoch zwingenden Gründen das legitime adamitische Erbe verkörpert hat und deshalb später seinem Rivalen Kain, dem Erstgeborenen, infolge von Machtkämpfen zum Opfer fällt.

Diesbezüglich finden wir in den Apokryphen interessante Hinweise.

In den vielen hebräischen Überlieferungen, in denen darüber gerätselt wird, welche Kleidung Adam und Eva wirklich trugen, wird neben Feigenblatt auch ein feines ägyptisches Leinen genannt, nach anderen Aussagen wird behauptet, das Kleid Adams sei das Gewand eines Hohenpriesters gewesen, das er Seth vermachte und das schließlich über Methusalem von Noah geerbt wurde. (Hebräische Mythologie, 96)

Was dies auch immer für ein Erbe gewesen sein mag, das die göttliche bzw. religiöse Macht verkörperte – Kain konnte trotz seines erstgeborenen Rechts keinen Anspruch darauf erheben.

Als Ersatz für Abel gebar Eva den Seth, der zum Kreis der Göttlichen oder himmlischen Schar gezählt und anerkannt wird.

Der Name des Ersatz-»Sohnes« für den ermordeten »A«-Hohepriester Abel hätte demnach unbedingt mit dem göttlichen Ideogramm »A« beginnen müssen.

Wenn dies dennoch verweigert wird, dann dürfte Seth trotz göttlicher Zugehörigkeit aus einem zwingenden Grund für das adamitische Erbe nicht in Betracht kommen.

Ein Widerspruch in sich?

Die Erklärung und zugleich eine erstaunliche Überraschung liefert die arabische Deutung des Namens.

Seth hat unverkennbar denselben sprachlichen Klang wie das arabische Wort »ست«(sitt)= Dame oder Herrin.

Demnach war Seth keine männliche, sondern eine weibliche Person und durfte demnach das höchste Amt des Priestertums niemals bekleiden!

Die Benachteiligung des weiblichen Geschlechts war also schon zu Beginn der menschlichen Geschichte alltägliche Praxis.

Eva war nach der zweiten Verführung in Ungnade gefallen und wurde aus dem Paradies verbannt.

Als weibliche Nachfolgerin steht »**Seth /ست**« nunmehr im Mittelpunkt des Geschehens.

Seth ist demnach Evas Ersatz, die nun für den Fortbestand des göttlichen Geschlechts sorgen darf.

Das bisher Erwähnte veranschaulicht, dass solche historischen oder mythischen Personen mit Namen belegt wurden, die andere Funktionen als die unsrigen zu erfüllen hatten.

Die betreffende Person erhielt meist einen Begriff aus zwei Teilen zugeordnet, von denen der eine das göttliche Zeichen ausdrückt, während der andere die Beziehung oder die zu erfüllende Aufgabe der Person in Bezug auf die Gottheit definiert.

Dasselbe System werden wir auch in anderen Bereichen antreffen, wenn es z. B. um die Definition von Ortschaften geht.

Zählt die Person zu einem anderen Wirkungskreis, fehlt in diesem

Falle das göttliche Emblem, dennoch bleibt es ansonst dabei, dass der Name eine Eigenschaft des Individuums zum Ausdruck bringt.

An dieser Stelle soll auf den Umstand hingewiesen werden, dass es sich hier um die Vorstellung einer Art linguistischer Formel handelt, mit der die Tür zu einem neuen Forschungsgebiet aufgestoßen werden soll.

Um die uferlosen Namen und Begriffe unserer Geschichte aus der Sicht der hier vorgestellten Methode zu durchforsten, dürfte wohl eine Generation beschäftigen.

Mit anderen Worten: Dieses Buch beschränkt sich auf eine Auswahl der wichtigsten Namen und Begriffe, die für unsere Geschichte von großer Bedeutung sind.

Gleichzeitig kann sicherlich nicht erwartet werden, dass somit alles seit ewigen Zeiten sprachlich »Eingemottete« auf einen Schlag gedeutet werden kann.

Manche Begriffe, vor Jahrtausenden gesprochen, können durchaus im heutigen Sprachschatz nicht mehr vorkommen oder durch Dialekte bis zur Unverständlichkeit entstellt sein.

Bemerkenswert dürfte allerdings der Umstand sein, dass die hier vorgestellte Theorie über die Bindung des Ideogramms »A« zum Himmlischen bzw. Göttlichen auf beeindruckende Weise in der Bibel ihren Niederschlag findet.

Das menschliche Geschlecht beginnt mit einer **A**-Person, also Adam. Somit verkörpert Adam aus inzwischen nicht mehr nachvollziehbaren Gründen den Bezug zum »Himmlischen« oder »Göttlichen«.

Mit der Ermordung Abels, also einer ebenfalls für das Göttliche tauglichen Person, scheint es nun niemanden mehr zu geben, der die Charakteristiken eines »**A**«-Wesens hat, um als Erbe des adamitischen Reiches anerkannt zu werden.

Alle sogenannten Urväter von Seth bis Noah sind nach göttlichen

Maßstäben als »**A**«-Wesen untauglich und stellen theologisch und geschichtlich gesehen nur Nebenpersonen dar, die eine untergeordnete und lediglich zeitüberbrückende Funktion in diesem Kreislauf zu erfüllen hatten.

Sie haben sozusagen ausschließlich die Aufgabe, das adamitische Erbe von einer Generation zur nächsten so lange zu verwalten und am Leben zu erhalten, bis die vorbestimmte Zeit erfüllt sein wird, um Gottes Reich neu zu gründen.

Erst mit der Geburt **A**brams, dem Begründer des Patriarchentums, haben wir nun eine Person, die zum Göttlichen in Beziehung steht und somit das »**A**«-Zeichen in ihrem Namen tragen darf.

Mit ihm beginnt also die Widerherstellung des adamitischen Erbes bzw. der »**A**-Periode«.

Abraham ist demnach aus bestimmten theologischen Gesichtspunkten würdig, als »**A**«-Nachkomme in Betracht zu kommen und das adamitische Zeitalter wiederherzustellen.

Sein Erscheinungsbild wies bestimmte charakteristische Merkmale wie dasjenige Adams auf, die sich aber offensichtlich grundlegend vom »gewöhnlichen« Menschen unterscheiden. Auf Abraham kommen wir später zurück.

Wer Adam allerdings erwähnt, muss zwangsläufig auch an das verlorene Paradies denken.

Kann die arabische Sprache hier ebenfalls einen entscheidenden Beitrag zur Aufklärung leisten?

Das Wort Paradies entstammt dem Altiranischen.

Bisherige Nachforschungen in diesem Zusammenhang ergaben, dass vieles aus dieser Sprache eigenartigerweise kein Pendant im Arabischen hat, sodass es nicht gelang, dieses Wort mit dem Arabischen in Einklang zu bringen.

Was einzig als sicher gilt: Wenn es in »Para´dies« geteilt wird, würde Para exakt der Aussprache des arabischen Wortes »بر« (bara) entsprechen.

Dieses Wort hat jedoch viele Bedeutungen, die auch religiöser Art sein können: liebevoll, gütig sein, aber auch Gott gehorchen, Eltern ehren und, ebenso in Zusammenhang mit Gott, Gebet erhören.

Wenn wir aber auf die griechische Bedeutung dafür zurückgreifen, also »Park«, arabisch geschrieben »برك«, offenbart sich eine verblüffende Deutung:

»برك« (barak) bedeutet in Verbindung mit Religion weihen.

Das heißt, dass dieser Ort, welcher im Grunde damals den heiligsten Mittelpunkt des Planeten darstellte, nach einer seiner wichtigsten theologischen Eigenschaften benannt wurde: der Weihung oder Salbung.

Dort, und nur dort bestand die weltliche Legitimation, den dazu auserwählten Menschen zum religiösen Oberhaupt zu erheben oder salbend zum »Messias« zu erklären.

Dort im Paradies wird Abel die erste Weihung zuteil.

Und damit Henoch in denselben Stand erhoben werden kann, muss er aus dem Kreis der Menschen entführt und dorthin gebracht werden.

Ebenfalls verständlich wird aus dieser Sicht, wieso Gilgamesch die mühsamen Strapazen auf sich nimmt, um an denselben Ort zu gelangen.

Noch bemerkenswerter wird die Deutung dieses Ortes aus Sicht des geläufigen Begriffes »Garten Eden«.

Wie vorhin dargelegt, stellt »alif« die Vokale a, e, i, o, u dar.

Das heißt, der erste Buchstabe »E«, wie bei E´va, stellt auch hier die Beziehung zum Göttlichen dar.

Demnach besteht dieses Wort auch aus zwei Komponenten: E´den.

»de´n« entspricht der dialektischen Aussprache des Wortes »دين« (di´n) und bedeutet Religion oder Glaube, aber auch sich bekennen zu irgendetwas, was dann letztlich zu dem Ergebnis führt, dass dieser Ort unter die Schirmherrschaft des göttlichen »A« gestellt war; ein heiliger Ort also.

Daher kann mit gutem Grund angenommen werden, dass das Paradies zu jener Zeit der religiöse Mittelpunkt der Erde war, aber auch derjenige der Exekutive über das menschliche Schicksal und das kulturelle Erbe.

Wieso aber ausgerechnet ein bestimmter Ort so eine fundamentale Rolle in der menschlichen Vergangenheit spielte, warum diese Eigenschaft, die seine Heiligkeit begründete, auf keinen anderen Ort dieser Erde zutrifft, scheint nur das arabische Wort hierfür und somit wohl die älteste Bezeichnung in sich zu bergen: nämlich »Gan´na«.

»جنه«/(Gan´na«) = »*Paradies*« hat je nach Aussprache und Betonung viele Bedeutungen, zu denen »Geist« oder »verrückt« aber auch »Schutz« gehören.

Das Stammwort »جني« (Ga´ni) hat ebenfalls vielfältige Aussprache-möglichkeiten, zu denen Pflücken, ernten, frisch geerntet, aber auch Verbrechen begehen gehören.

»جنيه« (Ga´nia) bedeutet weiblicher Dämon, Fee oder Elfe.

»جنين« (Gan´nin) kommt aller Wahrscheinlichkeit nach der richtigen Lösung am nächsten und bedeutet Kind im Mutterleib, Embryo.

Es ist also der Ort, an dem auch die »göttliche« Rasse gezeugt wird.

Demzufolge beanspruchte dieser kultische Ort nicht nur die religiöse Führung für sich, sondern auch, der Ort zu sein, an dem die kommenden göttlichen Herrscher über das menschliche Geschlecht, später Messias oder Gottessöhne genannt, gezeugt werden.

Dies erklärt zugleich das Phänomen, wieso in der biblischen Überlieferung die 90- jährige Sara mit der Geburt eines Sohnes in Verbindung gebracht wird.

Wenn die hier vorgestellte These zutreffend sein soll und wir von einem gemeinsamen Kulturbringer ausgehen, so muss die Anwendung auch auf die Begriffe anderer Hochkulturkreise übertragbar sein und ähnliche Auslegungen erlauben.

Dies dürfte aber vor allem und gerade für Mesopotamien gelten, wo sich einst der babylonische Turm befunden haben soll.

Und in der Tat finden wir bei den ersten sumerischen Begriffen weitere verblüffende Übereinstimmungen.

Beginnen wollen wir mit jenen Ortschaften, in denen den Legenden nach das Königtum angeblich 241.200 Jahre vor der Sintflut vom Himmel herabgestiegen sein soll.

Wenn die hier vorgestellte Theorie stimmt, dann müssten die Namen dieser Ortschaften der ersten Stunde aus Begriffen bestehen, bei denen das »A«-Emblem **fehlt**, weil dieser Brauch erst viel später zu der adamitischen Zeit eingeführt wurde – zu einer Zeit also, die wir als Kultur aus zweiter Hand bezeichnen können.

Das heißt, hier haben wir es mit Urbegriffen zu tun, die direkt aus der Zeit des einstigen Lehrmeisters stammen und demzufolge in den Überlieferungen gewissenhaft genau konserviert wurden.

Nach babylonischem Glauben befand sich das Königtum erst in Eridu im südlichen Babylon, dann nacheinander in den alten Städten Badtibira, Larak, Sippar und zuletzt in Schurippak.

Wenn in dieser eigenartigen Legende ein »Körnchen« Wahrheit

überlebt hat, so ist davon auszugehen, dass die Phase der ersten Städtegründungen auf Erden mit **Eridu** ihren Anfang nahm und mit **Schurippak** aus einem offensichtlich zwingenden Grund zu Ende ging.

Dieser Mythos dürfte also eine abgeschlossene Episode in der menschlichen Geschichte darstellen, die mit Neubeginn und Untergang endet.
Demnach soll der Ort, an dem später die Stadt Eridu entsteht, das Gebiet darstellen, in dem das Königtum vom Himmel zum ersten Mal in Mesopotamien herabgestiegen war.
Eridu, was bedeutet dieses eigenartige Wort aus arabischer Sicht?

Die Deutung dürfte einer Sensation gleichkommen:

Erde bedeutet im Arabischen »أرض« (Ard), wovon »أرضى« (Ardi) = meine Erde bedeutet.

Demnach hat jener, der an diesem Ort im Begriff war, vom Himmel herabzusteigen, den nun in Sichtweite befindlichen Boden als »mein Boden oder meine Erde« also »Eridu« bezeichnet.
Von »أرض« (Ard) wurde später »Erde« abgeleitet, die Bezeichnung für den gesamten Planeten!

Soll dieser Begriff tatsächlich seit 241.200 Jahren überlebt haben?

Noch bemerkenswerter dürfte die Deutung des englischen Begriffes hierfür, »**earth**« also, sein, der offensichtlich auf den britischen Inseln die Jahrtausende unbeschadet überdauert hat.

Earth wurde von »أرسى« (Arsa), رسو ras´so = ankern, also den Anker werfen, verankern.

Das englische Wort birgt also noch die Tätigkeit in sich, dass irgendjemand von irgendwoher angekommen ist, und zwar aller Wahrscheinlichkeit nach auf dem Seeweg.

Geht man die sumerischen Städte in der oben erwähnten Reihenfolge durch, so ergeben die arabischen Definitionen ein Sinn für Handlungen, die ein Ankömmling vornehmen wird.

Badtibira = Bad´tibira: Bad »باد / Bada« von »بيد / bayed « = zugrunde gehen, untergehen, aber auch vernichten, ausrotten.

tibira = »طابور« (Tabur) bedeutet (Menschen)-Schlange oder im Zusammenhang mit Militär Kolonne.
Diese beiden Wörter deuten sinngemäß auf militärische Auseinandersetzungen hin.

Auf die Ankunft in dem Gebiet folgten also militärische Zusammenstöße.

Larak = La´rak. La »ل« ist ein Bekräftigungsartikel,
rak »راق« (ra´qa) bedeutet reinigen, der Ort wurde »gründlich« gereinigt, also befreit.

Sippar = Sip´par,
Sip » ذب /ðabba « kann verjagen, aber auch verteidigen bedeuten,
Par »بر / barr« = Festland oder Ufer: eine Stadt mit Verteidigungsmauern, also die erste befestigte Stadt.

Schurippak = ein durchgehender Begriff: »شربك«= schar´rabak trinken lassen oder tränken.

Wie kann aber eine Stadt »**ertrinken**« heißen und welcher Sinn könnte dahinterstecken?

Die Antwort darauf ist wieder einmal mehr als verblüffend!

Bemerkenswert in diesem Zusammenhang dürfte nämlich die Tatsache sein, dass in der Elften Tafel des Gilgamesch-Epos, Zeilen 11 - 14, Utnapischtim seinem Gast Gilgamesch enthüllt, dass die von den Göttern beschlossene Sintflut ausgerechnet die Stadt **Schurippak** treffen sollte, eine Stadt, deren Name im Arabischen auf »Wasser« und »Ertrinken« hinweist!

»Schurrippak – eine Stadt, die du kennst,
Diese Stadt war schon alt und die Götter darinnen,
Eine Sintflut zu machen, entbrannte das Herz den großen Göttern.«

Verständlich wird deshalb die Aussage in dem sumerischen Mythos, wonach Schurippak als die letzte Stadtgründung erwähnt wird: Mit ihr endet ein **Geschichtszyklus**.
Mit dem »**Ertrinken**« der Stadt endet also ein Geschichtskapitel der Menschheit.

In der ursprünglichen Fassung dürfte das Gilgamesch-Epos mit der XI. Tafel enden, denn das Ende der XI. Tafel nimmt den Anfang der I. Tafel wieder auf. (Gilgamesch-Epos, Verlag Reclam, S. 99)

Das heißt, dass folglich die Informationsfülle, die Gilgamesch bei Utnapischtim in Erfahrung bringt, mit dem Sintflut Bericht endet.

Die **Sintflut** war also das letzte bedeutende Ereignis, dass in den paradiesischen Annalen über die Alte Welt aufgezeichnet wurde Danach hört die Geschichte sozusagen abrupt auf.
Ein Jahrtausend »Zero-Adges« war angebrochen!

Ein Querschnitt durch die sumerische Götterwelt der ersten Stunde führt zu denselben Ergebnissen, wonach das himmlische Ideogramm »**A**« die mythologische Beziehung zur Götterwelt

herstellt.
Das heißt, erst als der Mensch in späteren Epochen seine Götterwelt zu erfinden beginnt, wurde das Ideogramm »A« eingeführt.

Der erste sumerische Hauptgott war **An**, Gott des Himmels, Sohn
des **A**nsarr und Vater aller Götter.

Bei **A**´n bedeutet der Buchstabe »n« = »ناٰ« oder »نا« als Bestandteil
eines Wortes „uns oder unser".

Somit begegnen wir mit dieser Formulierung der ältesten Form
für den theologischen Begriff »Vater unser«, also »A-unser«.

Was **A**nsarr = **A**´nssar = »نصر« (n´ssar) angeht, so birgt der Sinn
hingegen viele Überraschungen.
Tatsächlich wird im arabischen »نصر/nssar« kein Vokal zwischen
den Buchstaben »n/ن« und »s/ص« platziert, sodass die deutsche
Aussprache des Wortes exakt der des Arabischen entspricht.

»nssar / نصر« bedeutet beistehen oder helfen,
in Verbindung mit Gott: den Sieg verleihen.

Der Begriff bedeutet aber auch in der heutigen Auslegung chris-
tianisieren, zum Christen machen, was natürlich nicht heißt, dass
es zur Zeit der Sumerer schon das Christentum gegeben hat, sondern eine religiöse Lehre oder Plattform, zu der man sich bekennen konnte.

Der zweite Hauptgott ist der Länderherr Enlil.

E´nlil= »نال« »nal« oder »نول« (nu´l) bedeutet geben, schenken o-
der gewähren.

Demnach würde der Begriff in etwa »E der Schenker« oder » E der Geber« bedeuten.

Adad ist der Wettergott (Sturmgott).
Auf Syrisch heißt er Hadad, auf Semetisch Hadda.

Hadad = »هدد« (ha´dad) bedeutet androhen oder bedrohen.

Ischtar ist die Venusgöttin.
I´schtar = »شطر« (scha´ter) = schlau oder klug; das heißt, dieser weiblichen Person wurde göttliche Weisheit verliehen.

Sin ist der Mondgott und stellt einen Urbegriff vor der »A«- Ära dar.
Sin = »سنّ«(sann) = Methode einführen oder Gesetze erlassen, also ein Gesetzgeber.

Enki, der Gott des Süßwassers von Eridu, dürfte ein durchgehender Urbegriff sein.
»إنقي« (Enki) ist das Imperativ des Verbs »نقي« (Nakiy) = rein sein, reinigen, kann aber in Zusammenhang mit Wasser die Eigenschaft klar bedeuten.

Demnach bedeutet Enki »*ich reinige*«, ein Hinweis darauf, dass der Titelträger die »Weihe-« oder die »Waschungszeremonie« vornahm, also Priester ins Amt einführte.

Bei den Ägyptern setzen sich die linguistischen Gemeinsamkeiten weiter fort.

Amun = »Amon« ist ein altägyptischer Urgott, dem zu Ehren gewaltige Tempel in Karnak und Luxor errichtet wurden und der später mit Re zu Amun-Re zusammengefasst wurde.
Die Griechen und Römer verehrten ihn als Zeus bzw. Jupiter.

A´mon = »من« (min) = gehörend zu; wer also diesen Begriff aus-
spricht, bekennt sich zum göttlichen »A«, gehört zu seiner Gemeinde.
Es handelt sich hierbei also um eine weitere Formulierung für
»Vater unser«.

Im Laufe der Zeit verschmolzen die beiden Komponenten bei der
mündlichen Überlieferung sprachlich zu einem einzigen Wort,
nämlich zu dem Verb »آمن« (Aman), das plötzlich einen anderen
theologischen Sinn ergab, nämlich »*gläubig sein*«.

Amen (آمن) bedeutet im Islam, gläubig zu sein.

Auch bei Christen ist dieser Begriff tief verwurzelt.
Es ist das »Amen«, das nach jedem Gebet bekundet wird.

Würde man mit derselben Vorgehensweise die heiligen Städte betrachten, in denen die monumentalen Tempel für Amun errichtet
wurden, so wird einem bewusst, dass die Namen der Ortschaften
nicht planlos gewählt wurden.

Karnak setzt sich aus zwei Begriffen zusammen, nämlich

Kar´nak,
Kar = »قر« (qar´ra) = Niederlassung,
nak leitet sich von »نقي« (naqiy) = rein sein.
Zusammengesetzt »قر نقي « also »*Haus der Reinheit*«.

Luxor besteht ebenfalls aus zwei Teilen:
Lu´xor.
Lu = »ل« = »له« (lahu) = »er hat« oder »für ihn«,
xor = »قصر« (qasr) = Palast.

Demnach bedeutet der Name »قصر له« = »*sein Palast*«, »*sein Haus*« oder »*seine Residenz*«.

Indem jedoch das »ل« vorgeschaltet wurde, dürfte die Übersetzung lauten:

»Er (Gott) hat ein Haus.«

Anubis = **A**nup ist der ägyptische Totengott.

A´nup = »نوب« (Nub) »ناب« (naab) =
Vertretung, zurückkehren, aber auch Reue empfinden.

Atum, ein zweigeschlechtlicher Urgott, der nach der Schöpfungsmythologie von Heliopolis die Weltschöpfung in Gang setzte und sie auch eines Tages wieder zerstören wird.

A´tum = »توم« bzw. »تام« (Ta´m) =
vollständig, vollkommen, vollendet.
Zusammengesetzt ergibt das Wort »أتم« (Atim) = »*ich habe vollendet*«, also „erschaffen".

Der **A**pisstier wurde seit der Frühzeit in Memphis verehrt.

A´pis = pis Adv. pous = »بوس« (po´s) =
küssen, also von der Gottheit geküsst,
das heißt: Liebling der Götter.

Astarte war eine Göttin westsemitischen Ursprungs und galt als Herrin der Pferde und Wagen wie auch als Kriegsgöttin.

A´starte, von Adv. »ستر« (sat´r) =
verbergen oder schützen (ein Geheimnis) = »*ich beschütze*«.

Abydos soll der Hauptkultort des Auferstehungsgottes Osiris sein, wo sich angeblich einst sein Grab befunden hat.

A´bydo (ohne s) = »بدو« (bado) =
erscheinen, sich zeigen, also der Ort,
an dem die Gottheit aufersteht und sich zeigt.

Diese beiden Bestandteile verschmolzen im Rahmen der mündlichen Überlieferung zu einem einzigen Begriff, nämlich Abydo »عبده/(abidoh)« = ihn anbeten, vergöttern.

Ra galt den Ägyptern zu allen Zeiten als oberster und wichtigster Gott.

Ra = »ره« (Rah) vom Verb »رأى« (ra´ah) =
sehen, also »der, der alles sieht«,
im theologischen Sinne »der Allgegenwärtige«.

Theben = vom Verb »تاب /Taba « =
bereuen, sich bekehren, Buße tun, (Gott) verzeihen.
Demnach bedeutet der Name »**die Bekehrte**«.

Bevor wir zum nächsten Kapitel übergehen, sollen noch einige Begriffe behandelt werden.

Das englische »that« = dies oder dieser dürfte ein Begriff der ersten Stunden sein.

Das arabische »ذات« (ðat) entspricht in der Aussprache und linguistischen Funktion exakt dem englischen Wort.

»Sky«(Himmel) = »سقى« (Saqj) =
Bewässerung, Tränken, Gießen.

Apollo = A´pollo »بلو« (Ballo), Verb »بل« (Ball) =
nass machen, benetzen, also die Person

wurde benetzt = geweiht.
Demnach ist Apollo der griechische Abel.

Dionysos = Diony´sos, Diony »ديوني« (di´oni)
ist die Plural Form von »دين« (Din), Religion oder Glaube,
sos = »سوس« (sa´was) = führen, lenken, regieren;
die Religion des Betreffenden ist also
über alle anderen Religionen gestellt.

Aaron, hebräisch Aharon.
Der Name ist ein Überbleibsel aus der adamitischen Ära.

A´aron = »أرون« (aroun) =
»ich sehe«, also von »رأى« (ra´ah) sehen, erblicken.

Demnach war Aaron ein bedeutender Priester, der »**vor dem Angesicht**« des Herrn seinen Dienst leistete.
Dies verdeutlicht, warum Aaron an Moses Stelle die Worte des HERRN vor dem Pharao vortragen soll.
Aaron war vor dem Exodus ein Mitglied der Ältesten des Volkes, des 70erRates, in Ägypten.

Dass er die Sprache des HERRN verstand, untermauert die Annahme, dass dieses für das Fortleben der mündlichen Überlieferung zuständige Gremium sich der arabischen Sprache bediente.

Achtes Kapitel
Gilgamesch
Der Messias anno 2800 v. Chr.?

Wenn sich in dem vorangegangenen Kapitel die Annahme ver-
dichtet hat, dass der adamitische Zeitabschnitt im Zeichen eines
Glaubens und einer bestimmten Gottheit stand, so lässt sich unschwer feststellen, dass die nach Ablauf der tausendjährigen
»Zero-Adges« eingeläutete Ära der Erneuerung und Wiederherstellung eindeutig unter dem Stern einer anderen Gottheit steht,
nämlich dem des E, El oder Al.
Das heißt, dass das Zeitalter, welches sich nach dem Auftauchen
Abrahams etabliert hat, durchaus als »El-Zeitalter« benannt werden kann, in dessen Mittelpunkt diese Gottheit unangefochten
agiert.

Kurz nach dem Beginn von Abrahams Wirken erlangt der Kult
dieser Gottheit die theologische Oberhoheit, und die Träger seiner
Glaubenslehre scheinen die Zügel der Macht fest in der Hand zu
halten mit der Folge, dass die Glaubenslehre aus der adamitischen Zeit eindeutig verdrängt wird.

A´dams Glaube, dass auf Erden ewig wehren soll, hat keine Gültigkeit mehr.

Aus diesem Grund wird nicht selten die Auffassung vertreten,
dass die Gottheit El in enger Verbindung mit dem Patriarchen Abraham gestanden haben muss.
Diese Auffassung kann jedoch mit den bisher zusammengetragenen Aussagen alter Schriften unmöglich in Einklang gebracht
werden.
Allen Thesen zum Trotz, es gibt gute Gründe dafür anzunehmen,

dass Abraham als Diener der Gottheit **El/Al** zunächst nicht in Betracht kommt.

Im 2. Kapitel haben die zitierten Überlieferungen zu der Einsicht geführt, dass nach der Sintflut und dem Verstreichen einer tausendjährigen »ZeroAdges-Zeit« ein gerechter Mann, nämlich Abraham, geboren wird, der die Wiederherstellung des alten Goldenen Zeitalters einläuten wird.

Abraham ist somit das Haupt eines neuen Geschlechts und wird in erster Linie deshalb berufen, um die adamitische Ära wiederherzustellen.

Folgerichtig erhält er einen Namen, der traditionsgemäß mit dem göttlichen Ideogramm »**A**« beginnt.

Abraham ist also bei seiner göttlichen Berufung ein »**A**-Wesen« nach der Art eines **A**dam oder **A**bel und demnach hätte dieser menschliche Zeitabschnitt ausschließlich im Zeichen des »**A**-Glaubens« und nicht im Zeichen des **El/Al** stehen dürfen.

Doch dies ist nicht der einzige Widerspruch.

Abraham gehört zu den wichtigsten Persönlichkeiten der Glaubenswelt, der widerspruchslos zum Stammvater dreier Religionen wurde: Judentum, Christentum und Islam.

Theologen gehen sogar davon aus, dass durch seine Berufung die Welt für immer verändert wurde.

Die von ihm offensichtlich gegründete Religion wird zum Fundament des Glaubens von mehr als der Hälfte der heutigen Menschheit.

In Anbetracht dieser Tatsache dürfte der Umstand als unverständlich erscheinen, wenn die heutige Wissenschaft mit all ihren verfügbaren Mitteln die Frage nicht beantworten kann, ob ein Mensch namens Abraham überhaupt je gelebt hat.

Kein einziger archäologischer Beweis und keine schriftliche Überlieferung wurden je gefunden, wodurch die Behauptung untermauert wird, dass sich Abraham tatsächlich in Haran oder

Ägypten aufgehalten hat.

Selbst im Land Kanaan hinterließ er keine einzige Spur.

Die Geschichte weist also genau dort dunkle Seiten auf, wo sie eigentlich Daten im Überfluss hätte liefern müssen.

Ist Abraham also ein Fabelwesen, das Produkt menschlicher Fantasie?

In Anbetracht der einzigartigen theologischen Rolle, die ihm zugeschrieben wird, erscheint dies allerdings mehr als abwegig zu sein.

Und in der Tat, erst mithilfe der hier vorgestellten Theorie lässt sich eine verblüffende Lösung für dieses Problem finden und eine Parallele zu dem Paar »Utnapischtim/Noah« feststellen.

Denn nur wenn die arabische Sprache zur Aufklärung der unzähligen Widersprüchlichkeiten herangezogen wird, beginnen die stummen Zeitabschnitte ihr geschichtliches Schweigen behäbig aufzugeben.

Und es ist kaum zu glauben: Oft reicht die Deutung eines einzigen Begriffs, um ein Tor zur Vergangenheit weit aufzustoßen und geschichtliche Vorgänge in ihre richtige Reihenfolge zu ordnen und die Zugehörigkeit ihren Kontext zu erkennen.

Zunächst ist mit gutem Grund davon auszugehen, dass Abraham in der falschen geschichtlichen »Schicht« gesucht wurde.

Dies verrät schon der Anfang der biblischen Erzählungen.

Die biblischen Chronisten bezeichneten die Stadt, aus der Tharah mit seiner Sippe auszog »*Ur in Chaldäa*« und lösten damit, chronologisch gesehen, eine nie endende historische Irrfahrt aus.

Die Chaldäer kamen erst zu Beginn des ersten vorchristlichen Jahrtausends nach Mesopotamien, während die heute allgemeingültige Auffassung von einer abrahamischen Wirkungszeit zwischen 2100 und 1500 v. Chr. ausgeht.

Abraham war zurzeit der Chaldäer unbestreitbar bereits zu einer verstaubten Legende erstarrt.

Und dennoch haben in den zusammengetragenen literarischen Stoffen der Bibel genügend Hinweise überlebt, die, richtig gedeutet, zu einem Lösungsweg beitragen können.

Eine der wichtigsten Handlungen, die Abraham nach seiner Begegnung mit dem HERRN vollzog, war die Gründung von kultischen Stätten, die ihren Anfang in Sichem nahm:

»Und er baute dort einen Altar dem HERRN.« (1. Mose 12,7)

Noch kann aus dem biblischen Text nicht entnommen werden, welche Gottheit Abraham in Sichem verehrt hat.

Bei der darauffolgenden Gründung werden die Texte detaillierter:

»Danach brach er von dort auf ins Gebirge östlich der Stadt Bethel und schlug sein Zelt auf, sodass er Bethel im Westen und Ai im Osten hatte, und baute dort dem HERRN einen Altar und rief den Namen des HERRN.« (1. Mose 12,8)

Abraham wird also mit der kanaanitischen Kultstätte Bethel in Verbindung gebracht, wo später Jakob von Gott gesegnet wird (1. Mose 35,1-9).

Diese Aussage ermöglicht uns einen Rückgriff auf die Ereignisse, um herauszufinden, wie Abrahams Gott hieß.

Zuvor soll allerdings die Bedeutung des Namens »Bethel« definiert werden.

Und wie nicht anders zu erwarten ist, haben wir es auch hier mit derselben sprachlichen Systematik wie in der vorausgegangenen »A«-Epoche zu tun: Die Namen und Begriffe dieser Periode enthalten weiterhin das göttliche Ideogramm, das am Anfang oder am Ende eines Wortes zugeschaltet wird.

Diesmal ist es **El** oder **Al**, um den sich alles Irdische dreht, dem alles zugesprochen und mit dem alles in Verbindung gebracht wird.

Demzufolge besteht der Name »Bethel« aus zwei Teilen:
»Beth´**el**«,
Beth = »بيت /bait« bedeutet Haus oder Wohnung.

Demnach handelte es sich um »*El- Haus*« also die Kultstätte des Gottes »**El**«.
Die Texte scheinen also zunächst auf eine enge Verbindung zwischen Abraham und die Gottheit »**El**« hinzudeuten.
Doch eine solche Annahme dürfte theologisch zweifelhaft sein.
Vielmehr ist davon auszugehen, dass Abraham zu Beginn seiner Berufung ein Gegner dieser Gottheit war, was die weiteren Erzählungen um ihn beweisen.
Den entscheidenden Hinweis darauf liefert die ägyptische Magd »**Hagar**«.

Diese geheimnisvolle Ägypterin taucht in dem abrahamischen Kreis erst auf, nachdem der Patriarch samt Anhang und üppigen Reichtümern Ägypten verließ.

Sarai war unfruchtbar, »*Da nahm Sarai … ihre ägyptische Magd Hagar und gab sie Abram … zur Frau.*« (1. Mose 16,3)

Abrahams Erstgeborener aus dieser »Ehe« hieß »Ismael«, der später zu einer Leitfigur bei der Entstehung des Islam und zum Stammvater der Araber erhoben wurde.
Doch Ismael und seine leibliche Mutter werden verstoßen und ausgerechnet von jener Person bekämpft, die diesen Zeugungsakt erst ermöglicht hat: Sarai.

»*Am nächsten Morgen nahm Abraham Brot und einen Schlauch mit Wasser, legte beides Hagar auf die Schulter, übergab ihr das Kind und schickte sie fort. Hagar ging weg und irrte ziellos in der Wüste bei Beerscheba umher.*« (1. Mose 21,14)
13 Jahre nach Ismaels Geburt verheißt Gott dem biblischen Paar

den »Isaak«, der nun das legitime Erbe Abrahams antreten wird.

Diese eigenartige Geschichte ist in Wahrheit der eindeutige Beleg dafür, dass Abraham zu Beginn seines Wirkens dem El-Kult gehuldigt hat.
Auch hier liefert die Deutung des Namens die einleuchtende Erklärung:
Der Name Ismael enthält nämlich auch das göttliche Ideogramm »El«:

Isma´el.

»Isma« = »اسما« von Gen. »إسم«; ism = *Name,*

in Verbindung mit »El«:

»*Sein Name ist El*«

Demnach ist Ismael ein Diener und Prophet der Gottheit »El«.

Wenn Hagar mit ihrem Sohn letztlich vom biblischen Paar verstoßen und im wahrsten Sinne des Wortes in die Wüste gejagt wird, dann ausschließlich, weil sie einen anderen Glauben huldigten, nämlich dem der Gottheit »El«.

Abrahams Glaube stellte demnach zu diesem Zeitpunkt das Gegenstück zu demjenigen der »El«-Gemeinde dar.
Einen weiteren Beleg hierfür liefert der Umstand, dass der legitime Nachfolger einen Namen erhält, in dem »El« nicht vorkommt: »Isaak«.

Der Name Hagar kommt in Zusammenhang mit Ismael im Koran nicht vor, und dies wohl aus gutem Grund!
Dieser Begriff hat nämlich im Arabischen eine unverwechselbare Funktion:

Hagar = »هجر«: (hagara) = *auswandern* oder
einen Ort verlassen bzw. aufgeben.

Demnach ist mit gutem Grund davon auszugehen, dass dieser Begriff in der mündlichen Überlieferung in Bezug auf Abraham ausschließlich den Vorgang des **Verlassens Ägyptens** markiert.

» *So zog Abram herauf aus Ägypten mit seiner Frau und mit allem, was er hatte. Abram aber war sehr reich an Vieh, Silber und Gold.*«
(1. Mose 13,1-2)

Doch dieser Begriff hat im religiösen Sinne eine entscheidende Bedeutung.
Im Jahr 622 n. Chr. verlässt der Prophet Mohammed seine Heimatstadt Mekka, um nach Yatrib ins Exil zu gehen.
Diese »Auswanderung«, die sogenannte »**Higra**«, markiert den Beginn der neuen islamischen Zeitrechnung.
Schon seit drei Monaten haben sich die Schüler des Propheten nacheinander auf den Weg nach Yatrib gemacht.
Mohammed bricht im September als einer der Letzten auf.

Die Higra bedeutet also für die Entstehung des Islam einen geografisch, psychologisch, sozial und politisch tiefen Einschnitt und hat in der Geschichte des Islam einen ganz besonderen Stellenwert.
Mohammeds Wanderung kann also nicht als Flucht oder eine geografische Ortsveränderung gedeutet werden, vielmehr handelt es sich dabei um einen **gewollten Bruch** mit Familie und Klan, um eine neue »Umma / أمة« = *Nation* oder *Gemeinschaft* zu gründen.
Wenige Monate später errichten die Einwanderer das erste Heiligtum des Islam, das man »Masgid / مسجد« (Moschee) nennt.
Auch die Stadt erhält den Ehrennamen »al-Madina / المدينة«, was später auf Arabisch irrigerweise mit der allgemeinen Bezeichnung für »Stadt« gleichgesetzt wurde.

Dieser Begriff hatte ursprünglich jedoch eine völlig andere Bedeutung.

Denn gerade dieser alltägliche Begriff liefert den Beleg, dass tatsächlich durch die »**Higra**« nach Yatrib eine neue theologische Lehre gegründet wurde, mit der ein neues Zeitalter des Glaubens beginnen soll.

Nicht nur auserwählte Personen, sondern mitunter wurden Ortsnamen so gestaltet, dass ihre geschichtliche Funktion oder religiöse Stellung zum Ausdruck gebracht wird.

Medina setzt sich aus Me´dina zusammen,
»dina« = »دينا« wird von »دين / Din« = *Religion*
oder *Glaube* abgeleitet, in Verbindung mit »Me / مـ«
würde dies bedeuten »*unsere Religion oder Glaube*«,
also verkörpert dieser Ort die Entstehung einer bestimmten
Religion, die dort im Begriff ist, eingeführt zu werden.

Diese Auslegung unterstreicht die Absicht, die hinter einer solchen »**Higra**« steckt, nämlich der Aufbruch aus einer – sündigen – Gemeinschaft, um anderswo theologisch in „Reinheit" neu anzufangen, der Bund mit dem Göttlichen zu erneuern.
Zugleich beginnt damit eine neue Zeitrechnung.

Und dies führt auch zu der Definition eines anderen Wortes, das genauso bei seiner Übernahme ins Arabische aus Unkenntnis falsch gedeutet wurde: der Begriff Moschee = مسجد (Masgid).
Dieser Begriff setzt sich aus zwei Teilen zusammen, nämlich

Mas´gid,
Mas = »ماس / Ma´s« = *berühren, tangieren,*
»gid« = »جد = gid« = *neu sein, neu eintreten oder auftreten.*

Zusammengefügt bedeutet dies, dass durch Berührung und offensichtlich auch Küssen einer Wand oder eines der Bauteile dieser kultischen Einrichtung der Gläubige –theologisch gesehen – in einen bestimmten Stand der Reinheit versetzt wird, um seine Sünden loszuwerden.

Diese Sitte wird immer noch in der Kaaba in Zusammenhang mit dem schwarzen Stein praktiziert.

Die Berührung eines Gegenstands hat also einen tiefen theologischen Sinn.

Da solch ein heiliger Gegenstand nicht im Freien, sondern in einem heiligen Gebäude aufgestellt wird, wurde der Begriff »Masgid« später auf das Ganze übertragen und allgemein für Gotteshaus angewendet.

Auch der ursprüngliche Name der Stadt hat eine enge Beziehung zu den Geschehnissen.

Yatrib »يثرب« wird abgeleitet vom
Verb »ترب / toriba« = *entzückt sein, innerlich bewegt sein,*
mit Gesang oder Musik entzücken.

Die Higra bedeutet also einen Aufbruch von einem Ort, um woanders eine neue religiöse Gemeinschaft bzw. Religion zu gründen.

Und genau dies begründete die Berufung Abrahams, der auf seiner Wanderung ebenfalls die Stadt Yatrib aufgesucht haben soll.

»[…] *Geh aus deinem Vaterland und von deiner Verwandtschaft und aus deines Vaters Haus in ein Land, das ich dir zeigen will.*« (1. Mose 12,1)

Dass diese göttliche Aufforderung nicht in der mesopotamischen

Stadt Ur erfolgte, wird durch den Umstand untermauert, dass in dem vorangegangenen biblischen Vers Tharah den Auszug aus Ur »*in Chaldäa*« bereits vollzogen hatte.

Die Geschichte um Hagar würde also besagen, dass die Auswanderung Abrahams aus Ägypten den „Tag-X" markiert, an dem er aufbrach, um eine neue Welt und eine neue Religion zu gründen: damit beginnt eine neue Zeitrechnung.

Da ausdrücklich betont wird, dass er das Land mit Beute verlässt, bedeutet dass Abraham in Ägypten erst das „Werkzeug" in sein Besitz bringen muss, das für die Gründung des Heiligtums erforderlich war.

Demnach hat die göttliche Mission, deretwegen Abraham berufen wurde, ihren Anfang erst mit dem Auszug, mit dem **„Hagar"** aus Ägypten genommen.

Aber damit lässt sich Abraham geschichtlich immer noch nicht einordnen.

Das Bindeglied hierbei dürfte Tharah sein.

Und somit sind wir bei der bereits angekündigten großen Überraschung angekommen.

Tharah soll nach der traditionellen Überlieferung Abrahams Vater gewesen sein.

Doch nichts ist von der Wahrheit weiter entfernt als diese Behauptung.

Nur mithilfe der arabischen Sprache ist es möglich, die Rolle dieser biblischen Gestalt ins rechte Licht der Aufklärung zu rücken.

Tarah = »طره« ist das Perfekt vom
Verb »طار« (Tara) = *Fliegen*« und würde bedeuten
»*er fliegt*« oder »*der Luftschiffer*«.

Demnach ist dieser Begriff eine Bezeichnung für die sogenannten himmlischen Engel des HERRN, mit der die Fähigkeit, die diese

Engel beherrschen, zum Ausdruck gebracht wird.

Tharah gehörte also zu demselben Wirkungskreis wie jene, die einst Henoch vor der Sintflut in den siebten Himmel entführten und laut seiner Aussage Wesen sein sollen, die er noch nie gesehen hat:

»Und es erschienen mir zwei überaus sehr große Männer, wie ich solche niemals auf der Erde gesehen hatte [...], ihre Flügel leuchtender als Gold [...] Und es sprachen zu mir jene Männer: Sei mutig, Henoch, in Wahrheit fürchte dich nicht; der ewige Herr hat uns zu dir gesandt [...], du gehst mit uns hinauf in den Himmel[...]« (Slawische Henochbuch, I, 5 - 20)

Das heißt, das kultische Zentrum im »siebten Himmel«, wohin Henoch entführt wurde, hat zurzeit Abrahams noch existiert und unterhielt Kontakte mit der Alten Welt.

Abrahams Berufung nach 1000 Jahren belegt zugleich, dass es in diesem kultischen Zentrum hervorragende Astronomen gegeben haben muss, die peinlich genau das Verstreichen der tausendjährigen »Zero-Adges« überwachen konnten und über einen Kalender verfügten, mit dem die Berechnung derartig gigantischer Zeiträume präzise bewältigt werden konnte.

Wenn der himmlische Engel Tharah ausgerechnet zu diesem Zeitpunkt mit Abraham in Verbindung gebracht wird, dann bedeutet dies zugleich, dass die Prophezeiung über den kommenden Heiland aus der Zeit vor dem Eintreffen der Sintflut in die Tat umgesetzt wird:

»[...] Und wenn sein wird das zwölfte Geschlecht und sein werden tausend Jahre und siebzig, wird in diesem Geschlecht ein gerechter Mensch geboren werden [...]« (Anhang an das slawische Henochbuch, V, 10)

Das Erscheinen des himmlischen Boten Tharah zu diesem Zeitpunkt wurde demnach vor über tausend Jahren vorausbestimmt!

Wenn wir nun von der Datierung ausgehen, die von Woolley anhand archäologischer Forschungen in Mesopotamien in Bezug auf die Sintflut um etwa 3900 v.Chr. angesetzt wurde, so würde das Auftauchen Tharahs in Ur ca. 1070 Jahre später um das Jahr 2830 v. Chr. stattfinden.

Und dies ist zugleich die Wirkungszeit des Helden Gilgamesch!

Demnach kann mit gutem Grund angenommen werden, dass die historischen Ereignisse, in welche die Abraham-Legende eingebettet wurde, denen entsprechen, die hinter der gilgamischen Dichtung stecken.

In der Dichtung des Gilgamesch-Epos findet sich also nicht nur eine Parallele
»Utnapischtim/Noah«,
sondern auch
»Gilgamesch/Abraham«.

Beide Gestalten verkörpern die Hauptakteure jener Ereignisse, die mit der Sintflut ihren Anfang nahmen und mit der Geburt eines »gerechten« Mannes beendet wurden: Sie sind ein fester Bestanteil eines abgeschlossenen geschichtlichen Vorgangs.

Zwischen Utnapischtim und Gilgamesch liegt zudem ein geschichtliches Vakuum, das wir ebenso zwischen Noah und Abraham feststellen.

Tharah führt aber auch zu einer weiteren wichtigen Spur.
Sein Name kommt nach Auffassung des Sumerologen Virolleaud, wie bereits im 3. Kapitel erwähnt, in dem Keret-Gedicht vor.
Nachdem die beiden gigantischen Armeen im Negeb aufeinanderprallen, berichtet das Gedicht weiter, wie sich das angreifende

Heer Tharahs nach seiner Niederlage im vollen Rückzug befindet.
(Zeitalter im Chaos, Immanuel Velikovsky, Europa Verlag)
Später wurde die Übersetzung des Gedichtes so oft und so lange abweichend interpretiert, bis die von Virolleaud vorgenommene Übersetzung ihre Gemeinsamkeiten mit der biblischen Erzählung gänzlich verloren hatte, da die etablierte Geschichte die Zusammenlegung Kerets und Tharahs in ein und derselben Epoche einfach nicht zulässt.

Doch alles spricht dafür, dass Virolleaud mit seiner Interpretation genau richtig lag.
Das Szenario, das der Franzose den Tontafeln in so einer lebendigen Art entnommen hat, deckt sich genau mit jener Zeit, in der eine neue Ordnung und ein neuer Glaube geschaffen werden sollte.
Die Weltordnung sollte neu gemischt und das alte göttliche Zeitalter wiederhergestellt werden.
Eine neue Ordnung und einen neuen Glauben einzuführen setzt jedoch den Sturz der im Verlauf von über tausend Jahren etablierten Ordnung voraus und deutet auf einen großräumigen, grenzüberschreitenden Glaubenskrieg hin, der die Menschen der Alten Welt erfasst.
Und dies erklärt die übertriebenen Zahlen in dem Gedicht: Es handelte sich um eine Zeit des „globalen" Umbruchs, in der die gesamte Region in Aufruhr versetzt wurde.
Auch der Verlauf der biblischen Erzählung untermauert diese These.
Wie aus dem Gedicht hervorgeht, die therahitische Mission misslang auf der ganzen Linie, und demzufolge war Abraham als künftiges Oberhaupt und Stifter einer neuen Religion gescheitert, und folglich zu einem machtlosen Menschen degradiert worden.
Niemals wird er die Gelegenheit bekommen, seine ursprüngliche Mission zu erfüllen und den adamitischen Glauben wiederherzustellen.
Fortan ist er ein Fremdling in jenem Land, das der HERR ihm am

Anfang seiner Berufung zum Eigentum versprach:

»Hebe deine Augen auf und sieh von der Stätte aus, wo du wohnst, nach Norden, nach Süden, nach Osten und nach Westen. Denn all das Land, das du siehst, will ich dir und deinen Nachkommen geben für alle Zeit [...] Darum mach dich auf und durchzieh das Land in der Länge und Breite, denn dir will ich's geben.« (1. Mose 13,14-17)

Und welch ein krasser Wandel der Ereignisse: Als Abrahams Frau Sarai in Kirjath-Arba starb, musste der Patriarch ein Grabrecht für sie kaufen. (1. Mose 23,24)

Mithilfe der arabischen Sprache erfährt Virolleauds Übersetzung zugleich eine eindrucksvolle Renaissance.
Wir erfahren aus der Fassung des Franzosen zunächst nicht, für welche Gottheit Tharah in den Kampf zog.
Auf welche etablierte Gottheit er in der Negeb-Region mit seiner Streitmacht stoßen wird, geht jedoch aus dem Gedicht hervor.
Als Keret in seiner großen Not in der Abgeschlossenheit seines Zimmers weint, ist es der Gott »El«, der ihm im Traum erscheint und ihm Mut zusprach.
Keret befolgt die Anweisung der göttlichen Stimme, die ihm zum Sieg gegen die aus Süden angreifenden Heere verhalf.
Am Ende belohnt ihn »El« sogar mit einem Nachkommen:

»Denn im Traume hat **El** *mir gewährt,*
In der Schau mir der Vater der Menschheit, Die Geburt eines Sohnes dem Keret,
Eines Sprosses dem Diener **Els***!«*
(Moscati, Geschichte und Kultur der semitischen Völker, S. 119)

Demnach war es die Gottheit »El«, deren Weltbild zum Einsturz gebracht werden sollte.
Und dies deckt sich mit den biblischen Aussagen über die Feindseligkeit Sarai gegenüber Hagar und ihrem Sohn Isma´el.

Kerets Sprössling dürfte demnach Isaaks Antipode, der den Bund mit dem siegreichen »El« und seinen Glauben erneuern soll.

Auch Keret ist nicht irgendein gewöhnlicher Fürst, sondern weit mehr als ein ebenbürtiger Gegner des Patriarchen.
Sein Wesen ist nicht weniger rätselhaft als das seines Rivalen Abraham.
Keret ist der Sohn des höchsten Götterpaares El und Kadesch, deren Kinder an den Brüsten der obersten Göttinnen trinken dürfen.
Unüberbietbar ist jedoch die Apotheose, als an Kerets Hochzeitsmahl das Pantheon leibhaftig zu Gast ist und El die Stelle des Bräutigamvaters übernimmt und sich die Götter, wie die menschlichen Teilnehmer an jedem Feste, unter Segenssprüchen persönlich verabschieden, um sich in ihre Wohnungen zurückzuziehen.
Noch wichtiger erscheint der Umstand, dass Keret verschiedentlich als »der Opferpriester« bezeichnet wird, das heißt als derjenige, der die Götter mit Speise und Trank versorgt.
Und dies erinnert an jenen biblischen Melchisedek von Salem (1. Mose 14), der König und »Priester des El Eljon«, dem Abraham begegnet sein soll. (Kulturgeschichte des Alten Orients, Alfred Kröner Verlag Stuttgart, S. 547 und 548)
Dass die religiösen und politischen Verhältnisse nach Abrahams Zeit unter der Schirmherrschaft von El gestanden haben müssen, wird nicht zuletzt durch eine Vermählung untermauert.

Mit 13 Jahren wird Ismael, der Diener Els, vom Patriarchen wegen seines Glaubens zusammen mit seiner Mutter verstoßen.
An seiner Stelle verheißt der HERR dem biblischen Paar einen Nachkommen: Isaak.
Schon am Anfang der Patriarchen Geschichte stoßen wir also auf die Spuren religiöser Vormachtkämpfe, die letztlich darauf hindeuten, dass Abrahams Haus dem El-Glauben zunächst feindlich gesinnt gegenübersteht.

Noch verfolgt Abraham den theologischen »A-Pfad«, der seine Berufung begründete.

Als 40 Jahre später Isaak heiraten möchte, hat sich die politische Situation um »El« aus der Sicht der Abrahamiden bereits völlig verändert.

»Isaak aber war vierzig Jahre alt, als er Rebekka zur Frau nahm, die Tochter Bethuëls.« (1. Mose 25,20)

Bethuël = Bethu´ël
Bethu = »بيته / Betho« = sein Haus,
also = »*Haus des El*«.

Isaak befindet sich somit mitten in der **El**-Gemeinde und auf dem heiligen Boden des kultischen »*Haus des El*«.

Auch der Name Rebekka birgt eine Überraschung. Zu dieser Zeit hat es nie eine Frau dieses Namens gegeben!

Die angebliche und befristete Ehe mit Isaak bedeutet in Wahrheit nichts anderes als seine Bekehrung zum Glauben des »**El**«, die erste Voraussetzung also, um Zutritt zum Heiligtum des **El**, das »*Haus El*« zu gelangen.

Rebekka leitet sich von »رب / Rabb = Gott«,
Rebekka, ausgesprochen »Rab´baka / ربكا«
bedeutet demnach »*dein Gott*«.

Erst wenn Isaak sich der betreffenden Gottheit unterwirft – sprich: mit ihr theologisch verschmilzt – und sich somit zu dem Glauben des »**El**« bekehren lässt, anschließend mehrere Jahre lang beschwerliche religiöse und kultische Prüfungen besteht, ist der Weg zur Vermählung mit Rahel frei.

Wieso Isaak seinen Glauben wechseln muss, dies wiederum verrät der Name Rahel.

Rahel = »Rah´el«,
Rah = »ره / rah« wird von »رؤيه / rui´yah« = sehen,
Sicht, Anblick abgeleitet.

Demnach dürfte sie eine Hohepriesterin gewesen sein, die Gott erblicken durfte, also in seiner unmittelbaren Nähe und in seinem Angesicht Dienst leistete.

Auch Jakob, Isaaks Sohn, dürfte notgedrungen demselben Glauben gedient haben.

»So kam Jakob nach Lus im Lande Kanaan, das nun Bethel heißt [...] und er baute dort einen Altar und nannte die Stätte El-Bethel.« (1. Mose 35,6)

Diese Aussagen stellen einen wichtigen Hinweis darauf, dass die Schlacht von Negeb nicht nur mit einem umfassenden Sieg der **El**-Gemeinde endete, sondern das ganze Land Kanaan, das spätere Palästina, in Bethel, »*Haus des El*«, umbenannt wurde und demzufolge also unter der Schirmherrschaft des **El** gestanden hat. Zudem wartet eine andere Stelle in der Bibel mit einer weiteren Überraschung.

Die erste Stadt, die Jakob nach seiner Segnung und Umbenennung in Israel gründet, heißt »Pniel«:

»Und Jakob nannte die Stätte Pniel; denn, sprach er, ich habe Gott von Angesicht gesehen, und doch wurde mein Leben gerettet.« (1. Mose 32,31)

Da er die Stadt unmittelbar nach seiner Begegnung mit Gott gründet, muss diese Gottheit auch im unmittelbaren Zusammenhang damit stehen.

Und in der Tat birgt dieser Name eine der größten Überraschungen.

»Pniel« soll nach etablierter Auslegung »Angesicht Gottes« bedeuten, was unzutreffend ist.

Aus arabischer Sicht verraten uns die Aussagen hingegen, dass diese Namensgebung eine der historischsten Momente der menschlichen Geschichte zugrunde lag!

Die Übertragung aus dem mündlich Überlieferten müsste korrekterweise »**Paniel**« heißen.

Dieser Begriff wird dann zur folgenden Bedeutung führen:

Pani´el= »بنى / Bani« = »*Nachfahren des*«
oder »*Nachkommenschaft des*«, also die
Nachkommenschaft, die Kinder des »**El**«.

Die Schreibweise »Pniel« entspricht exakt sowohl der arabischen Aussprache als auch die Schreibweise, da zwischen P und N kein Vokal steht.

Zu welch famosem Ergebnis diese Auslegung führen kann, wird nachfolgend erläutert.

Mit Rahels Heirat unterwirft sich Isaak jenem etablierten Glauben, welcher von Sarai zunächst so entschieden bekämpft wurde.

Doch Virolleauds endgültige Rehabilitierung leistet einer der klangvollsten Namen der Geschichte: Israel.

Und somit kämen wir zu einer der spektakulärsten Definition aus der Sicht der arabischen Sprache!

Der HERR hatte Abraham prophezeit:

»Das sollst du wissen, dass deine Nachkommen werden Fremdlinge sein

in einem Land, das nicht das ihre ist; und da wird man sie zu dienen zwingen und plagen vierhundert Jahre.« (1. Mose 15,13)

Zu einem späteren Zeitpunkt erfahren wir dann im Zusammenhang mit Abrahams Enkel Jakob eine merkwürdige Geschichte:

»*Er* [der HERR] *sprach: Du sollst nicht mehr Jakob heißen, sondern Israel; denn du hast mit Gott und mit Menschen gekämpft und hast gewonnen.«* (1. Mose 32,28)

Welch eine sonderbare Aussage!
Demnach soll die Namensänderung in engem Zusammenhang mit kriegerischen Auseinandersetzungen auf höchster Ebene stehen, da Gott selbst angeblich in die Kämpfe verwickelt war. Doch Jakob ist alles andere als ein Siegertyp.

Der neue Name hat weder mit Jakob noch mit seiner Nachkommenschaft das Geringste zu tun.

Israel besteht ebenfalls aus zwei Begriffen, nämlich

Isra´**el,**

Isra = vom Verb »أسر / as´sara « = binden,

fesseln oder gefangen nehmen,

in Verbindung mit **El** = »*Gefangene des El*«.

Israel ist also entgegen der etablierten Meinung kein Name eines Volkes, sondern eine Bezeichnung für Menschen unbekannter Herkunft, die nach einer gewonnenen Schlacht in die Gefangenschaft gerieten.
Eine Art Kriegsbeute also.
Dieser Umstand erklärt zugleich, warum außerhalb der biblischen Erzählungen so ein bedeutender Name nur ein einziges Mal in den Überlieferungen auftaucht.

Die biblischen und nach ihnen die arabischen Theologen haben die mündlich überlieferte Redensart »**Israel**« irrtümlich als eine durchgehende Bezeichnung für ein Volk verstanden und ihr somit zu unsterblichem Ruhm verholfen.

Diese Menschen, die offensichtlich damals keiner bekannten Volksgruppe und keinem Stamm der Alten Welt zugeordnet werden konnten und deshalb namenlos bleiben, müssen dennoch eine fundamentale Rolle in der menschlichen Geschichte gespielt haben.

Ihre unverwechselbare kulturelle Rolle spiegelt der Umstand wieder, dass »**El**« sie von allen unterlegenen Gegnern voller Stolz als »seine Gefangenen« bezeichnet, und somit die unendliche historische Tragweite dieser Tat hervorhebt.

Ihre Gefangennahme bedeutet einen geschichtlichen und theologischen Wendepunkt.

Diese Stelle markiert somit, ebenso wie die Namensänderung des Jakob, den historischen Moment, in dem die Abrahamiden den heiligen Krieg endgültig verlieren.

Dieses eigenartige Volk dürfte einer der wichtigsten Verbündeten Tharahs im Rahmen seines Feldzuges gewesen sein.

Allerdings erscheint nun die Frage in diesem Zusammenhang als unvermeidlich, wie wohl bei einer solch mörderischen Schlacht des Glaubens ein ganzes Volk oder Stamm in Gefangenschaft geriet.

Die einleuchtende Erklärung hierfür: Sie haben in die Kämpfe nicht aktiv eingegriffen, sondern waren eine Führungsschicht, die geistige und kulturelle Arbeit zu leisten hatten.

Sie bildeten den harten Kern der „himmlischen Wesen".

Das heißt, die Aussagen der Bibel, die von einer Einwanderungswelle der Kinder Israels nach Ägypten, dürften historisch unhaltbar.

Der Begriff »Pniel« unterstreicht diese Annahme.

Die Kombination Israel/Pniel, verknüpft mit Kampfhandlungen mit Gott, würde unweigerlich zu der Annahme führen, dass hinter den Erzählungen der Kern jener historischen Ereignisse steckt, in deren Verlauf das himmlische Volk gefangen genommen und anschließend nach Ägypten deportiert wurde.
Deshalb wurde ja auch der Ort nach diesen historischen Ereignis benannt: »Pniel«.
Zurzeit Jakobs, Abrahams Enkel, befand sich das Volk »Paniel« aber längst in der ägyptischen Gefangenschaft.
Ihre Gefangennahme ist als direkte Folge der großen historischen Schlacht in Negeb zu sehen.

Jakob hat also in diesem Teil der biblischen Überlieferungen überhaupt nichts zu suchen: Diese Geschichte kann nur Abraham zugeordnet werden.
Etwa um 2800 v. Chr. dürfte also die erste historische Verschleppung dieses sonderbaren Volks und deren Deportation an einem anderen Ort stattgefunden haben.
Dass die Gefangenen des »El« 400 Jahre in Ägypten unterdrückt werden, beweist, dass Ägypten zu der fraglichen Zeit zum religiösen Zentrum der damaligen Welt aufgestiegen war.

Doch bevor wir uns mit der ägyptischen Gefangenschaft befassen, soll zunächst eine andere Frage beantwortet werden, nämlich welchen Glauben Abraham ursprünglich einführen wollte.

Die schier unglaubliche Antwort darauf schwingt seit Jahrtausenden in den Gilgamesch-Epen mit, genauer gesagt in dem Namen des Schiffer **Urschanabi**.

»Wer du mit Namen seist, sage mir!
Ich bin Urschanabi, im Dienst des fernen Utnapischtim.
Gilgamesch sprach zu ihm, zu Urschanabi:
Gilgamesch ist mein Name,
Der ich gekommen aus Uruk, dem Haus des Anu,
Der ich umherging in den Bergen,
Einen fernen Weg, den Pfad des Schamach.
Nun, Urschanabi, habe ich dein Antlitz erblickt;
Zeig mir den fernen Utnapischtim!« (Zehnte Tafel, 6 - 13, Verlag Reclam)

Trotz aller unkalkulierbaren Risiken ist Gilgamesch unbeirrbar entschlossen, dorthin zu gelangen, wo »Tharah« herkam.

»Gilgamesch und Urschanabi bestiegen das Schiff,
Setzten das Schiff auf die Wogen und fuhren dahin.
Ein Weg von einem Monat und fünfzehn Tagen
War am dritten Tag ganz zurückgelegt,«
(Zehnte Tafel, 47 - 50, Verlag Reclam)

Was dort geschieht, wohin einst Henoch entführt wurde, ist höchst sonderbar.
Die Lösung dieses Rätsel verdanken wir dem eigenartigen Namen **Urschanabi**.
Urschanabi dürfte einen Urbegriff darstellen, der bereits vor der Zuschaltung des himmlischen Ideogramms »**A**« existiert hat.
Urschanabi besteht aus zwei Begriffen, nämlich

Urscha´nabi

Nabi = »نبی / Nabi´y« bedeutet Prophet oder Gottesbote.

Demnach war dieses eigenartige Wesen ein Prophet und somit Bote des HERRN.
Gleichzeitig untermauert dies, dass der Begriff »Nabi« viel älter ist, als bisher angenommen wird.

Seine Wurzeln reichen wohl bis zu den Anfängen der adamitischen Zeit zurück.

Da er zugleich ein „Schiffer" war, der offensichtlich mit seinem »Schiff« einen Weg von einem Monat und fünfzehn Tagen in nur drei Tagen zurücklegen konnte, gehörte er wohl zu den fliegenden Engeln.

Er beherrscht also genau die gleiche Fähigkeit, die auch Tharah auszeichnet: fliegen!

Somit dürften Urschanabi und Tharah ein und dieselbe Person sein.

Zugleich bedeutet dies, dass Gilgamesch auch seinen »Tharah« hatte.

Doch dies ist nur ein Teil der unglaublichen Lösung: denn der zweite Teil des Namens hat es in sich.

»Urscha/أرشه« leitet sich vom Verb »رشه/Rasch´a« = „**einmaliges Spritzen mit Wasser**" ab.

Demnach ist diese Person ein Napi oder Heiliger, der die Taufe an Gläubigen vollzieht.

Der Vorläufer von Johannes dem Täufer also!

Das heißt, nicht die Sehnsucht nach der Unsterblichkeit beschert Gilgamesch die beschwerlichen abenteuerlichen Reisen, sondern der Umstand, dass er **nur dort** durch die Taufe seine theologische Legitimation erlangen und letztlich in der ihm nach der Weissagung zugewiesenen Rolle eingesetzt werden kann.

Doch der Name beinhaltet weitere Stammbegriffe, die zu Henoch führen.

»رشم/Raschama« bedeutet bei den Kopten, den ägyptischen Christen, sowohl salben als auch »das Kreuzzeichen machen«.

Gilgamesch wurde also, wie vor einem Jahrtausend Henoch, gesalbt.

Bei Henoch hieß es am Ort der Entführung:

»Und der Herr sprach zu Michael: Tritt herzu und entkleide Henoch von den irdischen Kleidern und salbe ihn mit meiner guten Salbe und bekleide ihn in die Kleider meiner Herrlichkeit.« (Die Bücher der Geheimnisse Henoch, Kap. XIX, 10, S. 19, v. G. Nathanael Bonwetsch, Leipzig 1922)

Und bei Gilgamesch:

»Nimm ihn, Urschanabi, bring ihn zum Waschort, Dass er wasche mit Wasser seinen Schmutz wie Schnee!
...
Sein schöner Leib werde benetzt!«
(Elfte Tafel, 239 – 242, Verlag Reclam)

Den Angaben des Gedichts zufolge dürfte Urschanabi in der Tat für die Taufe zuständig gewesen sein.

Demnach vertrat Abraham einen Glauben, den man als Vorläufer des Christentums bezeichnen kann.

All das, was damals an kultischen Gepflogenheiten praktiziert wurde, wie Taufe oder die Religion mit einem Zeichen zu symbolisieren, hat bis zu der Gegenwart überlebt.

Vor allen aber auch, eine Muttergöttin zu verehren.

Dies alles würde allerdings andererseits unweigerlich zu der Hypothese verleiten, dass der Glaube der »El-Gemeinde« aller Wahrscheinlichkeit nach als Vorläufer eines orthodoxen Islam zu gelten hat.

Gilgamesch, der sumerische Abraham, der Gesalbte, der nach der Weissagung Henochs gegen Ende des vierten Jahrtausends vor Christus zu erwartende Messias und Erlöser der Menschheit.

Auch er galt der Legende nach als Sohn der **Jungfrau** Rimat-Ninßun, gezeugt von einem großen Gott.

Demnach können sich die oft verschmähten ägyptischen Kopten rühmen, die älteste Gemeinde überhaupt, die kultische Begriffe aus der Vorzeit im Zusammenhang mit dem Christentum bewahrt hat.

Doch die Rivalität zwischen Urislam und Urchristentum scheint weit in jene Zeit zurückzureichen, als der Mensch sich noch im »Paradies« aufgehalten haben soll.

Denn der erste Brudermord der Geschichte ging einer kultischen Taufe oder Salbung voraus: der des **A**´bel.

Demnach war **A**´bel damit als legitimes Oberhaupt des Glaubens bestätigt worden, der gesalbte »Messias« seiner Zeit also.

Mit dem Auftauchen »Gilgameschs/Abrahams« und »Tharahs/Urschanabis« schließt sich somit ein unglaublicher vorgeschichtlicher Abschnitt der Menschheit.

Henoch wird unter mysteriösen Umständen ins Paradies berufen, wo er gesalbt wird, durch seine Amtseinführung wird dort also eine bereits bestehende zyklische theologische Ära beendet.

Somit verkörpert er das Haupt eines neuen Priestergeschlechtes.

Die Sintflut, in engem Zusammenhang mit Henochs Berufung verknüpft, beendet im mesopotamischen Raum aus zwingenden, aber für uns heute unerklärlichen Gründen ein geschichtliches Kapitel und leitet eine tausendjährige »Zero-Ages-Zeit« ein, nach deren Ablauf ein gerechter Mann geboren werden soll, der die alte theologische Plattform des adamitischen Glaubens wiederherstellen, die Menschheit erlösen und ein tausendjähriges Gottesreich auf Erden errichten soll.

Etwa zu dem vorausgesagten Zeitpunkt taucht gegen Ende des

vierten Jahrtausends v. Chr. eine Gestalt auf, die in sumerischen und somit die ältere Überlieferung als Gilgamesch, in den späteren biblischen Schriften als Abraham bezeichnet wird.

Doch die Legitimation, das Erbe A´bels anzutreten, ist erst dann gegeben, wenn am selben heiligen Ort der erwartete Messias gesalbt und mit dem göttlichen Gewand bekleidet, womit er in sein Amt eingeführt wird.

Gilgameschs Weg zur theologischen Anerkennung und Macht konnte also nur über jenen Ort führen, an dem zuletzt Henoch gesalbt wurde.

Mit Gilgameschs Taufe und Salbung sollte der Weg für einen Glauben geebnet werden, dessen kultische Handlungen als die Vorläufer des drei Jahrtausende später entstandenen Christentums angesehen werden können.

»Gilgamesch / Abraham« – die Mitbegründer des Urchristentums.

Doch wie zuvor A´bel, so wird Gilgamesch die Salbung oder Taufe nichts nutzen.

Inzwischen war »El« mächtiger denn je auf Erden.

Und vor allem grausamer geworden.

So wird Gilgamesch dasselbe theologische Schicksal wie A´bel erleiden.

Dass ausgerechnet Abel in dem theologischen Machkampf hoffnungslos unterlegen und zum Scheitern verurteilt war, lässt mutmaßen, dass das Urchristentum aus einer gewaltlosen Liebes- und Friedenslehre entsprungen war.

Wieso aus der Menschheit mit einer einst gemeinsamen Abstammung zwei unversöhnlich rivalisierende Widersacher Gruppen wurden, lässt sich heute kaum noch ergründen.

Warum also der HERR die Opfergaben von Abel und nicht auch die von Kain gnädig annahm und somit die Feindseligkeit unter den Menschen säte, wird wohl ein dunkler Fleck in der menschlichen Vergangenheit bleiben.

Und würden wir die arabische Definition bei Abrahams Geschichte weiterhin anwenden, so kämen wir sogar in diesem Punkt zu einer völlig paradoxen Situation.

Während aus der Überlieferung um Abraham keine brauchbare Auskunft über seine Gottheit abgeleitet werden kann, so ist mit letzter Sicherheit davon auszugehen, dass Keret wie bereits dargelegt unter der Schirmherrschaft des Gottes »El« gestanden hat.
Um diese Gottheit rankten sich viele Legenden.
So soll der Fruchtbarkeitsgott und Götterkönig der Phönizier u. a. den »Schöpfer der Erde« und »Vater der Menschheit« verkörpert haben.
Wie Götter nun mal waren, so zeugte »El« mit seinen beiden Gattinnen Atirat und Ashera viele Nachkommen.
In Stiergestalt zeugte er aber mit zwei weiteren Frauen die Söhne Shahar und Shalim.
Und gerade dieser Shalim lässt aufhorchen.

Zunächst sei auf den Umstand hingewiesen, dass es nichts Unübliches ist, dass mesopotamische Begriffe ihren eigenen sprachlichen Charakter hatten.
So wird das »S« nicht selten als »Sch« ausgesprochen – eine sprachliche Eigenschaft, die u. a. auch bei den Juden vorkommt.
So wird aus »ist« ein »ischt«, wie es etwa auch der Schwabe zu sagen pflegt.
Demnach dürfte Shalim als Salim identifiziert werden, was auch allgemein anerkannt wird.
Doch der Name Salim kommt auch bei Abraham vor.

»Aber Melchisedek, der König von Salem, trug Brot und Wein heraus. Und er war ein Priester Gottes des Höchsten [...] Und Abram gab ihm den Zehnten von allem.« (1. Mose14,18-20)

Demnach huldigte Abraham letztlich einer Gottheit, die ebenfalls auf den Erzeuger »El« zurückgeht.

Auch die hier angeführten religiösen Sitten und selbst die Höhe der Abgaben an das Heiligtum untermauern neben der Taufe, dass es zurzeit »Abrahams/Gilgameschs« so etwas wie Urchristentum gegeben haben muss.

Was die Stadt Salem angeht, so wurde sie mit Jerusalem identifiziert. Dennoch gibt es immer noch Stimmen, die eine derartige Gleichsetzung infrage stellen.

Auch hier ist die arabische Sprache die einzige Brücke, die zum endgültigen Durchbruch bei der Aufklärung verhelfen kann.

Schalim ist aller Wahrscheinlichkeit nach mesopotamische Mundart, während Salem der ägyptischen entspricht.

Beide Begriffe ergeben allerdings im Arabischen denselben Sinn: »سالم«, von »سلم« = Salima = unversehrt oder wohlbehalten.

Diese Definition würde allerdings letztlich darauf hindeuten, dass die gemeinte Person zu ihrer Wirkungszeit auf eine wunderbare Weise ein Attentat oder Unglück „überlebt" hat.

Die Stadt Salem war dieser Person also geweiht.

Aus dem bisher Erwähnten lässt sich der Schluss ableiten, dass die Gottheit selbst nicht das Problem war, sondern die damit zusammenhängende Glaubenslehre, denn die Gottheit geht ja auf den mächtigen »El« zurück.

Salem war aber kein lebender Gott!

Dass es sich tatsächlich um einen Toten, also den Leichnam einer der historischsten Gestalten der Menschheit, gehandelt hat, belegt nun die arabische Definition des Begriffes »Jerusalem«.

Jerusalem lässt sich in zwei Begriffe spalten, nämlich

Jeru´salem = »سالم يرو«,

Jeru = »يرو« /jaru« leitet sich ab von »يرى« /jara« = sehen
oder erblicken.

Das heißt, dies sei der heilige Ort, an dem die Gottheit Salem in
einem Tempel gesehen oder „besichtigt" werden konnte.
Mit anderen Worten: Sein Leichnam oder Sarkophag wurde dort
aufgestellt.

Diese Auslegung wird von dem in den Amarna Briefen für Jerusalem verwendeten Name bestätigt.

In diesem in den Archiven des Pharao Echnaton (Amenophis IV
1350 - 1334 v. Chr.) in Keilschrift verfassten Dokument wird der
Name mit »**Uru**salem« angegeben.

Uru´salem,
»أرو« / Aru« = »sehen« vom Verb »يرى« /jara« = sehen,
erblicken; in Verbindung mit Salem = »*Salem sehen*«.

Genau dieselbe Definition also, welche hinter »Jeru´salem« steht.

Dieser Umstand findet wiederum seinen Niederschlag in den biblischen Texten:

»*So spricht Cyrus, der König von Persien: Der HERR, der Gott des
Himmels, hat mir alle Königreiche der Erde gegeben, und er hat mir be-
fohlen, ihm ein Haus zu Jerusalem in Juda zu bauen. Wer nun unter
euch von seinem Volk ist, mit dem sei Gott, und er ziehe hinauf nach
Jerusalem in Juda und baue das Haus des HERRN, des Gottes Israels;
das ist der Gott, der zu Jerusalem ist.*« (Das Buch Esra, 1, 2 u. 3)

Diese Gottheit bringt uns zugleich auf die interessante Spur eines

Namens, der zum Inbegriff für ein langes Leben wurde: Methusalem.

Auch in diesem Namen finden wir den geheimnisvollen Salem vertreten.

Methusalem = Methu´salem

Methu = »مت / mattu« = *in Beziehung*
stehen, Verbindung haben.

Die betreffende Person ist somit ein Priester des Höchsten, der unmittelbar mit der Gottheit und deren Kultpflege in Verbindung steht.

Auch hier lässt diese Auslegung erkennen, dass »Methusalem« kein Name, sondern eine Berufsbezeichnung bedeutet.

Sein hohes biblisches Alter von 969 Jahren dürfte also in Zusammenhang mit den von Henoch vorausgesagten tausendjährigen »Zero-Ages« stehen, in denen eine Reihe von Hohenpriestern im Angesicht der Gottheit ihren Dienst ausüben sollten, deren Haupt Methusalem verkörpert.

Wer allerdings dieser heilige und mystische Salem sein soll, dürfte wohl eines der größten Mysterien der Geschichte darstellen.

Sarai, Abrahams Frau, muss das Geheimnis um ihn gekannt haben.

Sarai = »سرى« = leitet sich von »سر / sirr« = Geheimnis,
Mysterium ab und bedeutet »*mein Geheimnis*«.

Sie war also die Bewahrerin oder Trägerin eines großen Mysteriums, deren Spuren nach Ägypten an den Hof des Pharao führten, wo sie sich lange aufhielt.

Und dieses lässt den Schluss zu, dass sie eine führende Priesterin nach mesopotamischem Vorbild war.

Nur so lässt sich erklären, warum der fremde Abraham und seine Frau letztlich direkt in den Gemächern des mächtigen Pharao landen.

Nach dem Scheitern »Abrahams/Gilgameschs« dreht sich nun alles um den Begriff »El«.
Alles Irdische wird mit »El« in Verbindung gebracht, ist seinem Werk oder ihm gewidmet.

Doch zunächst noch einmal zurück zu den Gefangenen des »El«.
Vierhundert Jahre müssen diese ihre Bußzeit absitzen.
Als nach 400 Jahren der »HERR« sein »Volk« in das gelobte Land zurückführen will, hat der Prophet Moses unüberwindbare Schwierigkeiten, die Botschaften des HERRN am Hofe des Pharao vorzutragen.
Er ist der adamitischen, also der arabischen Sprache nicht mächtig. Diese erweist sich für Moses immer wieder als »Gaumenblocker« und seine steife Zunge versagt die Wiedergabe vieler Laute.
A´aron, der Hohepriester aus der alten Priesterriege, ist jener, der die Botschaften des HERRN vortragen kann.

Eine weitere Untermauerung der bisherigen These anzuführen, bedeutet zugleich, von dem Zauber eines der geheimnis- und phantasievollsten Begriffe der Geschichte Abschied zu nehmen, nämlich von dem klangvollen Wort »Pharao«.

Nichts aus unserer Vergangenheit wirkt auf uns so elektrisierend wie der Name dieser sagenumwobenen Gestalten und Begründer einer Epoche am Nil, die einzigartig über drei Jahrtausende hindurch im Mittelpunkt des kulturellen Geschehens gestanden haben.
Dieser geschichtliche Zauber bricht bei der ersten Berührung mit der arabischen Sprache zusammen und schrumpft, zumindest was den Namen angeht, auf ein irdisches Maß.

Pharao heißt auf Arabisch »فرعون= Phara´oun«.
Und gerade dieser arabische Begriff, der unzählige Male auch in dieser Form im Koran vorkommt, stellt bereits in seiner überlieferten Form die Lösung des Rätsels.

Pharao leitet sich von »Phar´ou = فرع« = *Zweige treiben, ableiten, herleiten, Zweigstellen Niederlassung* und auch **Nachkommen** oder **Nachfahre**.

»فرعون= Phara´oun« bedeutet demnach »*unseren Ableger*« oder »*unseren Nachkommen*« bzw. »*unsere Nachfahren*«.

Der Buchstabe »ع = ع« kann neben einigen weiteren arabischen Buchstaben unmöglich vom Gaumen eines Menschen in der sprachlich erforderlichen Reinheit erzeugt werden, der nicht seit seiner Geburt mit der arabischen Sprache aufwächst.
Moses dürfte nicht imstande gewesen sein, den Begriff »Pharao« und ebenso die übrige Botschaft im erforderlichen arabischen Klang auszusprechen, was seine starrköpfige Weigerung erklärt, um nichts in der Welt vor dem Pharao sprechen zu wollen.
Demnach ist die Legende um Moses Kindheit und sein Aufwachsen am Hofe des Pharaos mit den historischen Tatsachen nicht in Einklang zu bringen: Moses ist weder auf ägyptischem Boden aufgewachsen, noch hat er jemals zuvor das Reich der Pharaonen betreten.

Da der Begriff »Pharao/فرعون« auch *Niederlassung* oder *Zweigstelle*, also »*unsere Niederlassung*« bedeutet, könnte er im Zusammenhang mit einem Ort stehen, an dem das aus dem Paradies vertriebene Volk provisorisch eine neue Heimat gefunden hat. Wenn also das Königshaus, vor dem Moses vorstellig werden sollte, einen arabischen Titel führt, dann führt dies unweigerlich zu der Annahme, dass an dessen Hof dieselbe Sprache artikuliert wird.

Dass um diese Zeit die arabische Sprache am Nil etabliert war, belegen weitere Anhaltspunkte aus jener Epoche, die auf die gilgamische Zeit folgte.

Diese Indizien drängen sich geradezu auf während einer der glanzvollsten Zeitalter pharaonischer Herrschaft: dem alten Reich zwischen 2686 und 2181 v. Chr.

Genauer gesagt wird dies zurzeit der Entstehung der Pyramiden während der vierten Dynastie (2613-2498 v. Chr.) am anschaulichsten.

Diese glanzvolle Epoche, welche die berühmten Pyramiden von Gizeh hervorbrachte, dürfte im Zeichen der arabischen Sprache stehen.

Allein der Begriff des Schauplatzes, nämlich »**Gizeh**«, birgt sprachlich die gesamte historische Deutung, die diesen Ort des »**Schreckens**« ausmacht.

Nicht umsonst heißt jenes geheimnisumwobene Wesen, das diese Stätte seit Ewigkeiten »überwacht« , die Sphinx, im Arabischen »Abu el Houl / أبوالهول«, »*Vater des Schreckens*«!

Gizeh (جيزه) leitet sich von dem Verb

»جوز / Gau´z« = u. a. *vorübergehen, Prüfung bestehen* ab.

Und genau dies dürfte den Charakter eines Ortes ausmachen, an den ein sündiges und von seinem Gott abgefallenes Volk deportiert wurde und eine begrenzte Bußzeit abzusitzen hat, die in erster Linie als Prüfung zu betrachten ist.

Auch die Erbauer der Pyramiden tragen samt arabische Titel.

Chufu (griesch. Cheops), der Erbauer der großen Pyramide, = »خوفو« leitet sich von »خوف / Chauf « = *Angst* oder *Furcht* ab.

»Chufu / خوفو« bedeutet also »*fürchtet euch*«.

Man solle sozusagen vor seinem Peiniger in Angst und Schrecken erstarren.

Demnach verkörpert die Pyramide keine kulturelle Glanzleistung, sondern dürfte vielmehr das Sinnbild für unendliches Unglück und Leid unterdrückter Menschen darstellen.

Sie ist schlichtweg das Symbol einer Epoche religiöser Schreckensherrschaft und Züchtigung.

Und dies deckt sich nicht zuletzt mit den Aussagen Herodots, der in seinen Historien behauptet, dass, bevor Cheops regierte, » *in Ägypten die vollkommenste Ordnung und großer Reichtum geherrscht*« haben.

Mit dem Beginn der Regierungszeit Cheops ändert sich die Lage schlagartig:

»*Aber sein Nachfolger Cheops hat das Land ins tiefste Unglück gestürzt. Zunächst hat er alle Heiligtümer zuschließen lassen und das Opfern verhindert. Weiter hat er alle Ägypter gezwungen, für ihn zu arbeiten.*« (II, 124)

Aus Herodots zusammengetragenen Aussagen schimmert durch, dass zu der fraglichen Zeit ein grundlegender kultureller und religiöser Umbruch im Lande stattgefunden hat, bei dem die »Vielgötterei« abgeschafft wurde.

Mit anderen Worten: Der Glaube an eine bestimmte Gottheit wird in Ägypten eingeführt.

Die zweite Pyramide soll Chafre (griesch. Chephren) erbaut haben.

Chafre / خفرع besteht aus chaf´re

»Chaf / خاف = *sich fürchten*«

»re/ ره = der ägyptische Sonnengott Re,

zusammengesetzt: »*fürchtet Re*«.

Die Formulierung „**fürchtet Re**" lässt erahnen, dass wir uns immer noch in einer Zeit der Unterdrückung und Bestrafung befinden, in der der »Gott« Re mit eiserner Hand das Volk unterdrückt und regiert.

Auch dies findet seine Bestätigung bei Herodot:

»*Fünfzig Jahre lang war dieser Cheops König, und als er starb, folgte ihm sein Bruder Chephren auf dem Thron. Der war jenem in allen Stücken gleich und baute auch eine Pyramide [...]*« (II, 127)

Was nun die dritte Pyramide angeht, so soll das politische Geschehens ein völlig anderen Lauf genommen haben.
»Menkaure /منقرع« folgte seinem Vater Chephren um 2532 v. Chr. auf den Thron.

Der Legende nach provozierte Menkaures gütige Regierung die Götter. Diese hatten eine 150-jährige Leidenszeit über Ägypten verhängt, die mit Chufu begann und von Chafre fortgesetzt wurde.
Herodot spricht zunächst von 106 Jahren:

»*Im Ganzen waren es also hundertsechs Jahre, wo die Ägypter so viel zu leiden hatten und die Tempel geschlossen blieben. Die Ägypter hassen diese Könige[...]*« (II, 128)

Dann geschah das Unerwartete:
Mit dem Beginn der Regierungszeit Menkaures, der offensichtlich die Unterdrückungshintergründe bzw. deren Sinn nicht zu erkennen vermag, wurden »*das arg gequälte Volk zu den eigenen Arbeiten und Opfern*« entlassen und die Tempel wieder geöffnet. Alles

in allem wurde Menkaure als «*der gerechteste Richter unter allen Königen*» bezeichnet.

Und doch wird er eigenartigerweise wegen seiner Frömmigkeit bestraft und von »*schweren Unglücksschlägen*« heimgesucht.

Als er sich bei der »Göttin von Buto« darüber beschwerte, dass ein frommer und gottesfürchtiger Mensch für seine guten Taten bestraft wird, erfährt er den Grund:

»[…] *Gerade dadurch verkürze er sein Leben. Er täte nicht, was zu tun seine Pflicht sei. Ägypten müsse einhundertfünfzig Jahre lang bedrückt werden, das hätten seine beiden Vorgänger richtig erkannt, er aber nicht* […]« (II, 133)

Aus der Sicht dieser Legende musste demzufolge der Name Menkaure eine entgegengesetzte Bedeutung im Vergleich zu seinen Vorgängern haben.

Und in der Tat trifft dies zu.

Der Name setzt sich aus

»Menkau´re / منقو ره« zusammen.

»Menkau / منقو« leitet sich aus dem Verb »منق / manaq« = *reinigen* ab, folglich منقو = »*gereinigt haben*«, in Verbindung mit der betreffenden Gottheit: »*seinen Tempel gereinigt haben*«, also die Tempel wurden von dem bis dahin gepflegten Kult gereinigt und für das Volk wieder geöffnet und den Gottesdienst eingeführt haben!

Demnach findet mit Menkaures Regierungszeit ein umfassender Bruch mit den zuvor erlassenen religiösen und politischen Richtlinien statt, die der Unterdrückung des Volkes dienten. Die Legende von einem willigen ägyptischen Volk, das opferungsvoll nur dafür gelebt haben soll, um dem großen Pharao Cheops zu seinem Haus der Ewigkeit zu verhelfen, kann aus dieser Sicht unmöglich die geschichtlichen Fakten wiedergeben.

Demzufolge rücken die Historien des oft verschmähten Griechen Herodot umso mehr an die historischen Wahrheiten heran.

Merkwürdigerweise führen die von den Griechen eingeführten Namen zu derselben Bedeutung.

Cheops = »خبيث / Chepi´s« oder

»خبث / Chops« = *schlecht, böse, boshaft.*

Chef´ren = »خيف / Che´ef (Dialekt)« =

»خاف / Chaf« *fürchten, Angst machen* oder

Furcht einflößen, das heißt also, vor Re solle

man vor Furcht erzittern.

Und selbst der Sinneswandel in der Betitelung nach Chafres Zeit lässt sich trotz des starken Dialekts und der schlechten Aussprache der Griechen aus dem Namen herausfiltern.

Mykerinos = Mykeri´nos

»Mykeri/مقرى« aus dem Stammwort »مقرر/mu´qarrar« =

beschlossen, festgesetzt, also *mein Beschluss.*

»nos = نوس / nous« =

»نسى / nasy« = *vergessen, außer Acht lassen.*

Demnach ergibt sich aus der Wörterkombination »*meinen Beschluss vergessen*« oder »*meinen Beschluss missachtet*«, also genau das, was Herodot darüber berichtet hat.

Dass der Totenstadt Memphis ein Ruf des Schreckens anhaftete, geht ebenfalls aus einem ihrer älteren Namen hervor, nämlich »Men-nefer«.

Der Name Men-nefer leitet sich von der Bezeichnung der Pyramide des Königs Pepi I. (2332 - 2283 v. Chr.) ab.
Das erste Mal tritt uns diese Bezeichnung in einer Inschrift des Begründers der 18. Dynastie, Ahmose (1570 - 1546 v. Chr.) auf.

Men-nefer =

»Men = من / man« = *wer, einer, der*;

»nefer = نفر / nafar« bedeutet *Abneigung, Scheu,*

in Verbindung mit »من« Schrecken einflößen, den wir fürchten,

sinngemäß also »*der Ort, der zu fürchten ist*«;

„*die verbotene Stadt*".

Demnach wird dieser Ort immer noch als eine verbotene Zone eingestuft, welche der normale Sterbliche zu fürchten und zu meiden hat.
Dass die alten Griechen die arabische Sprache einigermaßen beherrschten, lässt sich an einigen Beispielen demonstrieren, die zum Teil in den vorangegangenen Kapiteln erwähnt wurden.
Adonis, Apollo, Aphrodite und Dionysos wurden bereits behandelt und erklärt.

Mykene (Geburtsort Herakles)= »مكان / Makan« = »مكانى / Makani « »*mein Ort*« oder »*mein Sitz*«.

Und nicht selten unterliegen bekannte griechische Personennamen dem gleichen Prinzip.
Die sogenannte Epoche der Reisenden, die Begründungsphase der griechischen Zivilisation also, scheint besonders im Zeichen der Renaissance des Goldenen Zeitalters der arabischen Überlieferungen zu stehen.

Solon = »صلون aus Sollau« = *beten, als Imam*
der Gemeinde vorbeten.

Demnach war er ein führender Geistlicher.

Dies erklärt zugleich, warum er in Ägypten eine ehrenvolle Aufnahme erfuhr und Zugang zu den geheimen Archiven hatte.

Sokrates = Sokrate aus dem Stammwort »ذكر /Saker« = u. a. *Erwähnung, Erinnerung* oder *Gedenken,* also »*der Gedenker*«.

Demnach hatte er die gleiche Funktion, die ein Sufi zu erfüllen hat, nämlich die »Sikr« = die Erinnerung an vergangene Zeiten zu bewahren.

Homer = Ho´mer ,
Ho = Dialekt »هو /Howa« = *Er, es* oder *Mystik*= Gott;

mer= »مار/mar« = *vorübergehend,* aber auch bei den Kopten wird dieser Begriff vor die Namen christlicher Heiliger gesetzt und bedeutet dann: *der Heilige,* also »*er der Heilige*«.

Das heißt, Homers Name bedeutet einfach »*der Heilige*« oder »*Gottes Heilige*« .

Der Höhepunkt der griechischen Epoche und die Reichsgründung beginnen mit der Geburt von Alexander dem Großen. Mit ihm setzt sich die arabische Dominanz weiter fort.

Olymbia, Alexanders Mutter; Olym´bia = »ألم/alam« = *Schmerz, Weh* in Verbindung mit Geburt = *Geburtswehen;*

bia = »بي / Bi´a« = *in mir;* das heißt die »*Geburtswehen in mir*«, was im theologischen Sinne von Gott geschwängert bedeutet und die bevorstehende Geburt eines Gottessohnes bedeutet.

Demnach dürften Legenden, die stets die göttliche Geburt Alexanders betonen und ihn als Heilskönig bekundeten, auf einen historischen Kern zurückgehen.

Dass die hellenische Ära im Zeichen des Arabismus gestanden haben muss, untermauern nicht zuletzt die Titel, welche die griechischen Herrscher über Ägypten zusätzlich zu ihren griechischen Namen erhielten.

Ptolemäus I. bekam den Titel »**Soter**«, was so viel wie »Retter, Heiland« bedeuten soll.

Linguistisch lässt sich diese Deutung allerdings nicht nachvollziehen.

Nur im Arabischen finden wir eine befriedigende Lösung.

Soter = »ساتر/Sater« von Verb »ستر / satara« =
verbergen, schützen, verhüllen oder aber die
Wahrheit verschleiern.

Demnach bedeutete der Titel, dass Ptolemäus der Bewahrer und Träger eines großen Geheimnisses oder Mysteriums war.

Zur fraglichen und während der darauffolgenden Zeit scheint dieser Titel eine sehr wichtige theologische Bedeutung zu haben. Attalos I. (241 - 197 v. Chr.) der erste König von Pergamon, sowie Eumenes II. (221 - 159 v. Chr.) trugen diesen Titel, und ebenso der König des Seleukiden Reichs in Syrien, Bemetrios I.

Welche religiöse Bedeutung dieser Titel hatte, geht nicht zuletzt aus der Tatsache hervor, dass dieser Beiname im Neuen Testament auf Jesus übertragen wurde.

Auch die oft behauptete Verschmelzung griechischer und ägyptischer Götter während der hellenischen Epoche zu »**Serapis**« ist nichts als eine fromme Legende.

Die arabische Definition entlarvt das Ganze als eine rein ägypti-
sche/arabische Angelegenheit.

Serapis besteht aus

Ser´apis

Ser = »سر/sirr« = *Geheimnis, Mysterium* oder *Wahrer;*

Apis ist der uralte ägyptische Stiergott von Memphis.

Demnach handelt es sich **nicht** um eine neue griechische Gottheit,
sondern schlicht um die Fortsetzung und Geheimniswahrung eines bereits bestehenden Kults, der in enger Beziehung zu Apis
und seinen Mysterien steht und seit Urzeiten in Ägypten bezeugt
ist.

Wie Historiker in diesem einfachen Begriff zum Teil griechische
Götter erkannt haben wollen, ist nicht weniger geheimnisvoll als
das Mysterium selbst, das Apis seit Ewigkeiten hütet.

Nachdem Ptolemäus in dieses Geheimnis eingeweiht wurde,
durfte er den höchsten theologischen Titel führen, nämlich Soter,
einen Titel, der auch Alexander und Augustus zuteilwurde.

Dass die Griechen von den ägyptischen Priestern eines der größten Geheimnisse der Geschichte erfahren haben, untermauert die
legendenumrankte Begegnung Alexanders des Großen mit dem
Hohenpriester des Amun-Tempels in Siwa.

Nach dieser Begegnung schrieb Alexander seiner Mutter in einem
Brief, dass er von einem Geheimnis erfahren hatte, das er ihr später persönlich erzählen wollte.

Da er Griechenland nie mehr betreten hat, nahm er sein Geheimnis mit ins Grab.

Bei der Frage, welches Geheimnis dies sein soll, kann man mit
ziemlicher Sicherheit davon ausgehen, dass dieses Mysterium in
enger Verbindung mit dem Apis Stier und seinem Kult steht.

Auch dieses Geheimnis, das Alexander fast drei Jahrtausende

später in Siwa erfährt, muss Abrahams Frau Sarai gekannt haben und demzufolge steht der Name »Sarai« (سرّی/ser´ri = *mein Geheimnis*) mit »Soter« in engem Zusammenhang.

Dass dieser Titel keine Erfindung der hellenischen Zeit ist, geht aus dem Umstand hervor, dass Soter als Beiname griechischer Götter (Äskulap, Zeus) angewendet wird.

Auch während der religiös gärenden Zeit, in der Jesus hervortreten wird, kommen die wichtigsten Begriffe aus dem Arabischen.

Bethlehem, der Geburtsort Jesus, wird von dem Araber »Bayt Lahm« genannt, was allerdings angesichts der eindeutigen Aussprache dieses Begriffes eigentlich »Sprachlosigkeit« bei jedem Arabisten hervorrufen muss.

Bethlehem = Beth´lehem

Beth = »بیت/bait« = *Haus, Wohnung, Zimmer*
oder *Beduinenzelt.*

»lehem« = »لهم/lahom« = *für sie, für die.*
Es handelt sich also um »*deren Haus*«.

Da Bethlehem als die Heimat Davids gilt, muss demnach das betreffende Gebäude als eine der wichtigsten heiligen Stätte eingestuft werden, die auf jene Zeit zurückgeht, als die Prophezeiung über die Geburt des erwarteten Messias in Umlauf war.

Galiläa ist der Ort, von dem der Schwerpunkt des Wirkens Jesus überliefert wird, an dem er seine Jünger wählte. (Apg 1,11; 2,7; Mt 26,69 - 73; 27,55)
Das Arabische liefert die Erklärung, warum dieser Ort eine so zentrale Rolle in der christlichen Geschichte einnimmt.
Galiläa = vom Stammbegriff »جلال/Gala´la« = *Erhabenheit, Größe,*

ist aber in erster Linie Titel des Königs oder Sultans (Majestät) und gilt zugleich als Name Gottes.

Galiläa = »جاليليه /Galili´ia« bedeutet
demnach *die Erhabene, die Göttliche.*

Aus demselben Stammwort ist der Begriff »جلى /Gal´a«, woraus das Wort »انجلى /ingali« = *sich zeigen* abgeleitet wird; im Zusammenhang mit Wahrheit: *herauskommen*, also *enthüllen.*

Und genau hier liegen die Wurzeln des ursprünglichen Namens der »Bibel«, was auf Arabisch »انجيل/Engil« heißt und demnach »*Enthüllungen*« oder auch »*Offenbarungen*« bedeutet.
Also das Gegenteil von »**Soter**«.

Auch der Name Jesus fügt sich nahtlos in diesen Kreislauf ein:
Jesus heißt auf Arabisch »مسيح /ma´sih« = »*der Gesalbte*«.

Wovon dieses Wort abgeleitet wurde, lässt sich eindeutig umreißen.
Das arabische Verb »مسح/masaha« bedeutet wischen, putzen, einreiben, aber auch salben.

Auch der Name Maria führt zu einer interessanten Parallele.
Maria = »مريه/ma´ria« wird entlehnt von der Eigenschaft »مر /murr« = *Bitter* also bedeutet der Name »*die Verbitterte*«.

Und dies erinnert an die ägyptische Göttin Isis, die über die Ermordung ihres Gatten Osiris wehklagte und verbittert war.

Auch Marias Beiname, **Magdalena**, lässt sich aus arabischer Sicht erklären
Magdalena = Magda´lena,

Magda = »مجد/Mag´da« = *rühmen,*
preisen oder *verherrlichen;*

lena = »لينه/lenah« = ägyptischer Dialekt »*uns*«, »*unsere*«;
»*unsere Rühmende*« oder »*unsere Gepriesene*«.

Demnach haben die biblischen Verfasser später den Begriff
»*Magd*« in Verbindung mit der Geschichte Abrahams **falsch interpretiert.**

Die weibliche Person, Ismaels Mutter also, dürfte alles andere als
eine gewöhnliche Dienerin der Sarai gewesen sein.
Sie war vielmehr eine führende ägyptische Muttergöttin, welche
die gleiche theologische Eigenschaft wie die spätere Maria innehatte.

Auch in der jüdischen Welt hat die arabische Sprache ihre unver-
kennbaren Spuren hinterlassen.

Kabbala (= hebräisch qabbalah) soll »Überlieferung« bedeuten.
Dieser Begriff ist arabischer Herkunft und leitet sich von

»قباله/qa´bala« = *Verpflichtung, Vertrag* oder
aber auch von »قبله/qibla« = *Gebetsrichtung,*
ein Ort, auf den alle Blicke gerichtet
sind – so wie die Kaaba in Mekka.

Jesra = von »سرى/sarra« = *anvertrauen.*

Đohar = »ظهر /Z´har« = sichtbar werden, erscheinen,
aber auch offenbaren und enthüllen.

Maschora = »مشوره/maschura « = *Beratung, Rat.*

206

Maschna = »ماش /ma´sche « = *gehen, laufen*, also offenkundig in Beziehung zum Exodus stehend.

Die gleiche Funktion wie Higra im Islam.

Ebenso gibt es kaum einen alttestamentarischen Propheten, dessen Name nicht eine Deutung in der arabischen Sprache findet.

Samuel = Samu´el: »سمو /Samu«= *Erhabenheit, hohe® Rang*, also »*El der Erhabene*«.

Esther = »استر / Aster« von »ستر / satar« = *verdecken, verbergen* oder auch die *Wahrheit verschleiern*.

Demnach war diese weibliche Person eine Hüterin der Mysterien in der Art und Weise einer Sarai.

Daniel = Dani´el = Dani von »دين / din « = *Religion* oder *Glaube*; diese Person bekennt sich also zu der Lehre des »**El**« und ist sein Diener.

„Elohim" soll auf Hebräisch die Mehrzahl des semitischen Gottes »**El**« bedeuten.
Doch »**El**« ist nach mythologischen Gesichtspunkten einzigartig und demzufolge kann es hier dafür **keinen Plural** geben.
Die korrekte Schreibweise dieses Begriffes wird erst durch die arabische Aussprache erkenntlich.
Dabei entstehen automatisch zwei »L« auf der Zunge: »Ellohim«.
Ellohim = El´lohim,
lohim »لهم / lahom« = *für sie, für die* = »*deren Gott*«; „*El ist ihr Gott*".

Demnach entspricht dieses Wort exakt dem arabischen

آل لهم = »Ell´hom«/الاهم«

Somit kann der Übergang zum Islam und zum Begriff »Allah« gebildet werden.

Allah wurde bereits von den vorislamischen Arabern verehrt, jedoch nicht als einziger Gott, sondern als Hochgott, der hinter anderen Göttern wirkte.
Dieser Hochgott, der mit der Kaaba in Mekka in Verbindung stand, wurde häufig einfach als »der Gott« angerufen.
Dieser Begriff ist eng verwandt mit Elohim.

Allah setzt sich aus den beiden Komponenten Al´lah zusammen.

»**Al**« ist identisch mit dem göttlichen Begriff »**el**«.
Lah = »لـه /lahu« = *für ihn, seins*; demnach bedeutet
der Begriff in seiner Gesamtheit sinngemäß
»*Al für ihn*« = »*Gott für ihn*«, »*sein Gott*«.

Im folgenden Kapitel wird die Wurzel dieses Begriffes näher erläutert und begründet, wieso der Name, der Tradition der Gottheit »**El**« folgend, nicht zu »**Ellah**«, sondern zu »**Allah**« wurde.
Ein anderer Begriff aus dem Koran, nämlich die »Sure«(=Abschnitt), birgt auch einen auffälligen Hinweis.

Sure schreibt sich mit »س« am Anfang: »سوره /Sura«.

Eine explizite linguistische Definition hierfür gibt es nicht.
Würde allerdings dieser Begriff mit dem Buchstaben »ص« beginnen, also »صوره /Sura«, bleibt der Klang des gesprochenen Worts identisch, jedoch ergibt sich in diesem Fall ein ganz anderer Sinn, nämlich »*Bild*« oder »*Illustration*«.
Und dies verführt zu einer interessanten These.

Nicht selten wird in der arabischen Tradition behauptet, dass der Koran immer bestanden habe und dass die arabische Sprache 20.000 Jahre alt sei.

Diese belächelten Aussagen würden durch den Begriff »صوره«, also Bild, neues Gewicht erhalten, da es nämlich zur adamitischen Zeit eine bildliche Schrift gab.

Bevor wir zum letzten Kapitel übergehen, sollen einige Definitionen erwähnt werden, die letztlich zu einer auffälligen Schlussfolgerung führen sollen.

Zu den schillerndsten Figuren des Orients gehört zweifellos der Gesetzgeber Hammurabi (1728 - 1686 v. Chr.), König von Babylon aus der ersten babylonischen Dynastie.
Sein Name ist arabischen Ursprungs.

Hammurabi = Hammu´rabi
Hammu = »حمو/Hammu« = *(be)schützen, verteidigen;*
rabi = »ربي/rabi« von »رب/Rabb« = *Gott* oder
Herr Gott = »mein Gott«; zusammengefasst:
»der Beschützer meines Gottes«.

Und selbst der Begriff »Rabi«, der auch im Hebräischen vorkommt, lässt sich in seine ursprünglichen Bestandteile zerlegen.

Rabi = Ra´bi
Ra ist der ägyptische Sonnengott; »bi« = »بي /bi« = »*in mir*«,
also die Gottheit »**Ra**« ist in mir, was als »*mit der
göttlichen Weisheit erfüllt*« gedeutet werden kann.

Folgerichtig wurde dieser Begriff dann als Bezeichnung für Gottesdiener verwendet.
Und gerade dieses Beispiel veranschaulicht die Genialität, die

hinter der ursprünglichen adamitischen Sprache gestanden hat, nämlich – vergleichbar der Stenographie – mit wenigen Buchstaben viel aussagen.

Zarathustra oder Zoroaster (persischer Prophet um 630-550 v. Chr.), beide Namen ergeben den gleichen Sinn.

Betrachten wir zum Beispiel Zarathustra = Zara´thustra:
Zara   entspricht Sara = »سر/sirr« = *Geheimnis* oder *Mysterium*.
Thustra = vom Verb »ستر/satar« = *geheim halten*
oder auch *die Wahrheit verschleiern* =
»استرسر« = »*sein Geheimnis bewahren*« oder
» *der Bewahrer seines Geheimnisses*«.

Zoroaster = Zoro´aster
Zoro = *sein Mysterium, sein Geheimnis;*
aster = von »ستر/satar« = *geheim halten* oder
auch *die Wahrheit verschleiern*; aster = »استر« =
»*ich der Behüter*«, also »*ich der Behüter seines Mysteriums*«.

Akkad war das erste semitische Großreich auf mesopotamischem Boden und wurde um 2350 v. Chr. von Sargon I. gegründet.

Akkad = »عقد / Ak´ad« = *Vertrag, Bund schließen.*

Und selbst die Bedeutung von Karthago (قرتاجه), einer der berühmten Stadtgründungen der Phönizier in Nordafrika, lässt sich mit Hilfe der arabischen Sprache erklären.

Karthago = Kar´thago
Kar = »قر/qarra « = *sich niederlassen, an einem Ort bleiben.*
Thago = »تاج/ta´g« = *Krone*, also insgesamt
»*der Ort seiner Krone*«, in unserem Sprachgebrauch

»sein (Gottes) Aufenthaltsort«, »Gott ist dort Gegenwärtig«.

Und weitere Beispiele können endlos fortgeführt werden.

All das führt schließlich zu einer sonderbaren Schlussfolgerung.
Die Anfänge unserer Kultur, die wir normalerweise mit Adam beginnen lassen, stehen im Zeichen einer Sprache, die dem Arabischen sehr nahekommt.
Ob damals eine Schrift ähnlich der arabischen oder eine völlig andere existiert hat, wird sich wohl niemals aufklären lassen.
Das »Urarabisch«, das den Urahnen der Menschen beigebracht wird, muss jedenfalls damals bereits vorgelegen haben.
Die arabische Tradition hat also in gewissem Sinne recht, wenn sie unbeirrbar anführt, dass die eigene Sprache als göttliche Gabe vom Himmel gefallen sei, da logischerweise das, was Adam zum ersten Mal zu lernen beginnt, nicht auf Erden existiert haben konnte, also kein irdisches Werk sein kann.

Dass seit der adamitischen Zeit Grundbegriffe, deren Sinn wir heute noch zu verstehen imstande sind, in einfachsten Formen die Jahrtausende unbeschadet überstanden haben, bedeutet letztlich, dass der Mensch die ihm gegebene Gabe nicht als Kultur, sondern als göttliche Offenbarung verstanden hat.
Dieses tief verwurzelte Bekenntnis führte dazu, die kulturellen Errungenschaften nicht als Grundpfeiler einer sich stetig entwickelnden Zivilisation zu verstehen, sondern als göttliches Fixum, dessen anfängliche Grenzen niemals überschritten werden dürfen.
Somit schlüpfte der Mensch mehr und mehr in die Rolle des passiven Verwalters einer Botschaft, die er im Grunde nie imstande war, zu begreifen oder deren wahren Sinn zu erkennen.
Der Pfad, zu dem die kulturellen Anfänge führen sollten, erwies sich als Irrweg, bewirkte kulturelle Stagnation und letztlich unversöhnliche Feindseligkeiten zwischen den Menschen.

Und nicht zuletzt nahm das Verhältnis zwischen Mensch und Schöpfung groteske Züge an.

Nirgends auf unserem Planeten ist diese kulturelle Fehlentwicklung so nachvollziehbar wie am Beispiel der gescheiterten pharaonischen Kultur am Nil.
Man mag ihre gigantischen Dimensionen bewundern, ihre denkmalische Hinterlassenschaft als unbegreiflich empfinden. Doch all das kann bei rationaler Betrachtung nicht darüber hinwegtäuschen, dass sie drei Jahrtausende lang uns unbeirrbare kulturelle Verwaltung des Überlieferten und Bestehenden bescherten, anstatt kulturelle Entfaltung und kontinuierliche Fortschritte voranzutreiben.
Viel zu lange wurde sinnlos die geistige und schöpfende Kraft auf mythische und machtlose Gestalten wie Isis oder Osiris fixiert und somit die Gegenwart und letztlich auch die Zukunft stets in eine illusorische nutzlose Vergangenheit zurückverlegt, der Blick stets rückwärtsgerichtet.
Der Ägypter lebte sozusagen, um am Ende ausschließlich »in Osiris« zu sterben und somit »glücklich« im Totenreich zu den Anfängen zu gelangen.
Wer von ihnen nicht um die Gunst der Götter buhlt, findet auf der Schattenseite des Todes kein Heil.

Niemals kam ihnen in den Sinn, aufklärend das Geheimnis oder Mysterium um die Götter zu lüften, anstatt diese bis zu Unkenntlichkeit in immer stärker verschleiernde Gewänder zu wickeln, bis sie zu Tiergestallten wurden.
Und so versanken die Götter immer mehr im dichten Nebel der Vorzeit, wurden unnahbar.

Anstatt bis ans Ende des begonnenen Weges zu gehen, blieben sie bereits an dessen Anfang drei Jahrtausende lang beharrlich stehen.

Die Existenz des Rätsels zu kennen und dieses zu bewahren bedeutete die gesamte Tiefe ihres Lebensinhalts.

Doch dies hatte auch seine „guten" Seiten.

Letztlich war diese Beharrlichkeit der Grundstein dafür, Laute vernehmen zu können, die vor so unendlichen Zeiten in Adams Ohr geklungen haben.

Zugleich führen sie uns auf die Spur eines der größten Rätsel der Geschichte: Was bezweckte der HERR eigentlich mit seiner Sprachverwirrung?

Neuntes Kapitel
Kelmatologie/ كلماتو لوجى
Die Pforte zur Vergangenheit

Mit der Umkehrung der babylonischen Sprache gelang es, einen Teil der adamitischen Laute zu vernehmen und der Eigenart jener paradiesischen Sprache auf die Spur zu kommen.

Pädagogisch gesehen, glich der Garten Eden in etwa dem Niveau eines Kindergartens.

Dass diese simple sprachliche Grundlage auf einer anfänglichen Stufe stehen blieb, also nicht in den späteren Epochen von nachfolgenden Generationen kontinuierlich weiterentwickelt wurde, legt den Verdacht nahe, dass diese „Schule" abrupt ein Ende fand.

Der »*Baum der Erkenntnis*« wurde Adam womöglich zum Verhängnis.

Unsere Vorfahren betrachteten alles, was aus dieser Zeit überliefert wurde, als göttliche Offenbarungen.

Allein diesem Umstand verdanken wir es, dass manche Begriffe in der mündlichen Überlieferung Jahrtausende hindurch aus Ehrfurcht und bedingungsloser Ergebenheit peinlich genau übernommen wurden, selbst dann, als so manche Generation den Sinn des einen oder anderen Begriffs nicht mehr zu verstehen vermochte.

Was die Deutung eines einzelnen Namens bewirken kann, ist frappierend.

Auf einmal wird es dadurch möglich, in geschichtliche Bereiche vorzustoßen und Vorgänge zu durchschauen, die sonst für immer im Verborgenen geblieben wären.

Und mitunter kann die Rückführung eines einzigen Wortes auf seinen ursprünglichen Sinn dazu beitragen, Personen und Handlungen in der ihnen geschichtlich zugewiesenen Rolle und im

Zeitabschnitt zu platzieren und somit zum besseren Verständnis geschichtlicher Vorgänge beizutragen.

Zu Ehren der adamitischen Sprache soll der hier aufgezeigte Weg »*Kelmatologie*« benannt werden.
Kelma »كلمة« bedeutet auf Arabisch »*Wort*«.

Auf diesem Weg war es möglich, in eine der dunkelsten Epochen literarisch einzutauchen.
Auch konnte der tausendjährigen Schweigeperiode der Bibel, die mit Noah begann und mit Abraham endete, ein beachtlicher Teil ihres Schweigens entrissen werden.
Gestalten der Vorzeit, die auf uns abstrakt und unnahbar wirkten, begannen einen Teil der sie umgebenen Schleier abzulegen.
Auch das, was nach der gescheiterten abrahamischen/gilgamischen Mission in Negeb geschah, bekam schärfere Konturen.

Was sich dann danach anbahnte, lässt vermuten, dass die kulturelle Entwicklung auf unserem Planeten durch diesen offensichtlich globalen Glaubenskämpfe einen tiefgreifenden Einschnitt erfuhr, von dem sie sich bis zur Entstehung unseres modernen Zeitalters nicht mehr erholen würde.
Von nun an ist die Menschheit der Willkür skrupelloser Barbaren ausgeliefert, die im Namen des Glaubens die menschliche Rasse unterdrücken und versklaven werden.

Wir pflegen in unseren Geschichtsbüchern den Beginn der sumerischen und die kurz darauffolgende ägyptische Kultur als Meilenstein menschlicher Zivilisation zu betrachten, ein Beginn, mit dem das historisch-kulturelle Zeitalter eingeläutet und die Grundlage unserer heutigen Zivilisation gelegt wurde. Aus der Sicht der hier gewonnenen Erkenntnisse müssen wir diese Ansicht revidieren.

Der eingeschlagene Weg konnte nur in die Irre und Ausweglosigkeit führen, eine scheinbar imposante Kulturwelt, deren äußere Schale stets eine verbrauchte und hohle Ideologie in sich barg.

Der Sumerologe Samuel Noah stellte, wie bereits erwähnt, bei den Sumerern 25 »Erstlinge« in der schriftlich überlieferten Geschichte fest, von denen es kaum einen Zweig gibt, der nicht auch einen Teil unserer heutigen Zivilisation ausmachen würde: Baukunde, Astronomie, Chemie, Medizin und Heilkunde, Rechtsprechung, Philosophie, um nur einige dieser zivilisatorischen Zweige zu nennen.

Doch all das, und ebenso die späteren Errungenschaften im Niltal, hatte eine andere kulturelle Funktion zu erfüllen als die, die wir heute darunter verstehen mögen.

Es waren unantastbar vom Himmel gefallene göttliche Werke, deren Nutzen niemals über das hinausgehen durfte, was die überlieferte Tradition zuließ.

Jedes Werk war sozusagen ein Fixum, eine in sich abgeschlossene göttliche Weisung.

Diese missliche Einstellung schloss jegliche weitere Entwicklung oder gar Widerspruch aus.

Indem nutzlose Götter über die kulturellen Grundwerte und die geistige Freiheit gestellt wurden, hatte der Mensch keinen Spielraum mehr, den womöglich einst im Paradies eingeschlagenen Weg der Erkenntnis weiterzugehen.

Ein Volk, das vor gut sechstausend Jahren astronomisches Wissen schuf, welches bis zum heutigen Tage Gültigkeit hat, dann aber in jedem Orkan oder Blitz das Werk eines der vielen erfundenen Götter vermutete, so ein Volk ist, geistig gesehen, nicht aus seiner Naturhaut entschlüpft.

Und es ist alles andere als töricht zu behaupten, dass ein

Gilgamesch weitaus kultivierter war als alle orientalischen Despoten, die Jahrtausende hindurch nach ihm die Weltbühne betraten.

Eine Kultur bleibt im Grunde genommen von einem Schleier des Geheimnisvollen und Überirdischen umgeben, solange wir nicht imstande sind, ihre Aufzeichnung und somit ihre Botschaften zu entschlüsseln und zu verstehen.

Dieser Grundsatz galt erst recht in Bezug auf das pharaonische Ägypten.

Nach der Entzifferung der Hieroglyphen zerfiel das geistige Erbe der einstigen Herrscher am Nil zur kulturellen Normalität.

Gleichwohl und eigenartigerweise wurden das Mysterium ihrer Götterwelt und das Wesen ihrer Religion immer rätselhafter, umso mehr sie sich unserer Anschauung offenbarten.

Es reichte offensichtlich keineswegs aus, die bildlichen Botschaften bloß zu entziffern.

Zum endgültigen Verständnis der Botschaften fehlte einfach der letzte, alles entscheidende Schritt, nämlich die ursprüngliche Sprache zu bestimmen und sich somit auf die Verständigungsebene der alten Ägypter zu begeben, ihre Gedanken zu lesen.

Namen und Begriffe wurden einfach übernommen, ohne deren Relevanz für die Geschehnisse zu erahnen.

Und so blieben sie stumme Zeugen.

Wie unzertrennlich diese beiden Komponenten für die geschichtliche Forschung sind, wird im Zusammenhang mit dem letzten großen Herrscher Assyriens Assurbanipal (669 - 627 v. Chr.) auf beeindruckende Weise deutlich.

Dieser erbte ein riesiges Königreich, das sich vom heutigen Nordägypten bis Persien erstreckte.

652 v. Chr. hatte er sein Herrschaftsgebiet so weit ausgedehnt,dass es auch das heutige Südägypten und Westanatolien

miteinschloss.

Sein Vater Asarhaddon (Regierungszeit 681 - 669 v. Chr.) hatte bereits den Wiederaufbau Babylons veranlasst.

Seine größten militärischen Erfolge waren sein Einmarsch in Ägypten und die Eroberung Memphis, das er plünderte und zerstörte.

All das stellt gewöhnliche Kost dar, wie sie in jedem normalen Geschichtsbuch zu finden ist.

Doch damit bleiben wir nur an der Oberfläche der geschichtlichen Geschehnisse „schwebend", vermögen nicht tief hinter die Kulissen zu blicken oder die der politischen Handlungen auslösenden Gründe zu erkennen.

Erst mit der einfachen Deutung von Namen oder Begriffen, gesellt sich zu den bestehenden Informationen eine ergänzende Komponente, die Erstaunliches bewirkt.

Mitunter wird zugleich der Rückgriff auf Informationen ermöglicht, die nicht selten den Inhalt unseres Wissens bei Weitem übertreffen.

Allein die Namen dieser beiden Herrscher verraten, dass die Menschheit damals eine in religiöser Hinsicht gärende Zeit durchlebte.

Wer der arabischen Sprache mächtig ist, auf dessen Zunge zergeht nach wenigen Versuchen der richtige Klang der einzelnen Bestandteile der beiden Herrschernamen.

Asarhaddon = Asarhad´don =

»Azhara eldon / ازهر الدين«,

»ازهر / Azhar « = *leuchten, strahlen,*

»الدين/Eldin « = *Religion* oder *Glaube;* was so viel
»ich lasse die Religion in neuem Glanz erstrahlen« oder
»ich lasse die Religion erblühen« bedeutet.

Der Begriff »الازهر / Azhar« findet später Anwendung als Name für die älteste religiös-akademische Einrichtung der Welt, nämlich die Al-Azhar-Moschee, welche um 970 n. Chr. gegründet wurde. Demnach steht diese Dynastie vornehmlich im Zeichen religiöser Gärung und Erneuerung.

Sein Sohn Assurbanipal versuchte dann, die Kontrolle über ganz Ägypten zu erreichen, drang bis in die südlich gelegene Stadt Theben vor.

Seine Herrschaftszeit gilt als der Höhepunkt der assyrischen Kultur.

Assurbanipal soll zu den wenigen antiken Herrschern des Nahen Ostens gehören, die des Lesens und Schreibens mächtig waren. Er ließ durch Gelehrte in der von Sargon II. (Regierungszeit 722 - 705 v. Chr.) gegründeten Bibliothek von Ninive eine bedeutende Sammlung von Keilschrifttafeln systematisch zusammentragen. Sie umfasste didaktische, literarische und religiöse Texte und war vermutlich, ähnlich wie das spätere Alexandrinische, die bedeutendste Bibliothek ihrer Zeit im alten Orient.
Die dort aufbewahrten Zehntausende von Tontafeln sollten das Wissen, die Gebräuche und die Kultur Babyloniens erhalten. Darunter befanden sich auch die **zwölf Tontafeln**, auf denen das Gilgamesch-Epos zusammengefasst war.

Dem Anschein nach blickt demnach eine bedeutende und intellektuelle Persönlichkeit auf uns herab, ein Herrscher, der kulturell gesehen genau das Gegenteil von seinem kriegerischen Vater war. War dies aber wirklich so und wodurch wurde sein plötzlicher Intelligenzschub bewirkt?

Vor allem aber, wie war dies mit seinem barbarischen, brutalen

Betragen in Einklang zu bringen, wo er tausende von Gefangenen bei lebendigem Leib verbrannte, voller Stolz Leichen zu Türmen schichtete, Jünglinge und Mädchen ins Feuer warf und Menschen bei vollem Bewusstsein die Haut von Leibe abzog?
Kann so eine Bestie wirklich ein Hauch von Intellektualität besitzen?

Die Antwort darauf steht in keinem Geschichtsbuch.
Doch mit Hilfe des Arabischen lässt sich dieser Widerspruch erklären.

Dieser Herrscher legte sich später einen zweiten Namen zu, welcher lautet:

Aschur-Bani-**Apli**.

Auf den ersten Blick erscheinen die Unterschiede zum ersten Namen belanglos.
Aus der Sicht der arabischen Sprache birgt der Name allerdings historischen Zündstoff.
Zwischen diesen beiden Namen erstreckt sich das Abbild einer misslichen Weltgeschichte!

Sein erster Name »Assurbanipal« setzt sich aus

»**Assur**´bani´**pal**« zusammen.

Assur = »اسر / as´ser« = *gefangen genommen,*

bani = »بني / bani« = *Nachkommenschaft,*

und **pal** steht für die Gottheit Baal, Sohn des »El«.

Demnach brüstet sich dieser Assyrer namentlich damit, die »*Kinder des HERRN*« gefangen genommen zu haben.
Mit dieser Tat ahmt der Assyrer jenes Ereignis nach, das sich zurzeit »Gilgamesch/Abraham« in Negeb ereignet hatte, als »El« das auserwählte Volk gefangen nahm und nach Ägypten deportierte

– ein historisches Ereignis, aus dem später der Name Israel abgeleitet wird.

Der Unterschied zu damals: Die Gefangenen wurden in umgekehrter Richtung deportiert, nämlich von Ägypten nach Babylon. Somit scheint diese Tat im Mittelpunkt seines politischen Lebens zu stehen.

Doch dieses geheimnisumwobene Volk war alles andere als nur eine gewöhnliche Kriegsbeute!
Dies verrät der spätere zweite Name des Herrschers.
Das Zulegen eines zweiten Namens war im Grunde nicht ungewöhnlich und kommt auch im pharaonischen Ägypten häufig vor.

Genau genommen kann eine Namensänderung nur deshalb erfolgen, weil der Betreffende eine tiefgreifende politische Tat vollbringt, die ihren Niederschlag in dem neuen Titel findet.

Und es ist kaum zu glauben, welche historischen Hinweise nunmehr in diesem Namen stecken.

Aschur-Bani-Apli

Aschur = »أشور/A´schur« vom »شور/schur « =
sich beraten lassen, um Rat fragen.
Demnach bedeutet Aschur »*ich wurde beraten*«.

Der Begriff »**Apli**« ist jedoch die eigentliche Sensation.

«**Apli**/أبلى« ist ein Begriff im ägyptischen Dialekt, welcher im Hocharabischen bzw. in mesopotamischer Mundart »qabli / قبلى« ausgesprochen wird.
Dieser Begriff leitet sich aus »قبلا / qabla« = *vorher, früher* oder *vormals* ab.

Demnach bedeutet der zweite Name wörtlich übersetzt

»ich wurde beraten von dem Volk von früher«,

was letztlich der Bedeutung *»die Kinder von damals sind meine Rat-geber«* gleichkommt.

In einen geläufigen Begriff übertragen, würde man heute sagen:

»Die Kinder Israels sind meine Ratgeber.«

Das Volk, das Assurbanipal gefangen nimmt und nach Ninive de-portiert, ist die Nachkommenschaft jener Völkergruppe, die »El« in Negeb vor mehr als zweitausend Jahren gefangen nimmt.
Demnach hatte dieses eigenartige Volk, um das sich sozusagen die Geschichtsachse drehte, immer noch keinen Namen und kei-nen Bezug zu irgendeinem orientalischen bzw. biblischen Stamm gehabt.
Sie sind eine einzigartige Elite, die sich grundlegend von den üb-rigen Völkern der Alten Welt unterscheiden.
Dort, wo sie sich aufhielten, lag das eigentliche Zentrum der Kul-tur und des menschlichen Wissens.

Zweifellos ist dieses Volk der Erfinder der genialen mündlichen Überlieferung, mittels der die adamitische, also die göttliche Spra-che der ersten Stunde über Jahrtausende hinweg letztlich zu un-seren Ohren gelangte, als würde der Lehrmeister von damals mit seiner eigenen Zunge zu uns sprechen.

Dass statt »q /ꜣ« das »a/ꞽ« am Anfang des Worts= »Apli« ver-wendet wurde, weist, wie bereits erwähnt, eindeutig auf Ägypten und ägyptische Mundart hin.
Demnach geriet dieses Volk erst nach der Eroberung Ägyptens in die Hände des Assyrers.

Erneut werden sie gefangen genommen und woanders deportiert, wo sie am Hofe der neuen Herrscher die geistige und kulturelle Führung übernehmen und für eine Art kulturelle Renaissance und dynastische Überlegenheit sorgen.

Im Rahmen der vorgestellten Theorie ermöglichen demnach die kleinsten Nuancen eines Namens den Rückgriff auf geschichtliche Vorgänge, die nicht einmal aus den betreffenden Überlieferungen hervorgehen.

So ist mit ziemlicher Sicherheit davon auszugehen, dass es Assurbanipals Vater bei seinem Vorstoß in Ägypten bis nach Memphis nicht gelang, dieses Volk gefangen zu nehmen.
Die ägyptische Oberschicht konnte sich zum größten Teil rechtzeitig aus Memphis in den Süden absetzen.
Erst im Rahmen der Eroberung Thebens war es dem Sohn gelungen, dieses Volk zu überraschen und gefangen zu nehmen.

Von nun an war der Herrscher berechtigt, den Titel »**Assur´bani´pal**« zu tragen.

Dieses Volk stellt also eine Art historische »Trophäe« dar.

Und dies würde die Annahme untermauern, dass die Eroberung Südägyptens ausschließlich von der Zielsetzung getragen wurde, dieses Elitevolk gefangen zu nehmen, und nicht, um die assyrische Herrschaft in Ägypten auszudehnen.

Auch der Name Assur selbst lässt viel Raum für geschichtliche Interpretationen.
Ein kriegerisches Volk, dessen Name unter dem Begriff »Assur/اسر«, also »*ich nehme gefangen*« oder »*der Gefangennehmer*«, in die Geschichte einging, kann nur ein aggressives, menschenverachtendes Terrorregime verkörpern.

Assurbanipal war wohl nichts anderes als ein verblendeter religiöser Vollstrecker, der nicht einmal seinem eigenen Namen schreiben, geschweige denn lesen konnte.
In diesem Zusammenhang finden wir bei Jesaja einen interessanten Hinweis darauf:

»Zu der Zeit wird eine Straße sein von Ägypten nach Assyrien, dass Assyrer nach Ägypten und die Ägypter nach Assyrien kommen und die Ägypter samt den Assyrern Gott dienen. Zu der Zeit wir Israel der Dritte sein mit den Ägyptern und Assyrern, ein Segen mitten auf Erden; denn der HERR Zebaoth wird sie segnen und sprechen: Gesegnet bist du, Ägypten, mein Volk, und du, Assur, meiner Hände Werk, und du, Israel, mein Erbe!« (Jesaja, 19,23 - 25)

Diese Textpassage veranschaulicht die Beziehung der einzelnen Völker zum Göttlichen, wobei Assur für das »Grobe« zuständig war.

Andererseits führt uns das Beispiel »Apli« zugleich auf die Spur eines der rätselhaftesten theologischen Begriffe, nämlich »Allah« (s. auch Kapitel 8).
Dieser Begriff ist zweifellos ägyptische Mundart und setzt sich

aus »Al´lah« zusammen.
Al » آل / aa´l« ist der ägyptische Dialekt
für das Hocharabische »قال / qaa´l« =
»gesagt haben« oder *»er (Gott) sprach«*.
Lah = »له / lahu« = *»(zu) ihm«*,
»قال له« = *»sagte ihm«* bedeutet also
»er (Gott) sprach zu ihm« oder *»er verkündete ihm«*.

Offenkundig weist diese Formulierung auf die ersten adamitischen Stunden hin, als die »göttliche« Stimme den Menschen im Paradies die Sprache zu lehren begann.

Aus »قال /qaaʿl« wurde im Lauf der mündlichen Überlieferung unter ägyptischen Einflüssen »آل /aaʿl«, woraus die Gottheit »Al« bzw. »El« abgeleitet wurde.
Auch dies veranschaulicht die tiefe Verwurzelung des Urarabischen in den Anfängen der menschlichen Geschichte.

Anhand der Geschichte des Assyrischen Reichs lässt sich ein weltlicher »Mechanismus« erkennen, der die menschliche Geschichte Jahrtausende in Atem hielt und jede weitere kulturelle Entfaltung bzw. jeden Fortschritt im Keime ersticken ließ.

Zunächst wird ein etabliertes Reich im Orient mit brutalster Gewalt zerstört, um kurz darauf ein neues aufzubauen.

Dann findet die zweite Phase statt, in der eine Renaissance der Kultur stattfindet und das bis dahin mündlich Überlieferte in schriftlicher Form niedergeschrieben wird.
Die dritte Phase besteht darin, ein »reines« und »herrliches« Haus für den Herrn zu bauen und aus dem Überlieferten bestimmte Regeln der Religion zu übernehmen.
Somit ist Gottesreich auf Erden bereitet worden.

Was nun noch fehlt, ist die Erfüllung der alten Prophezeiung, wonach der Gesalbte, also der Erlöser der Menschheit, auf Erden herniederfährt und den göttlichen Thron für »ewig« besteigt.
Diese Phase leitet allerdings allmählich den Niedergang des neu Geschaffenen ein.
Denn am Ende werden alle vorausberechneten Endzeittermine fruchtlos verstreichen.
Schließlich kommt man zu der Erkenntnis:

» *Da der Endzeittermin eingetroffen, der Messias aber nicht gekommen ist, so kommt er auch nicht mehr.*« (Babylonische Talmud, Messias)

Und somit löst sich das Ganze irgendwann auf, geht unter und gerät in Vergessenheit, bis man dann glaubt, einen neuen Endzeittermin erkannt zu haben und die ganze Barbarei von Neuem beginnt.

Ein Wechselspiel, das sich über Jahrtausende erstreckte und hauptsächlich abwechselnd mal in Ägypten, mal in Mesopotamien – einschließlich Palästina – stattfand.

Auch das, was der Hellene Alexander der Große mit der Gründung seines Reiches bezweckte, war nichts anderes als eine theologische »Kopie« dessen, was die assyrischen Herrscher erhofft hatten: im Zeichen endzeitlicher Termine Gottes Reich für immer auf Erden zu gründen.

Bei dem Makedonier lässt sich die ägyptisch-babylonische Rivalität am besten erkennen.

Zunächst gründet er Alexandria, das später zur Kulturerbin der Menschheit aufsteigen wird, lässt sich feierlich in Memphis als Nachkomme der Pharaonen einsetzen und verfügt, nach seinem Tod in der ägyptischen Siwa begraben sein möchte.

Alles deutete also darauf hin, dass Ägypten der Mittelpunkt seines Reiches und Lebens sein wird.

In Mesopotamien bekommt seine Ideologie dennoch aus irgendwelchen unerklärlichen Gründen eine andere Richtung.

Er erfährt etwas Neues, was in dem rivalisierenden ägyptischen Orakel Siwa keine Erwähnung findet.

Es ist nun Babylon mit seinem Turm, das in neuem Glanz erstrahlen soll.

Auch die Epoche, aus der Alexander hervorgehen wird, in welcher die Gründungen so vieler Reiche aufeinanderfolgen und Propheten wie Pilze aus dem Boden schießen, hat sich nicht zufällig ergeben.

Als der gewalttätige Assurbanipal die Pforten des Wissens in

Ninive weit aufstoßen lässt, befinden wir uns bereits in der sogenannten Achsenzeit, die zwischen 800 und 200 v. Chr. von stattfindenden geistigen Prozessen geprägt war und in die auch die wichtige griechische Epoche der Reisenden(ca. 650 - 320 v. Chr.) fiel.

Und es ist kaum zu glauben: Als der grausame Assurbanipal Menschen bei lebendigem Leibe die Haut abziehen und Tausende köpfen ließ, zur selben Zeit wirkte der große griechische Solon, einer der sieben Weisen Griechenlands.
Was unterscheidet einen blutdürstigen Barbaren wie Assurbanipal von dem »zivilisierten« Solon?

Was hat also diesen im Grunde eigentlich »verwirrten« Religionisten dazu bewegt, die adamitische Botschaft so zu missdeuten und die Menschheit in ein dauerhaftes Zeitalter des Chaos und der Barbarei zu stürzen?

Zunächst soll jedoch eine andere Frage beantwortet werden: Hat die arabische Sprache eine Definition für jüdische oder christliche Begriffe im Zusammenhang mit dem Messias?
Die überraschende Antwort lautet eindeutig ja.

Der Islam geht nicht von einem messianischen Gedanken nach christlicher oder jüdischer Vorstellung aus, sondern hier besteht die Erlösung, »*Al Furkan*«, in dem sogenannten Tag des letzten Gerichts, an dem » *sich der Himmel samt den Wolken spaltet, und die Engel werden hinabsteigen. An diesem Tage wird die Herrschaft in Wahrheit allein in den Händen des Allbarmherzigen liegen, und dieser wird Tag für die Ungläubigen schrecklich sein.*« (Koran, Sure 25, 26 und 27)

An diesem Tag des letzten Gerichts, dem Weltuntergangszeichen vorausgehen, soll also eine Abrechnung mit den Menschen im Zusammenhang mit ihrem irdischen Leben stattfinden, bei der die Gläubigen im Paradies, die Ungläubigen für »ewig« in der Hölle verweilen werden.

Es findet also eine Art Ausleseprozess statt, bei dem das »Gute« vom »Bösen« getrennt wird.

Und hier liegt der theologisch gesehen entscheidende Unterschied zum heutigen Islam.

Das Ende der Welt, dem apokalyptische Naturkatastrophen und nicht das Erscheinen eines Messias vorauseilt, kommt sozusagen unverhofft.

Dieses Dogma soll offensichtlich nur einem Ziel dienen, nämlich die Gläubigen bis zu ihrem Tod dazu zu bewegen, ausschließlich in Demut und Frömmigkeit zu leben.

Aber war es immer schon so, dass der Gedanke eines Erlösers dem Islam gänzlich unbekannt war?

Sowohl im Alten als auch im Neuen Testament wird der Messias als Sohn Davids bezeichnet.

In der jüdischen Tradition ist »Messias« der hebräische Name für den prophezeiten Erlöser der Menschheit, dessen Ankunft noch bevorsteht.

Der Messias Gedanke kombiniert das jüdische Ideal eines wiederkehrenden Königs David mit der von Moses verkörperten priesterlichen Tradition.

Wie kam es in der jüdischen und später christlichen Tradition dazu, dass ausgerechnet in Davids Geschlecht den Messias zu erwarten?

Es gibt keinen einzigen nachvollziehbaren theologischen Grund, der dies eindeutig rechtfertigt.

Ebenso lässt sich der Name nicht erklären.

Wenn also die jüdische Tradition keine befriedigende Antwort auf die Deutung des Namens anzubieten vermag, dann liegt die Vermutung nahe, dass man einen mündlich überlieferten Begriff aus alten Zeiten übernommen hat, welcher mit den messianischen

Gedanken in enger Beziehung gestanden haben muss, einen Begriff aus dem Urarabischen also.

Und in der Tat, der arabische Ursprung lässt sich auch hier nicht leugnen.

David setzt sich aus Da´vid zusammen,

Da = »دا« / da´h« = *dieser*, **vid** = »فاد« / fa´d« = *Erlöser*.

An dieser Stelle sei erwähnt, dass die Silbe »**da**« vor einem Namen oder Begriff dieselbe Funktion wie bei dem florentinischen Künstler **da** Vinci oder heute ähnlichen Namen, die mit »**da**« oder »**di**« beginnen.

Zugleich stellen » der, die, das« in der deutschen Sprache eine spätere weitere Übernahme dar.

Hingegen hat der theologische Brauch während der »**El**-Periode«, bei dem die Menschen alles Irdische der Gottheit **El** widmeten, den Einzug von Artikeln wie le, la, les, el und das arabische »ال / el« in unsere Sprache bewirkt.

Die – überflüssigen – Artikel in unseren Sprachen sind also ein religiöses Überbleibsel dieser Epochen.

Da´vid bedeutet also »*dies ist der Erlöser*« oder womöglich ganz einfach »*der Erlöser*«.

Auch die obligatorische Vorstellung vom Erlöser, der vor seiner Berufung in einer idyllischen Welt lebt und fügsam seine Schafe hütet, ist nichts als eine schmückende Erzählung, die der atmosphärischen Romantisierung dienen soll.

Mit der Realität hat dies nicht das Geringste zu tun.

Allein schon die Behauptung, der Erlöser käme aus dem einfachen Volk, steht nicht nur im krassen Widerspruch zu dem messianischen Gedanken, sondern verstößt zugleich gegen sämtliche theologische Grundprinzipien der eigenen Machterhaltung.

Stets erleben wir in den biblischen Texten gewagte Versuche, die

Abstammung einer heiligen Person von einem biblischen Urahnen abzuleiten.

Die Logik zwingt uns also vorauszuschicken, dass der Erlöser aus dem Geschlecht des Priestertums hervorgehen wird.

Würden wir nun Davids Vater aus arabischer Sicht betrachten, so wäre unschwer festzustellen, dass wir uns mitten im göttlichen Kreise befinden, wo alle religiösen Voraussetzungen für eine solche Qualifikation gegeben sind.

David soll der jüngste Sohn eines Schafhirten namens Isai aus Bethlehem gewesen sein.

Und schon haben wir den entscheidenden Hinweis auf die heilige Blattform:

Beth´lehm, ein *„Haus für sie"*, eine religiöse Institution
für die Gläubigen.

Ein Schafhirte würde unmöglich dort hineinpassen, wohl aber ein Gottesdiener, der logischerweise in Hinblick auf die Erlösung ein Priester der »**obersten Kaste**« sein muss.

Und tatsächlich muss Davids Vater all diese Voraussetzungen erfüllt haben.

Isai = »آزي/a´ðey « bedeutet wörtlich
»gegenüberstehen«, » *im Angesicht«* also.

Demnach handelte es sich bei dieser Person um einen Gottesdiener, der seinen Dienst im Angesicht Gottes verrichtete und legitimiert war, das Allerheiligste zu betreten.

In der arabischen Urtradition hat es also den Begriff Messias und den damit verbundenen Gedanken der Erlösung gegeben, doch wurde dies vernachlässigt oder anders aufgefasst.

Auch der gesamte Wirkungskreis um David ist in arabische Begriffe eingebettet.

Nach der Vereinigung der israelischen Stämme wurde Saul (1020 - 1000 v. Chr.) gesalbt und zum ersten König über Israel eingesetzt, an dessen Hof David zum Waffenträger wurde.

Somit trägt ein Israeli zum ersten Mal das Regierungszepter in der Hand über sein Volk.

Der Name dieser Person muss also diese Neuerung wiederspiegeln.

Saul = »زاول / za´wla « = »*Tätigkeit ausüben*«,
»*seinen Pflichten nachgehen*«, also wurde
diese Person in ein wichtiges Amt eingesetzt.

Gleichzeitig muss man von jemandem, aus dessen Geschlecht später der Messias hervorgehen wird, erwarten, dass dieser aus einem strenggläubigen Kreis stammt.

Saul, der Begründer des Königtums bei den Israeliten, ist ein Sprössling aus dem Stamm **Benjamin**.

Und nach arabischer Definition dürfte wohl kaum ein Stamm frommer sein als dieser:

Benjamin = Ben´jamin,
Ben = Bani; *Nachkommenschaft,*
jamin= »يمني/jumani« vom »أيمن/ai´mun« =
(*ich schwöre*) bei Gott und letztlich ist ein »آمن / amen«
nach islamischem Verständnis kein
anderer als ein Gläubiger.

In der heutigen islamischen Welt wird gläubig = »آمن« mit Moslem gleichgesetzt.

Auf Benjamin übertragen würde der Name »*das Geschlecht, das bei Gott schwört*«, in unserem heutigen Sprachschatz also« *das Geschlecht der Gläubigen*«, bedeuten.

Dieses Wort entspricht exakt dem »**Amen**« in der Kirche, mit dem der Gläubige am Ende eines Gebets sozusagen »*bei Gott schwört*«, also das mündlich Vorgetragene bzw. Gepredigte zum eigenen Glauben erklärt.

Diese Formulierung leitete sich aus dem Urbegriff »A´men« her, welcher im siebten Kapitel erläutert wurde.

Das bisher Erwähnte lässt die Schlussfolgerung zu, dass Saul wohl nicht nur als König zu betrachten ist, sondern zugleich auch als Hohepriester: also ein Priesterkönig nach der Tradition Melchisedek.

Dies würde zugleich seine späteren Zerwürfnisse mit dem Propheten Samuel erklären, dem er seinen Aufstieg zu verdanken hat.

Samuels Zorn wurde dadurch erregt, dass Saul sich einiger seiner priesterlichen Ämter bemächtigt hatte.

Sauls Verhalten ist verständlich.

Als Priesterkönig ist er das Oberhaupt des Priestertums.

Was man zu der Zeit unter »Gläubigen« verstanden und welchem Gott ein Gläubiger gedient hat, verrät der Name Samuel = »Samu´el«, welcher im achten Kapitel erklärt wurde.

Wir befinden uns also insgesamt unter der Schirmherrschaft der Gottheit »**El**«.

Dass auch das Christentum in enger Beziehung zur Gemeinde des »El« stand, untermauert u. a. einer ihrer heiligsten Begriffe: »Altar«.

Altar = Al´tar, Al = die Gottheit El,
tar »طلار / ta´r« von »طير / tyr« = *fliegen*.

Der Ort, auf den diese kultische Bezeichnung zum ersten Mal angewendet wurde, muss für die Menschheit einen unauslöschlichen Eindruck hinterlassen haben.

Dort fand vor den Augen vieler Menschen eine sogenannte Entrückung in den Himmel statt. Und wo dies einmal geschah, dürfte wohl erneut eine Landung vom Himmel erwartet werden. Ebenso bedeutet die Entrückung letztlich, dass sich an diesem Ort der „Ausgang" zum Himmel befunden hat.

Die historische Momentaufnahme dieses Ereignisses hat in dem slawischen Henoch-Buch überlebt.

Nachdem Henoch im Paradies u. a. die göttlichen Bücher niederschrieb, kehrt er in Begleitung der Engel zurück, um seiner Gemeinde die himmlischen Bücher als Vermächtnis für kommende Generationen zu übergeben:

» *Als Henoch zu seinem Volk geredet hatte, sandte der Herr eine Dunkelheit auf die Erde* [...] *Und es eilten die Engel und nahmen den Henoch und trugen ihn empor in den höchsten Himmel, wo der Herr ihn aufnahm und ihn stellte vor sein Angesicht in Ewigkeit* [...] *Es eilten aber Methusalem und seine Brüder, alle Söhne Henochs, und* **erbauten einen Altar an dem Ort Achuzan, wo Henoch aufgenommen ward.** *Und sie nahmen Rinder und Stiere und riefen herbei alles Volk und opferten Opfer vor dem Angesicht des Herrn.*« (Die Bücher der Geheimnisse Henoch, Kap. LXVII, 1 - 6, S. 56 - 58 v. G. Nathanael Bonwetsch, Leipzig 1922)

Die Gründungsidee des Altars löst zugleich eine der skurrilsten und primitivsten kultischen Handlungen aus, nämlich das sinnlose Metzeln von Tieren als Opfergabe.

An einem Ort namens »Achuzan« soll also aller Wahrscheinlichkeit nach die Idee von einem Altar entstanden sein.

Einige Tage, nachdem Henoch endgültig in den Himmel entrückt war, beschließen die Ältesten, einen Priester vor dem Angesicht des HERRN für den Gottesdienst zu ernennen.

Die Wahl fällt auf Henochs Sohn:

»Und am dritten Tag zur Abendzeit sprachen die Ältesten des Volks zu Methusalem: Gehe und stehe vor dem Angesicht des Herren und vor dem Angesicht allen Volks und vor dem Angesicht des Altars des Herren.« (Anhang vom Priestertum Methusalems, Nirrs und Melchisedeks, Kap. I, 1, S. 107, v. G. Nathanael Bonwetsch, Leipzig 1922)

Doch Methusalem vermag die eigene Legitimation nicht zu erkennen:

»Und es antwortete Methusalem seinem Volk: Wartet, o Männer, bis der Herr, der Gott meines Vaters Henoch, er selbst sich einen Priester erweckt über seinem Volk.« (Kap. I, 1, S. 107)

Das Volk wartet vergeblich auf eine Entscheidung des Herren:

»Es verharrte aber das Volk eine Nacht vergebens daselbst an dem Ort Achuzan.« (Kap. I, 3, S. 107)

Dann greift Methusalem zu einer Tat, die fortan bei den Gläubigen zu einem ewigen religiösen Brauch wird:

*»Und es **verweilte Methusalem nahe bei dem Altar und betete zum Herrn** und sprach: »[...] Herr der Welt [...] Stelle du auf einen Priester.«* (Kap. I, 5, S. 107)

Methusalems Logik ist plausibel.
Nachdem man am Ort Achuzan eine Nacht lang vergeblich auf eine himmlische Antwort gewartet hat, ist Methusalem nun überzeugt, dass das bloße Verweilen an dem Ort zu keiner Verbindung mit dem Göttlichen führt, sondern dies nur dort möglich ist, wo die Entrückung stattfand, also im Angesicht des Altars.
Nur dort war das mystische Tor zum Himmel zu erwarten.
Heute dürfte jedes Gebet am Altar auf dieses Ereignis zurückgehen.

Doch wo lag dieses geheimnisvolle »Achuzan«, das vor dem Eintreffen der Sintflut von Henochs Söhnen gegründet wurde und als eine der ersten kultischen Stätte zu gelten hat?
Die Antwort darauf ist einmal mehr verblüffend!

Das neu gegründete Heiligtum in Achuzan ist nämlich mit dem Namen eines Hohenpriesters eng verknüpft, der dort nach dem Überleben der Sintflut das Geschlecht des Priestertums gründen wird:

»[...] *dass er sein wird ein Priester der geweihten Priester in Ewigkeit Melchisedek. Und ich setze ihn, dass er sein wird das Haupt den Priestern, die zuvor waren [...] Jener Melchisedek wird sein Priester und König an dem Ort Achuzan [...]«* (Anhang vom Priestertum Methusalems, Nirrs und Melchisedeks, Kap. III, 4 und 5, S. 117, v. G. Nathanael Bonwetsch, Leipzig 1922)

Melchisedek ist demnach Priester und König zugleich an jenem Ort.
Nirr, Methusalems Sohn, soll der Vater des Melchisedek gewesen sein, dessen Geschlecht letztlich auf Seth zurückgeht.
Doch nach der apokryphischen Geschichte hat es einen zweiten Melchisedek gegeben, der gut ein Jahrtausend später das Geschlecht des Priestertums erneuern wird:

»*Und wiederum im letzten Geschlecht wird sein ein anderer Melchisedek [...]«* (Kap. III, 15, S. 117)

Der zweite Melchisedek wird ein Jahrtausend später den Patriarchen Abraham an einem ganz bestimmten Ort begegnen und ihn segnen:

»*Aber Melchisedek, der König von Salem, trug Brot und Wein heraus. Und er war ein Priester Gottes des Höchsten.«* (1. Mose 14,18)

Das vorsintflutliche Achuzan, wo Henoch in den Himmel entrückt wurde, ist mit dem späteren Jerusalem identisch.
Und dies veranschaulicht wiederum, welche fundamentale theologische Funktion Henoch in Wirklichkeit verkörpert.

Dass auch andere theologische Traditionen davon ausgehen, dass
sich in Jerusalem einst der Ausgang zum Himmel befunden hatte,
wird im Islam mit der »*Himmelfahrt*« bestätigt.
So soll nach der Vision der mystischen Entrückung der Prophet
Mohammed vom Erzengel Gabriel von Mekka auf den heiligen
Stein von Jerusalem entführt worden sein, der schon den Altar des
salomonischen Tempels gebildet hatte.
Nach der Überlieferung soll sich dort der Ausgangspunkt zum
Himmel befunden haben, von wo aus der Prophet in die verschiedenen Himmel geführt wurde. (Mohammed und seine Zeit, S. 22, Voll-
mer Verlag)
In der islamischen Tradition finden wir also eine zusätzliche Bestätigung, dass nicht die Stadt Jerusalem selbst als Ausgangspunkt zum Himmel betrachtet wird, sondern genau die Stelle, wo
sich der Altar befunden hat.
Und dies wiederum untermauert die bisher in diesem Zusammenhang erläuterte Definition des Begriffes Altar.

Aus der Sicht dieser Definition werden zugleich die biblischen
Aussagen verständlich, warum Abrahams Weg unausweichlich
nach Salem führt, wo er den Segen des höchsten Gottes empfan-
gen wird.
Abraham besucht jene vorsintflutliche Kultstätte, die von
Henochs Söhnen gegründet wurde und wo auch die Bücher für
den gerechten Mann aufbewahrt werden, der nach 1070 Jahren
geboren wird.
Auch der Name Achuzan fügt sich nahtlos in die hier vorgestellte
Theorie.
Zurzeit Henochs befanden wir uns unmittelbar in der Zeit vor der

Sintflut und zugleich in der **A**-Ära.
Folgerichtig beginnt der Name der gegründeten Stadt mit **A**.

Auch der Name Melchisedek lässt sich deuten.
In der hebräischen Mythologie verwendet man dafür den Namen
» Malki-Zedek«, eine Bezeichnung, die im Arabischen eine ent-
sprechende Erklärung findet.

Malki »ملكى« wird von Malik =
ملك / *König* oder *Monarch* hergeleitet «,
Zedek = »صادق /ßadik = *(er) sagt die Wahrheit*,
zusammen also »*mein wahrheitsverkündender König.*

Somit werden zunächst die Aussagen der biblischen und hebräischen Überlieferungen bestätigt, die neben Melchisedeks Eigenschaft als Priester des Höchsten ihn auch in der Doppelfunktion
als König benennen.
In diese Funktion wird später Saul schlüpfen und gerade durch
die zusätzlichen Befugnisse Zwietracht mit Saulus auslösen.

Doch diese Bezeichnung entsprang einer linguistischen Verwechslung: Melchisedek war zu keiner Zeit ein »**König**«.

»ملك«, gesprochen »Malak«, bedeutet Engel,
und »ملاكى« gesprochen »Malaki« bedeutet »*mein Engel*«.

Nur ein Kenner der arabischen Sprache wäre damals in der Lage
gewesen, den in diesem Zusammenhang mündlich überlieferten
und womöglich auch dialektischen Begriff als Engel zu verstehen.
Der angebliche König von Salem war also niemand anderes als
»*mein Engel der Wahrheit*«.

Diese Formulierung deutet daraufhin, dass hier der HERR spricht
und verkündet, dass jenes geheimnisvolle Wesen sein Engel sei,

welcher die Wahrheit in seinem Namen auf Erden verkündet.
Demnach wurde dieses himmlische Wesen in die Stadt Salem entsandt, um zurzeit Abrahams die göttliche Wahrheit zu verkünden und den alten Glauben zu erneuern.
Seine Begegnung mit Abraham war bereits 1070 Jahre zuvor zurzeit Henoch vorausbestimmt gewesen!

Somit schließt sich der Kreis um Tharah, den fliegenden Engel.

Verwechslung und Fehlinterpretation überlieferte Begriffe führten im Rahmen der messianischen Tradition mitunter zu so manchen Kuriositäten.

Die Berufung Sauls zum Beispiel findet nämlich unter sonderbaren Umständen statt.
Ausgerechnet auf der Suche nach den Eselinnen seines Vaters wurde Saul heimlich von Samuel zum »Fürsten« von Israel gesalbt. (1. Samuel 9,1 - 10,16)

Auch bei Jesus heißt es:

»[…] dein König kommt zu dir, ein Gerechter und ein Helfer, arm und reitet auf einem Esel […]« (Sach 9,9)

Warum wird der Messias ausgerechnet mit dem Esel in Verbindung gebracht?
Wenn man so will, so könnten die Aussagen bei Saul so ausgelegt werden, dass ausgerechnet der Esel, bzw. hier die Suche danach, als Brücke diente, um schließlich zu Samuel zu gelangen.
Der **Esel** ist also ein Bindeglied zwischen dem Berufenen, welcher später gesalbt wird, und demjenigen, der die Legitimation zur Salbung besaß, hier Samuel.
Er führt Saul sozusagen zu Samuel.

Eine einleuchtende Erklärung für diese eigenartige Verbindung liefert einmal mehr die arabische Sprache.

Denn je mehr sich Völker mit der »göttlichen Sprache« beschäftigten und diese für sich vereinnahmten, desto mehr haben sich im Laufe der Zeit linguistische Fehler in der Interpretation so mancher mündlichen Begriffe eingeschlichen.

Viele dieser Gelehrten, zu denen die Juden während der babylonischen Gefangenschaft gehörten, waren der arabischen Sprache nicht mächtig genug, um das mündlich Überlieferte stets korrekt in schriftliche Form umzusetzen.

Dafür ist die arabische Sprache in Bezug auf den Klang des ausgesprochenen Wortes und, wie vorhin dargelegt, die aus ein und demselben Wort abzuleitenden diversen Bedeutungen viel zu umfangreich.

Die Begriffe »Esel« und auch »Kuh« sind zwei Paradebeispiele hierfür.

Die Kuh spielt in den Mythologien eigenartigerweise eine bedeutende Rolle.

So war die kuhköpfige Göttin Hathor eine der bedeutendsten und mächtigsten Göttinnen des alten Ägypten.

Sie wurde oft mit der griechischen Göttin Aphrodite gleichgesetzt.

Spätestens seit der 1. Dynastie ist Hathor als Bat unter Narmer als kuhgestaltige Göttin belegt.

Wie kam diese Göttin ausgerechnet zu ihren Kuhhörnern bzw. Kuhgestaltung und wieso wurde sie überhaupt mit einer Kuh in Verbindung gebracht?

Kuh heißt auf Arabisch »بقره / Baqara«.

Dieser Begriff bestand ursprünglich aus zwei Teilen, nämlich

»باق‎ / baqa« und »ره‎ / rah«,

»باق‎ / baqa« = bedeutet
in Verbindung mit Gott »*ewig*«,
»ره‎ / rah« = der Sonnengott Ra,
zusammengefügt also » *ewiger Ra*«.

Da diese beiden »Zwillingsbegriffe« im Rahmen der mündlichen
Wiedergabe stets in einem Atemzug erwähnt werden, so klingen
sie für den Zuhörer als ein durchgehender Begriff, der exakt wie
»بقره‎«, also Kuh klingt.

Diese Göttin muss demnach in engster Beziehung zum Sonnengott Ra stehen.

Dass die mündlich überlieferten Aussagen über diese Göttin in
engem Verhältnis zur Sonne stehen, geht schon allein aus der Tatsache hervor, dass Hathor die Tochter des Sonnengottes Ra ist.

Demnach haben die alten Ägypter auch ihre linguistischen Ungereimtheiten gehabt, waren alles andere, als wahre Beherrscher der
alten paradiesischen Sprache.

Solche linguistischen Vorkommnisse würden zugleich die Annahme rechtfertigen, dass die Kultur des alten Ägyptens aus
»**zweiter Hand**« war und dass der Sonnenkult bereits lange vor
dem Beginn der ägyptischen Kultur existiert hat, die Götter der
ersten Stunde längst im Reich der Mythen und Legenden entrückt.

Die Umstände bezüglich des Begriffs Esel dürften noch weitaus
bemerkenswerter sein.

Esel heißt auf Arabisch »حمار‎ / Hima´r«.

Auch hier waren es ursprünglich zwei Begriffe, die zum »Esel«
geführt haben; nämlich »حما‎ / Hima« und »ره‎ / rah«.

»حما‎« = *Beschützer*,

»رﻩ« = der Sonnengott Ra, ergibt insgesamt
den Titel »*Beschützer des Ra*«.

Auch in diesem Fall klingt die mündliche Wiedergabe dieser beiden zusammenhängenden Begriffe wie das Wort »ﺣﻤﺎر« = Esel –
was einen unbeholfenen Arabisten quasi zur Verwechslung ein-
lädt, zumal »**Ra**« den Juden jener Zeit wohl kein Begriff war.
Das heißt also, dass die Person, die Saul genannt wird, ein Vereh-
rer des Sonnengotts Ra war.
Und dies erklärt, wieso ausgerechnet er von Samuel gesalbt wird:
Saul und Samuel huldigten dem Sonnenkult und finden deshalb
zueinander.
Dass ausgerechnet der Name »Saul« verwendet wurde, fügt sich,
wie vorhin erwähnt nahtlos in diese Interpretation ein.
Mit seiner Salbung wird er in den religiösen Stand versetzt, »*seine
Tätigkeit auszuüben*«.

Wir haben es also hier in erster Linie und völlig unabhängig von
der engen Beziehung zu »**El**« mit einem Sonnenkult zu tun.

Letztlich würde dies bedeuten, dass die Salbung und der damit
verbundene messianische Gedanke in enger Beziehung zum Sonnenkult stehen würden.

Bevor das Thema »Messias« abgeschlossen wird, gilt es sich vor
Augen zu führen, welche eindrucksvollen Aufklärungsmöglich-
keiten mithilfe der arabischen Sprache erreicht werden könnten.
Es geht dabei um eine der Prophezeiungen, die die Menschheit
lange Zeit in Atem gehalten hat:

»*Siehe, eine Jungfrau ist schwanger und wird einen Sohn gebären, den
wird sie nennen Immanuel.*« (Jes 7,14)
»*Siehe, eine Jungfrau wird schwanger sein und einen Sohn gebären, und
sie werden seinen Namen Immanuel heißen, **das ist verdolmetscht:***

Gott mit uns.« (Matth 1,23)

Die Übersetzung des Namens bei Matthäus offenbart die sprachlichen Schwierigkeiten, mit denen die biblischen Verfasser zu kämpfen hatten.

Immanuel, dieses messianische Zauberwort, besteht aus

Immanu´**el**

Immanu = »أمنا /im´manu« von »آمن /a´mana =

Glauben« bedeutet » *sein Glaube*«,

In Verbindung mit der Gottheit »El« =

» *El ist sein Glaube*« oder » *sein Glaube ist El*«.

Doch einiges spricht dafür, dass diese Wörterkombination ursprünglich »*bei El schwörend*« bedeutete.

Der Messias, auf den die Menschheit wartet und von dem Jesaja spricht, ist also in der theologischen Plattform des Gottes »**El**« fest eingebunden.

Als unvermeidlich erscheint in diesem Zusammenhang nun die Frage, wieso der Gesalbte ausgerechnet mit »El« in Verbindung gebracht wird, einer Gottheit, die einen heidnischen Beigeschmack vermittelt?

Auch hier ist die arabische Sprache nicht um eine Antwort verlegen und führt uns zu den Anfängen der biblischen Geschichte.

Abel, der zu paradiesischen Zeiten als erster Nachkomme der Menschheit geweiht, also gesalbt wurde, dürfte wohl den Prototyp des Messias verkörpern.

In der hebräischen Mythologie, aber auch im Arabischen wird für ihn der Name »**Hebel**« verwendet, der nach hebräischer Auslegung »Atem«, »Eitelkeit« oder »Schmerz« bedeuten soll.

Doch keine dieser Definitionen trifft zu.

Mit Hilfe des Arabischen finden wir die einleuchtende Auslegung hierfür.

Hebel = Heb´el
Heb = »حب/habb « = *Liebe oder Zuneigung;*
in Verbindung mit **El** wörtlich »*liebend El*«.

Dabei spricht einiges dafür, dass die korrekte Formulierung »*von El geliebt*« lauten dürfte.

Demnach hat Jesaja die überlieferte Tradition richtig wiedergegeben, da er erkannt hat, dass der Messias aus den Reihen der El-Gläubigen hervorgehen wird, was der Name aber wirklich bedeutet, hat er hingegen nicht gekannt.

Das Beispiel um den Messias lässt nun die erstaunliche Behauptung zu, dass nicht alles, was Arabisch ist, auch in der arabischen Welt richtig gedeutet und in seinem ursprünglichen Sinn verstanden wird.
Auch die Araber hatten bei der Übertragung des Urarabischen in die eigene Sprache so ihre liebe Mühe und Probleme.
Und nicht selten unterliefen ihnen zahlreiche Irrtümer!

Vieles wurde von späteren Gelehrten übernommen, linguistisch so gut wie möglich gedeutet und, falls unverständlich, nach eigenem Gutdünken in Erklärungen eingebettet, ohne den Versuch zu unternehmen, in die Geheimnisse der Ursprache vorzudringen und sich mit ihr aufklärend auseinanderzusetzen.
Dies wird an einem außergewöhnlichen Beispiel verdeutlicht, nämlich den arabischen Wochentagen.

Als die Araber die überlieferten Begriffe in ihren Sprachsatz übernahmen, gingen sie wohl von fertigen und vor allem göttlich unveränderlichen Worten aus.
Offensichtlich ahnte keiner, dass zusammenhängende Begriffe oft in der Ursprache keine einzelnen, Ganzen Wörter sind, sondern

aus mehreren Begriffen bestehen, die erst, wenn sie in ihre einzelnen Bestandteile zerlegt werden, den ursprünglich angestrebten Sinn ergeben und somit einen tiefen Einblick in vorangegangene Zeiten erlauben.

Dabei enthalten die einzelnen Namen mitunter diverse Botschaften, die uns sogar Einsichten in die ursprünglichen religiösen Gebräuche des **Urislam** erlauben.

Ihre Deutung kommt einer theologischen Sensation gleich.

Die Wochentage lauten:

Sonntag = الأحد / (el-ahad),

Montag = الاثنين / (el-itnene),

Dienstag = الثلاث / (el-thalath),

Mittwoch = الأربع / (el-Arba´a),

Donnerstag = الخميس / (el-chamiß),

Freitag = الجمعه / (el-Guma´a),

Samstag = السبت / (el- ßabat).

Wer die arabische Sprache beherrscht und sich in die einzelnen Begriffe vor dem Hintergrund des bisher Erwähnten hineinvertieft, der wird nicht nur eine Systematik feststellen, sondern auch Mathematik entdecken.

Und die Weihung einer Gottheit!

Die Woche beginnt nach diesem System mit dem Sonntag und zugleich mit einem Zahlenwerk.

Sonntag = الأحد = ال واحد = »El´eins«,

Montag = الاثنين = ال اثنين = »El´zwei«,

Dienstag = الثلاث = ال ثلاث = »El´drei«,

Mittwoch = الأربع = ال اربعه = »El´vier«,

Donnerstag = الخميس = ال خمسه = »El´fünf«.

Das heißt, mit dem Sonntag wird die Aufzählung der Tage eingeleitet, die alle der Gottheit **El** geweiht bzw. gewidmet werden.
Nach dem fünften Tag endet die Zählung der gewöhnlichen Tage.
Der Tag, der auf den Donnerstag folgt, enthält keine Zahl mehr,
sondern hat plötzlich eine bestimmte Funktion.

Freitag = آلجمعه = آل جمعه

جمعه (gum´a) aus dem Verb جمع (gama´a) =
sammeln oder *zusammenführen*, in Verbindung
mit der Gottheit: »*El führt sie zusammen.*«

Dieser Tag gehört also dem Gedenken an Gott, der die Gläubigen
zusammen in sein Haus führt.
Es ist der Tag des Gebetes oder religiöser Besinnung.
Demnach hat es in **Urislam**, ähnlich wie beim Christentum, nur
einen einzigen Tag in der Woche gegeben, an dem an Gott gedacht wird.

Auch der auf den Freitag folgende Tag enthält keine Zahl.

Samstag = آلسبت = آل سبت

سبت / ßabat = *(aus)ruhen.*

Es ist also der Tag, an dem der Mensch ausruht.
Von diesem Begriff leiten die Juden ihren Sabbat ab.

Auch bei den Christen war der Samstag der eigentliche Feiertag,
der dann aber auf den Sonntag verlegt wurde, um sich deutlich
von dem jüdischen Sabbat abzusetzen.

Somit spiegelt die Formulierung der einzelnen Tage die gesamten
religiösen Bräuche der vorislamischen Zeit wieder.

Doch der denkbar einfache Aufbau und die Art der Formulierung erinnern eindeutig an die adamitische »Kinderstube«, als der Mensch im Paradies mit seinen ersten geistigen »Gehversuchen« begann.

Somit haben wir es hier offenkundig mit den Spuren jener Religion zu tun, die den Nachkommen Adams mit auf den Weg gegeben wurde.

Der Urislam entspricht also in diesem Punkt dem Christentum.

Diese Auslegung, die unmittelbar aus den arabischen Wochentagen hervorgeht, erklärt zugleich, warum im heutigen Islam – im Gegensatz zum Urislam – der Gläubige fünf Mal am Tag beten muss.

Die arabischen Theologen müssen wohl damals bei der Einführung des Islam erkannt haben, dass nach fünf Tagen ein Tag folgt, welcher mit geistiger Sammlung und Beten zusammenhängt. Die Zahl fünf spielte also eine wichtige Rolle.

Nach dem Urislam sollten die Gläubigen also am Freitag beten, und zwar nur einmal!

Wann dies sein sollte, verrät ein anderes Wort, dass mit den Tageszeiten zusammenhängt: das Wort für »**Mittag**«.

Mittag heißt auf Arabisch

»ال ظهر / al´ ð ohr« = الظهر«

ظهر = das Verb ðahara bedeutet *sich zeigen,*
erscheinen, zutagetreten; in Verbindung
mit der Gottheit »*El erscheint*« oder » *El zeigt sich*«.

Alles deutet also darauf hin, dass nach dem Urislam das Gebet oder die Versammlung der Gemeinde auf den Freitag beschränkt war, und zwar zu einer Zeit, zu der sich die Gottheit »zeigte«: gegen Mittag.

Aber was hat die Gottheit ausgerechnet mit der Mitte des Tages zu tun?

Auch hier gibt es eine »einleuchtende« Erklärung, die – und wie könnte es anders sein – nach Ägypten führt.

Die Sonne war lange Zeit im alten Ägypten die oberste Gottheit.

Zugleich spiegelte sie den Lebenszyklus eines Ägypters im Laufe eines Tages wider: Die Sonne wurde als Kind am Morgen geboren (Chepre), war am Mittag im besten Mannesalter (Re) und starb dann am Abend als Greis (Atum).
Am Mittag, also für eine kurze und schattenlose Zeit, versinnbildlichte die Sonnenscheibe die Gottheit **Re** in seiner vollkommenen Form.

Gegenwärtig wird theologisch dem Freitagsgebet gegen Mittag eine besondere Rolle beigemessen.

Auch lässt sich die Herkunft der arabischen Begriffe für die religiösen Festtage erklären.

In der islamischen Welt gibt es das kleine Fest am Ende des Fastenmonats Ramadan und das große Fest bzw. Opferfest, das mit dem Patriarchen Abraham zusammenhängt.
Fest heißt im Arabischen »العيد / el´ iyd«.
Auch hier stellt der Artikel **el** den Bezug zur Gottheit her.

ال عيد = العيد

»عيد« vom Verb »عود / oud« = *zurückkehren* oder *wiederkehren*.

Im Zusammenhang mit der Gottheit: »*El ist zurückgekehrt*« oder »*die Wiederkehr des El*«.

Auch der Begriff des Fastenmonats »Ramadan« lässt sich deuten, sodass zugleich die enge Verbindung zum Sonnenkult und letztlich zu dem alten Ägypten besonders hervorgehoben wird.

Ramadan = Ra´madan;

madan = »مدان/maddan« von »مد/madda« =

ausdehnen, in die Länge ziehen, Frist verlängern.

Demnach verlängert Ra die Frist, wohl in Verbindung mit der Enthaltsamkeit in allen Lebensbereichen.

Dass Ra bei diesem Begriff am Anfang und nicht am Ende steht, untermauert die Richtigkeit der Deutung: Ra ist der Tätige, der hier die Richtlinien vorgibt.

Hätte es umgekehrt „Madan´ra" geheißen, würde der Begriff seinen angestrebten Sinn gänzlich verlieren.

Würde man so manche islamischen Begriffe mit derselben Methodik durchleuchten, so würde einiges nicht nur verständlich, sondern sich zugleich von seiner theologisch ursprünglichen Seite offenbaren, die nicht selten bis zur adamitischen Zeit zurückreicht.

Diese Beispiele führen unweigerlich zu der provokanten Hypothese, dass die Araber nicht die Erfinder der arabischen Sprache, sondern lediglich bei der Einführung des Islams ihre Wiederentdecker waren.

Wenn wir nun mit derselben Vorgehensweise andere Gebiete untersuchen, wird vieles in ein anderes Licht der Deutung rücken.

So mag zunächst die Frage, welche Gemeinsamkeit zwischen den Städten Manchester und Münster/ NRW bestehen, auf den ersten Blick als unverständlich erscheinen.

Doch es gibt eine fundamentale religiöse Verbindung: Beide Städte haben bei ihrer Gründung denselben Namen gehabt!

Manchester = Man´chester;

Man = »من/man« = *wer, einer, der,*

Chester = Aster vom Verb »ستر/satara« =
verbergen, schützen, verhüllen oder aber
die *Wahrheit verschleiern.* Zusammengefasst:
»*der, den wir schützen*« oder »*der, den wir hüten*«.

Diese Formulierung deutet darauf hin, dass die Gründung der Stadt mit der Errichtung eines Heiligtums begann.

Münster = Mün´ster,

Mün = Dialekt von »من/man« = *wer, einer, der,*

Ster = »ستر/satar« , ergibt also den gleichen Sinn wie vorhin.

Das religiöse Vermächtnis, worauf sich die Heiligkeit der jeweiligen Ortschaften gründet, dürfte weit zurück in der Vergangenheit liegen.

Dies erklärt auch auf plausible Weise, woher die einheitliche Bezeichnung »Münster« für Dome und größere Pfarrkirchen kommt.

Auch lassen sich aus Städtenamen Rückschlüsse auf deren Gründungszeit ableiten.

Ein typisches Beispiel hierfür dürfte die holländische Stadt Amsterdam sein.

Amsterdam = A´mster´dam.

Die Vorschaltung des »**A**« würde auf eine Beziehung zu der adamitischen Periode verweisen.

»mster« = vom Verb »مستور /mastur« =
verborgen, versteckt oder im Zusammenhang mit

Lebenswandel *einwandfrei, anständig.*

»dam« = »دوم (دام / da´m)« wurde bereits gedeutet:
ausharren, Bestand haben.

Demnach bedeutet der Name in etwa:

»*Gott in alle Ewigkeit schützen*«.

Bei der holländischen Hauptstadt hat sich zugleich die arabische Aussprache in perfekter Form erhalten!

Weitere Beispiele führen zu unvermuteten Ergebnissen – so London und Berlin.

Auf den ersten Blick scheint überhaupt keine Gemeinsamkeit der beiden Namen zu geben.
Doch die »Zerlegung« in einzelne Teile offenbart eine unerwartete Überraschung.

London = Lon´don,
Lon = »لون/loun« = »*für uns*« oder »*unser*«,
don = »دون/doun« = *Religion*, zusammengesetzt
»*unsere Religion*« oder »*unser Glauben*«.

Berlin = Ber´lin,
Ber = Dialekt für »بر / barr « = *Festland* oder *Ufer*,
»lin« = »لين/lyn« = Dialekt für das Wort »لون/loun«,
zusammengesetzt »*unser Ufer*« oder »*unser Land*«.

Das Vorkommen des typischen Begriffes »لون/loun« für Eigentum legt die Vermutung nahe, dass beide Städte während ein und derselben Völkerwanderung bzw. »Diaspora« angelegt wurden.

Dabei ist erneut festzustellen, dass in der Isolation auf den britischen Inseln die korrektere Konservierung der arabischen Laute am besten gelang.

Berlin musste also zurzeit seiner Gründung

»Bar´lon« = »Barlon«

geklungen haben.

Zudem lässt sich daraus schließen, dass die Gründung Londons in erster Linie religiös motiviert, Berlins hingegen überwiegend geistig-kulturell ausgerichtet war.

Wenn von Berlin die Rede ist, so darf auf der anderen Seite die Schwesterstadt Köln nicht unerwähnt bleiben.

Alles deutet daraufhin, dass deren Gründung durch und durch religiös motiviert war, ja Köln ist schlechthin die heiligste „Erde" Deutschland.

Auf einigen Darstellungen des Mittelalters und der Renaissance wurde Köln mit zwölf großen Toren dargestellt, die sich auf das Abbild des himmlischen Jerusalem beziehen.

Daher ergab sich der Begriff »Sancta Colonia« und »dat hillige Coellen«.

Und gerade der Begriff »Coellen«, das einen ähnlichen Klang wie das französische Cologne hat, birgt eine der größten theologischen Überraschungen in sich.

Coellen = Coel´len;
Coel = Dialekt von »قال/qaa´l« *sagen*,
Len »لين« = Dialekt von »لون/loun« *für uns*,
in diesem Zusammenhang »*zu uns*«,
insgesamt also »قال لون/qaal- loun« = »*(er) sagte uns*«,
letztlich »*(Gott) befahl uns*«.

In diesem Begriff treffen wir auf die gleiche Wortkombination wie vorhin bei »قال له (Gott) *sagte ihm*«.

In der Rheinmetropole hat also dieser Begriff der ersten Stunde in der hocharabisch gesprochenen »ق/q - Form«, also »قال/qaa´l« und nicht »آل/aal«, über Jahrtausende hinweg überlebt.

Somit besitzt der Name der Stadt Köln in seinen ursprünglichen Bestandteilen dieselben Grundwurzeln, die in Arabien zum Wort »Allah« geführt haben!
Zugleich bedeutet dies, dass die Gründung der Stadt am Anfang einer sogenannten Religio-Epoche erfolgte, während dessen die Schrift und die Religion von Neuen erwachsen wird.
Der Anfang einer neuen Epoche setzt zugleich voraus, dass eine tausendjährige Zero- Adges zu Ende ging.
Wir befinden uns demnach aller Wahrscheinlichkeit nach in der ersten Hälfte des dritten Jahrtausends v. Chr.

Und mit der Bezeichnung »Dom« finden wir eine weitere Komponente einer religiösen Blattform, die in unmittelbarer Beziehung zum Namen »A´dam« steht.
Kein Wunder also, wenn die christliche Gemeinde dieses bedeutenden Bauwerks des christlichen Abendlandes u. a. in Verbindung mit dem Sonnenkult gebracht wird.

Wie ist dieser Name zu verstehen, aus dem im Laufe der Zeit allmählich die Bezeichnung für eine ganze Stadt abgeleitet wird?

Am verständlichsten in diesem Zusammenhang dürfte der Name des nördlich von Theben am östlichen Nilufer gelegenen Dorfs »El-Amarna« dienen.

Nachdem Echnaton (1350 - 1334 v. Chr.) den Glauben im alten

Ägypten auf die Anbetung des Sonnengottes beschränkte, errichtete er seine neue Residenz »Achet-Aton« im Süden des Landes in der Nähe des heutigen Dorfes »El-Amarna«.

Amarna = vom Verb »أمر/Amara« = *befehlen*, »*er befahl*«, es ist „*Gotteswille*" also.

Das heißt, dass die Gründung dieses heiligen Ortes auf »*Gottes-Befehl*« erfolgte, anschließend als Ortsname diente, um die Beziehung zum Göttlichen hervorzuheben.

Nach dem gleichen Prinzip wäre der Satz »قال لون/qaa´l-loun« zu bewerten, nämlich dass die Gründung der Stadt auf »*Gottes An-weisung*« oder Willen erfolgte, womit die tiefe Religiosität zu erklären wäre, die stets an dieser Stadt anhaftete.

Auch die Gründung der Stadt Dresden lässt sich in diesen Kontext einordnen.

Dresden = Dres´den; Dres =
»درس/darasa« = *studieren*,
den = »دين/din« *Religion*; demnach bedeutet
der Name »*die Religion studierend, lernend*«.

Demnach hat die Gründung der Stadt Dresden mit der Errichtung einer bedeutenden theologischen Schule ihren Anfang genommen.
Als weiteres und zugleich letztes Beispiel für Städtenamen soll die Ruinenstadt »Petra« im Ostjordanland Erwähnung finden, zu deren markantesten Bauwerken die etwa 40 Meter hohe Schatzkammer des Pharaos zählt.
Wieso diese antike Stadt mit einem Pharao in Verbindung gebracht wird, kann nicht mit letzter Sicherheit plausibel erklärt werden.

Die Deutung des Namens bringt allerdings die Gewissheit, dass es sich tatsächlich um eine pharaonische Gründung handelt.

Petra = Pet´ra;
Pet = »بيت /bait « = *Haus* oder *Wohnung*,
also dieser Komplex sei die Wohnstätte
des Sonnengott Ra »*Haus des Ra*«.

Auch warten einige Flüsse mit so manchen Überraschungen auf, so zum Beispiel der Rhein.

Rhein = »ray´yen /راين« von »ريان /ray´yan« =
mit Flüssigkeit gesättigt, üppig.

Somit erhielt der Fluss einem Namen, der mit einer seiner typischen Eigenschaften zusammenhängt, nämlich der Überschwemmung.

Der Nil verrät hingegen eine schier unglaubliche Geschichte.

Nil = »النيل /el Nyl«, **el** =das göttliche Zeichen,
»نيل /nyl« von »نال /nala« = *geben, schenken, gewähren.*
In Verbindung mit der Gottheit **El** = » *Geschenk des El*«.

Diese Auslegung würde dem berühmten Zitat Herodots widersprechen, der sinngemäß meinte, dass Ägypten das Geschenk des Nils sei, was sicherlich geografisch gesehen zutreffend sein mag. Wer allerdings wem etwas schenkte, dies hat Herodot jedoch verwechselt. Denn die korrekte Auslegung des Namens würde ergeben, dass der Nil vielmehr ein Geschenk der Gottheit El an Ägypten war und nicht umgekehrt.
Dass Herodot in diesem Zusammenhang das Wort »*Geschenk*«

verwendete, belegt allerdings, dass er die arabische Sprache und somit die Bedeutung des Begriffs kannte, und erklärt zugleich, wieso er sich im gesamten Nahen Osten auf eine beinahe schon wissenschaftliche Weise verständigen und somit eine außergewöhnliche Informationsdichte zusammentragen konnte.

Warum der Begriff »ray´yen/راين« für den Nil nicht zur Anwendung kam, obwohl dieser Begriff am ehesten dazu passen würde, wird durch eine Erklärung Herodots verständlich:

»[…] *Min, der erste König von Ägypten, hat, wie die Priester erzählen, den Nil abgedämmt und die Stadt Memphis gegründet. Der Strom ging damals längs des Sandgebirges an der Seite von Lybien; Min aber schuf hundert Stadien oberhalb von Memphis durch Dämme die Biegung des Stromes, trocknete das alte Bett aus und leitete den Strom in die Mitte der ägyptischen Ebene* […]«* (Herodot, II, 153 und 154)

Demnach soll der Fluss durch Menschenhand einen anderen Verlauf bekommen haben, und zwar mitten in die Ebene Unterägyptens hindurch bis zum Mittelmeer.
Folgerichtig wäre die Aussage zutreffender, wonach nicht Ägypten, sondern der Nil ein Geschenk an das pharaonische Land war, weil es den Fluss damals in diesem Landstrich nicht gab.

Der Name des Nils führt uns zugleich nach Sumer zu einer seltsamen Spur des allmächtigen Länderherrn und Schöpfungsgottes Enlil.

Nach dem sumerischen Schöpfungsmythos soll Enlil unter anderem Himmel und Erde getrennt haben, eine markante Aussage, die auch Allah im Koran zugeschrieben wird.
Seit der frühdynastischen Zeit zu Beginn des 3. Jahrtausends v. Chr. stellte die Stadt Nippur ein wichtiges religiöses Zentrum der sumerischen Stadtstaaten dar.

Im Mittelpunkt des Geschehens stand der Enlil-Tempel, in dem die Krönung der Könige stattfand.

Auch in nachsumerischer Zeit bis hin zum Neubabylonischen Reich blieb Nippur eine Stadt mit überregionaler Bedeutung.

Und gerade der Name dieser bedeutenden Gottheit führt zu einer verblüffenden Erkenntnis: In ihm steckt sozusagen »der Nil«!

Enlil = Enl´il,
»il« stellt eine weitere sprachliche Form für »El« dar,
Enl = »انل /anl« leitet sich vom Verb »نال /nal« =
geben, schenken, gewähren ab,
die Kombination bedeutet also » *schenkender El*«
oder »*gebender El*«.

Wir finden also bei ihm dieselbe Wortkombination wie bei dem Begriff »El-Nyl« - der Nil.

Und er ist dieselbe Gottheit, von dem es in der epischen Erzählung »Enmerkar und der Herr von Aratta« heißt:

»*Enlil priesen sie in einer einzigen Zunge.*«

El, dessen himmlisches Tor zu der fraglichen Zeit »Babylon« war, dürfte kein anderer als jener sein, der die babylonische Urkatastrophe ausgelöst haben soll.

Und somit kehren wir zum Ausgangspunkt des Buches zurück. Doch inzwischen mit wesentlich besseren Aussichten auf Aufklärung der Geschehnisse.

Um einen Umriss von dem Auslöser der Katastrophe zu erhalten, müssen wir zunächst das Rad der Geschichte gut anderthalb Jahrtausende vorwärts drehen, nämlich bis zur Regierungszeit jenes Echnaton.

Als der Pharao noch Amenhotep IV. hieß, übernahm er nicht nur eine der damals bedeutendsten Großmacht im Vorderen Orient, sondern auch ein Land, das gerade eine wirtschaftliche Blütezeit voller Wohlstand durchlebte.

Die radikale Einführung seines Glaubens, welcher sich nur noch an dem Sonnengott Aton orientierte, bedeutete nichts anderes, als dass alle anderen und seit langem etablierten Gottesdienste verboten und deren Tempel und Kultstätten geschlossen wurden.

Eine solche weitreichende religiöse Umwälzung kann nur unter Anwendung von Staatsterror und einem gewaltsamen Einsturz der bisherigen Machtstruktur erfolgen.

Eine ähnliche Situation erlebte Ägypten zur Zeit der Machtergreifung der Pharaonen der vierten Dynastie, vor der in Ägypten laut Herodots Recherchen *»die vollkommenste Ordnung und großer Reichtum geherrscht«* hat. (Herodot, II,124)

Diese »kapitalistischen« Züge gepaart mit paradiesischen Lebensumständen könne nur in einem Staat gedeihen, in dem Religion zur Nebensache degradiert wird, wo das Individuum geistige Freiheit genießt und auf »Augenhöhe« mit den Göttern lebt und denkt.

Nach der Machtergreifung des Tyrannen Cheops stürzte die Grundordnung des Staates schlagartig *»ins tiefste Unglück«*, Terror und Unterdrückung bestimmten den Alltag.

Zu diesem radikalen Umsturz gehörte in erster Linie, alle Heiligtümer zu schließen, Gottesdienste und das Opfern zu verbieten.

All dieses Unheil und Unglück der Ägypter resultierten im Grunde aus einem einzigen, aber radikalen Schritt: **der Abschaffung der Religionsfreiheit.**

Mit anderen Worten: Bei Cheops finden wir die gleiche kultische Plattform wie bei Echnaton, wenn auch offensichtlich in wesentlich radikaleren Formen.

Dass den Ägyptern zu jener Zeit die Abschaffung der Religionsfreiheit mit Gewalt aufgezwungen wurde, beweisen die Titel der beiden ersten Herrscher: »Chufu« = *»fürchtet euch«* und Chafre =

»fürchtet Ra«.

Diese Formulierung drückt das Missverhältnis zwischen Bevölkerung und etablierter Gottheit aus, das ausschließlich auf Bedrohung, Angst und Einschüchterung beruht.
Die religiöse Lehre Cheops, die dem unterdrückten Volk »eingehämmert« wird, ist demnach eine intolerante und despotische Glaubensrichtung, aus der später alle drakonisch und archaisch orientierten Religionslehren hervorgehen werden.

Die Glaubensplattform hingegen, die von Cheops mit brutaler Gewalt zum Umsturz gebracht wird, ist demnach der gegenteilige Kult, der in Ägypten häufig zum Tragen kam und den wir irrigerweise als Götzendienst bezeichnen.
Es ist der Kult der »**tausend Götter**«, bei dem die einzelne Gottheit in der Vielfalt der Götterwelt hoffnungslos untergeht, ihre göttliche »Unschuld« verliert und zu einer von vielen degradiert wird.
In dieser Gesellschaft ist Gottes Macht neutralisiert.
Mit anderen Worten, es herrscht Religionsfreiheit, und mit ihr gedeiht ein Kulturmensch, der nicht in ein theologisches Korsett eingezwängt und mit drakonischen Strafen zur Verehrung einer Gottheit gezwungen wird.
Und letztlich steht die Religionsfreiheit am Ende eines gesellschaftlichen Entwicklungsprozesses, in dessen Mittelpunkt geistige Freiheit und Demokratie sich längst etabliert hatten. Denn Toleranz gegenüber Andersdenkend ist nichts anderes als der Ausdruck tief verwurzelter Demokratie und Friedensliebe.
Und sobald sich diese staatlichen bzw. gesellschaftlichen Grundwerte an einem Ort konstituieren, ist das monotheistische »Gottesreich« hoffnungslos unterlegen.
Aus diesen Staatsstrukturen werden immer wieder gewaltlose Religionslehren hervorgehen, zu denen die Mystiker des Islams, die Sufisten und ebenso die Kopten gehören.

Das heißt, dass mit Cheops' Machtergreifung während der vierten Dynastie in Wahrheit die Zerstörung und Zerschlagung der bis dahin blühenden pharaonischen Kultur eingeleitet wird. Eine sogenannte »Zero-Adges« setzt ein.

Und genau der Beginn einer solchen Periode löst die babylonische Urkatastrophe aus.

Dies bedeutet, dass zwischen dem ersten Erscheinen des wohlgesinnten HERRN nach Vollendung der Stadt (Genesis 11,5 - 6) und dem zweiten (Genesis 11,7 - 9), das zu ihrer Zerstörung führte, eine lange Periode fruchtbarer kultureller Entfaltung geherrscht hatte, die letztlich und folgerichtig zur Entstehung von Religionsfreiheit geführt hat.

Und genau in diesem Punkt lag die Gefahr, die den »HERRN« auf den Plan rief!
Wer den biblischen Mythos um Babel den bisherigen Ausführungen folgend aus einem anderen Betrachtungswinkel analysiert, der kommt zwangsläufig zu einer unvermuteten Schlussfolgerung: Weder die imposante Stadt noch der in dem Himmel hineinragende Turm können die Katastrophe ausgelöst haben. Die Anlage wurde, wie bereits geschildert, zunächst in ihrer Gesamtheit von dem HERRN »abgenommen« und für gut befunden.
Das heißt, Babylon fiel aus einem anderen Grund in Ungnade, wobei seine Zerstörung sich zwangsläufig ergeben hat.

Der HERR verfolgte ein ganz anderes Ziel, nämlich die Menschen ihrer einstigen gemeinsamen Sprache zu berauben, denn es heißt ja in der Bibel nicht: Lasst uns die Stadt und den Turm zerstören, sondern ausdrücklich: »*Wohlauf, lasset uns herniederfahren und dort ihre* **Sprache verwirren**, *dass keiner des anderen Sprache verstehe!*«
(Genesis 11,7)

Die Sprache war also einzig und allein das Ziel des Anschlages, um durch die so gestiftete Sprachverwirrung den Menschen daran zu hindern, sich weiterhin gegenseitig mit einer Sprache zu verständigen.

Da in dem Mythos ausdrücklich von einerlei Sprache die Rede ist, so kann hier nur die göttliche und anfänglich von Adam empfangene Sprache gemeint sein.

Aber was hat diese paradiesische Sprache so gefährlich gemacht?

Es ist die ewige Angst der selbst ernannten Religionisten vor der Wahrheit ihrer »*Wahrheit*« zu allen Zeiten.

Denn das Zeitalter, das die babylonische Gemeinde entfesseln wird, muss bei Weitem jede intellektuelle Stufe übertroffen haben, die jemals in der späteren ptolemäischen Stadt Alexandria erreicht wird.

Und förmlich eilten die Babylonier einem zivilisatorischen Zeitalter entgegen, das die Aussagen des HERRN bei Weitem übertrifft, als er nach der Vollendung der Stadt weissagte:

»*[...] und dies ist der Anfang ihres Tuns; nun wird ihnen **nichts mehr verwehrt werden können** [...]*« (1. Mose 11,6)

Vor allem aber stand die babylonische Epoche im Zeichen der Wiederentdeckung und Wiederherstellung der adamitischen Sprache.

Und gerade hier lag der Stein des Anstoßes.

Die adamitische Sprache zu verstehen bedeutet zugleich, in die Geheimnisse der ersten Stunden einzutauchen und allmählich das zu begreifen, was damals wirklich geschah, als die »*Götter*« unter den Menschen weilten.

Und es ist vor allem der Schlüssel zu den Mysterien und zum Wesen der Götter – also genau das, was ein »*Soter*«, eine »*Sarai*« oder ein Priester des Höchsten seit ewigen Zeiten zu verschleiern versuchte.

Es galt also den Strom der seit Adam fließenden mündlichen Überlieferungen zu »**verwirren**«, das heißt unkenntlich zu machen.
Und hierfür gab es nur einen einzigen Weg, von dem die hebräische Mythologie zu berichten weiß:

»[...] *Gott sprach dann zu den siebzig Engeln, die Seinem Thron am nächsten waren, und sagte: ›Wir wollen hinuntergehen und ihre Sprache verwirren und aus einer siebzig machen!‹«* (Hebräische Mythologie, der Turm zu Babel)

Nicht die Babylonier selbst waren also das Ziel der sprachlichen Verwirrung, sondern jenes 70er-Gremium, das seit Adam die Überlieferungen von einer Generation zur nächsten im Gedächtnis bewahrte: Die sogenannten Ältesten des Volkes, in deren Gehirn der ewige Strom der Erkenntnis floss, waren Ziel der Strafaktion.

Ihre Zerstreuung in alle Winde bedeutete wohl, dass ein »**Werk**« in seiner Gesamtheit zerstückelt und somit seines inhaltlichen Gehaltes und seiner Bedeutung beraubt wird.
Das Überlieferte wäre nicht mehr zu begreifen und somit nicht mehr zu deuten!

Mit der babylonischen Urkatastrophe galt es also, das göttliche Mysterium zu wahren, die Menschen aus ihrer Heimat zu entwurzeln, damit sie allmählich in der Fremde die adamitischen Laute nicht mehr verstehen könnten und somit das himmlische Rätsel im Verborgenen bliebe.

Und gerade hier liegt der historische Unterschied zwischen einem nachforschenden Philosophen wie Solon einerseits und einem verschleiernde und menschenverachtenden Barbar wie Assurbanipal andererseits.

Doch Terror und Unterdrückung vermochten nie die menschliche Sehnsucht nach Freiheit und Wissbegier seit der Vertreibung aus dem Paradies gänzlich auszulöschen.

Die babylonische Urflamme fackelte im menschlichen Geist unverdrossen fort.

Und mit ihr überlebte die adamitische Sprache, deren Nachhall wir allmählich zu vernehmen und zu verstehen beginnen.

Zehntes Kapitel
Arabisch
Vom Himmel gefallen

Nach islamischem Verständnis hat Allah über den Erzengel Gabriel sein Wort dem Propheten Mohammed in arabischer Sprache offenbart. Zunächst war der Prophet offensichtlich der Meinung, er habe lediglich seinen Landsleuten ein heiliges Buch in klarer arabischer Sprache verkündet (Sure 42,7) – so wie Juden und Christen schon heilige Bücher in ihren Sprachen besaßen (Sure 46,12).

Später war er der Überzeugung, ein Gesandter für die gesamte Menschheit zu sein (Sure 34,28).

Offensichtlich wurde nach und nach die Tragweite der übermittelten Informationen erkannt.

Nach muslimischer Vorstellung ist der Koran die wörtliche Wiedergabe einer im Himmel aufbewahrten Urschrift (umm al-kitab: *„Mutter des Buches"*).

Schon diese Urschrift sei in arabischer Sprache verfasst und mit arabischen Buchstaben geschrieben.

Die Geschichte der arabischen Sprache beginnt strenggenommen erst mit dem Einsetzen schriftlicher Überlieferung in arabischer Sprache. Das früheste schriftliche Dokument ist der Korankodex, der in der Ära des dritten Kalifen Uthman ibn Affan (644–656) entstand. Die vorislamische Dichtung, die zwar bis ins 6. Jahrhundert zurückgeht, wurde nach mündlicher Überlieferung erst im 7. und 8. Jahrhundert fixiert. Beide Sprachdenkmäler, Koran und Poesie, bildeten für die arabischen Philologen des 8. und 9. Jahrhunderts die Grundlage, ein Lehrsystem mit einem hohen Maß an Normiertheit zu schaffen, das die arabische Sprache erst zu einer Kultur- und Bildungssprache machte.

Die ältesten Belege des Arabischen reichen bis ins 9. Jahrhundert v. Chr. zurück. Es sind Eigennamen in assyrischen Keilschrifttexten. Die dialektale Vielfalt der altarabischen Sprache ist durch Inschriften gut dokumentiert. Eine Inschrift aus dem Jahre 328 n. Chr. belegt die arabische Sprache in nabatäisch-aramäischer Schrift. Unter dem Einfluss des Handelsreiches der Nabatäer entwickelte sich in der Zeit zwischen dem vierten und dem sechsten Jahrhundert eine standardisierte arabische Verkehrssprache heraus.

Mit dem Aufkommen des Islams und den Eroberungen der Araber im 7. und 8. Jahrhundert ging eine gewaltige Ausdehnung der arabischen Sprache einher. Als Sprache des Korans verdrängte sie das Sabäische in Südarabien, das Aramäische in Syrien und Irak, das Persische im Irak, das Koptische in Ägypten, die Berber-Dialekte in Nordafrika und behauptete sich neben Spanisch und Portugiesisch immerhin bis zum Ende des 15. Jahrhunderts auf der Iberischen Halbinsel. Von Tunesien aus wurde die Inselgruppe Malta arabisiert, und von Oman aus drang das Arabische nach Sansibar und Ostafrika vor.

Unser Wissen über den Sprachzustand des Arabischen in vorislamischer Zeit beruht auf den spärlichen Überlieferungen muslimischer Autoren. Wenn gleich diese Schriften keine gesicherten Schlussfolgerungen zulassen, so vermitteln sie doch durch brauchbare Hinweise eine Vorstellung von jener Epoche.

Diese Autoren vertraten die einhellige Meinung, dass die arabische Sprache auf den Dialekt der Quraisch, dem Stamme des Propheten, zurückzuführen sei, da alle Spuren nach Mekka und Umgebung als Geburtsstätte des Arabischen führten.

Wie schnell eine Verwechselung des eigentlichen Sinnes eines arabischen Wortes für jemand, der der Sprache nicht mächtig ist, dies wurde im Verlauf des Buches kurz umrissen.

Der große Nachteil der arabischen Schrift besteht vornehmlich im Fehlen der Buchstaben für die Kurzvokale, die unter anderem als

Träger grammatischer Funktionen zur Herstellung logischer Zusammenhänge im Satz dienen.

Ein Wort wie

»mlk/ملك«

beispielsweise kann im Kontext je nach sprachlicher Betonung
verschieden interpretiert werden: malaka »*besitzen*«, mulk
»*Herrschaft*«, milk »*Eigentum*«, malik »*König*« oder malak »*Engel*«.

Auch

„rgl/رجل"

kann ebenso Ragala „*zu Fuß gehen*", Ragul „*Mann*" oder Rigl
„*Fuß*" bedeuten.

Oft genug erschwert diese Homographie die Deutung der Texte,
führt nicht selten zu Fehlinterpretationen.

Ein anderer Unsicherheitsfaktor resultiert aus der Ähnlichkeit einiger, lediglich durch diakritische Punkte differenzierter Buchstaben beziehungsweise durch deren Anzahl oder Stellung, was
nicht selten zu Verwechslungen führt (vgl.: n und b, t und th, d
und dh, dsch und kh, s und sch usw.).
Als zusätzliche Erschwernis erweist sich zudem die Tatsache,
dass die Schreibung der arabischen Buchstaben im Gegensatz zu
den lateinischen von ihrer Stellung im Wort (Anfang, Mitte, Ende,
isoliert) abhängt.

Und wenn wir der arabischen Überlieferung Glauben schenken
wollen, wonach es eine Urschrift gegeben hat, die fast 20.000 Jahre
alt sein soll, dann lässt sich das Ausmaß von Verwechslungen und
Fehldeutungen erahnen, welche Jahrtausende später bei jeder

Wiederherstellung der Sprache unterliefen.

Auch ein weiteres Problem ist mit dem Arabischen eng verbunden. Verschiedene Buchstaben lassen sich nicht in Gaumen eines Menschen erzeugen, der nicht mit der Sprache seit seiner Kindheit aufwuchs.
Mit diesem Problem hatten Moses und ebenso der Prophet Mohammed bei ihrer Berufung schwer zu kämpfen.
All das berechtigt zu der Annahme, dass das Urarabisch ursprünglich eine einzigartige Sprache war, die ausschließlich in engen Kreisen artikuliert wurde.

Schon bei der Wiedereinführung der Sprache im 7. und 8. Jahrhundert hatten die arabischen Philologen mit vielen Begriffen zu kämpfen, deren Herkunft, Sinn und Deutung im Verlauf der Zeit unbekannt waren.
Sitten und theologische Handlungen wurden einfach übernommen, ohne den ursprünglichen tiefen Sinn des Entstehungsgedanke zu kennen. Somit wurde oft eine folgerichtige Auslegung des Beabsichtigten verfehlt: Der Weg für viele Irrtümer und Fehlinterpretationen wurde dadurch geebnet.

Die Araber haben wohl erkannt, wie tief diese Sprache in der menschlichen Geschichte verwurzelt war. Doch niemand vermag in unserer Zeit die enge Verflechtung bzw. Spuren in anderen Sprachen zu erfassen, um mit der erforderlichen Ernsthaftigkeit systematisch nach den Ursprüngen der Sprache zu forschen, eine Sprache die „Adam" in den Gaumen gelegt wurde und in engen Zusammenhang mit dem Ursprung unserer Zivilisation steht.

Doch nicht die Araber, sondern ausschließlich der Einführung des Islams ist es zu verdanken, dass die adamitische Sprache wiederentdeckt wurde.

Denn in der Geschichte der arabischen Sprache gibt es kein Ereignis, das ihr Schicksal so nachhaltiger beeinflusst hätte, als das Aufkommen des Islams. (Johann Fück: Arabiya. 1950)

Mit dem Islam und seine Verbreitung über die Grenze Arabien hinaus, wurde ein Teufelskreis der Priesterkaste und Religionisten durchbrochen: Die „heilige" Sprache wurde jedem zugänglich und somit die Tore zu der paradiesischen Sprache für jeden Sterblichen weit aufgestoßen.

Die Zeit eines privilegierten „**Soter**", der die Geheimnisse des Göttlichen streng hütete, um seine Macht zu erhalten und zu festigen, waren besiegelt.

Die linguistische Brücke zur Vergangenheit war sozusagen mit der Entstehung des Islams geschlagen worden.

Hätte der altägyptische Weise Ipuwer zu jener Zeit gelebt, hätte er seine Harfe gestimmt und bitterlich beklagt, dass die himmlischen Geheimnisse jedem Sandalenträger verraten wurden.

Auch wenn bei der Wiederherstellung des Arabischen die wirkliche Bedeutung von Begriffen wie „*Masgid*/مسجد" oder „Medina/مدينه", Ramadan oder warum das Gebet am Freitag, „*salat al-gumma'a*", ausgerechnet genau gegen Mittag stattfindet, nicht erkannt, dennoch wurden die damit zusammenhängenden Sitten und Gebräuche erahnt und ein Leitfaden für die Gläubigen nach eigenen Verständnis festgelegt.

Mas´gid war ursprünglich ein Heiligtum, wo man seine Sünden durch berühren eines Teils der Gebäude sich entledigen konnte.
Mit Masgid eng verbunden ist das Minarett.
Das arabische Wort hierfür verrät nicht nur die einstige Funktion, sondern auch die bauliche Weise.

Minarett = „manāra/مناره ",

Begriff aus dem Adj. „Licht/نور",

oder „Feuer/نار ".

Es ist also der Ort des Feuers oder des Lichts.

Demnach war es ursprünglich eine Art Leuchtturm.
Der Alexandrinische Leuchtturm Pharos oder der Turm zu Babel haben diese Funktion verkörpert.
Nach der Aussprache durfte dieser Begriff anfänglich mit „Licht/ نور", mit einer geheimnisvollen Lichtquelle in Verbindung gestanden haben.
Die Logik zwingt uns anzunehmen, dass niemand im Altertum, auch ein Sonnenanbeter nicht, hätte sich die Mühe gemacht, so einen gigantischen und architektonisch vollendeten Turm zu errichten, um an dessen Spitze eine Feuerstelle anzulegen.

Auch wenn die Araber heute Stadt mit „*Medina*" gleichsetzen, ist dies ein historischer Irrtum.
Wie bereits in Kapitel 8 dargelegt wurde, bedeutet „*Me´dina*" unsere Religion, die Stadt unsere Religion: Also ein Ort, welcher ausschließlich mit Religion und Religionslehre zu tun hat, wo meistens eine neue theologische Lehre nach der Gründung entsteht.

„Me´dina" ist das Pendant von Midian / „Mi´dian" des Moses, wo Jethro sein Priesteramt versah, wo auch Moses in der Nähe zum ersten Mal im brennenden Dornbusch dem Gott JHWH begegnete.
Und werden wir an dieser Stelle den Priester Jethro aus arabischer Sicht betrachten, so wird all das verständlich, was Moses dort an Wunder erlebte. Vor allem welche Bedeutung die Erscheinung um den brennenden Dornbusch beigumesssen ist.

Jethro/يطيرو = „Je´thro/ياطيرو"
Leitet sich von dem Verb „Tar/طار"= fliegen,
nach Aussprache würde das Wort „sie Fliegen" bedeuten.
Demnach haben die Begriffe Jethro und zuvor Thara
bei Abraham dieselbe Bedeutung: diese Wesen

gehören zu den fliegenden Engeln.

Die sprachlichen Probleme und die daraus abgeleitete Fehldeutung war allerdings kein „Privileg" der Araber.

Mit denselben Schwierigkeiten hatten die alten Ägypter fast vierjahrtausende zuvor zu kämpfen, unterliefen ihnen ebenfalls Interpretationsfehler, von denen die meisten später von den Arabern des 7. Jahrhundert n. Chr. übernommen wurden.

„Wer weiß nicht, welche Ungeheuer Ägypten in seinem Wahn verehrt?… Ein Flussfisch oder ein Hund gilt dort als Gott", spottete damals der römische Satiriker Juvenal im 1. Jh. n. Chr.

Auch der Deutsche Archäologe Adolf Erman (1854-1937) bezeichnete die Weltanschauung der alten Ägypter als „Wahnsinn, Unsinn und Aberwitz". „Ein Volk der Wahnsinnigen", fügten einige seiner englischen Kollegen höhnend hinzu.

Und in der Tat, keines der Völker des Altertums, der auch noch obendrein als die Wiege unserer Zivilisation gilt, hat die Nachwelt mit derartigen Mischwesen verblüfft und zugleich vor ungelöste Rätsel gestellt.
Überall in den Tempeln und Gräbern blicken wir heute in das Antlitz der verschiedensten Götter, durchwandern in ihren Hallen eine esoterische Welt, die wir kaum zu verstehen vermögen, deren Zauber wir dennoch eigenartiger Weise nicht entfliehen können.

Die Ägypter verehrten in ihrem Mega-Pantheon Menschen, Tiere, Fabelwesen oder eine skurrile Mischung aus allem.
Kühe, Löwen, Katzen, Schakale, Skorpione, Götter mit zwei Köpfen, mit einer Schlange oder einem Skarabäus-Käfer als Kopfersatz- vor keinem Wesen machten sie halt.

Über 1000 ägyptische Götter tummelten sich im Pantheon des alten Ägypten.

Schon der griechische Herodot meinte deshalb, dass die Ägypter *„höchst gottesfürchtig"* wären, *„mehr als alle anderen Völker".*

Waren die alten Ägypter ein Volk von Wahnsinnigen, oder wurden sie vielmehr „Opfer" ihrer unerschütterlichen Frömmigkeit und eine göttliche Sprache, die sie bei ihrer Wiederentdeckung nicht selten missverstanden und demzufolge falsch interpretiert haben?

Was dabei am Ende über die Wesen und Helden der Vorzeit herauskam, war eine unerschöpfliche Ansammlung von Mischwesen und Tiergestalten, die die Grundpfeiler ihrer Kultur und ihren mythologischen Himmel bildeten, ausschließlich der Lauf ihres irdischen Daseins bestimmte.

Schon zu Beginn der historischen Zeit, als der legendäre Pharao Narmer um 3.000 v.Chr. das ägyptische Reich einigte und somit den Grundstein für eine fast dreijahrtausende Hochkultur legte, treten uns die Träger der Kultur mit dynastischen Symbolen entgegen, die ausschließlich aus linguistischer Fehldeutung entsprungen und Missdeutung früherer Botschaften waren.

So finden wir das obere Ende der berühmten Palette beidseitig mit frontal dargestellten Gesichtern der Kuhgöttin Bat geschmückt.

Bat ähnelt ikonographisch der Göttin Hathor, mit der sie später identifiziert wird. Sie wurde als Fruchtbarkeitsgöttin verehrt, die kinderlosen Frauen zur Empfängnis verhelfen konnte. Auffälliger Weise findet Bat in der Zeit vom Neuen Reich bis zur Spätzeit keine direkte Erwähnung, was an ihrer vorübergehenden Verschmelzung mit Hathor liegen mag.

Ab der 26. Dynastie und insbesondere in der griechisch-römischen Zeit lebte dagegen der alte Bat-Kult wieder auf.

Diese Göttin nimmt bereit in der von Narmer weiträumig entfachten Feldzüge eine zentrale Rolle, woraus geschlossen werden kann, dass sie in der vordynastischen Zeit im Zentrum der Götterwelt gestanden hat, vermutlich als „Muttergöttin".

Auch ein Teil der königlichen Bekleidung weist eine Besonderheit auf. Über seinem Tierfell trägt Narmer einen kurzen Schurz unter reich ornamentiertem Gürtel, von vier reich gesträhnten Troddeln befestigt, die von einem Hathorkopf herunterhängen. Diese vier Troddeln symbolisieren aller Wahrscheinlichkeit nach die ›vier Winde‹. Durch den errungenen Sieg wurden der Pharao und die Seinigen also als die legitimem Weltenherrscher betrachtet.
Demnach steht das Weltreich, den Narmer zu gründen beabsichtigt, unter der Schirmherrschaft dieser Kuhgöttin.
Aber eine Kuh?
Wie lässt sich ein derartiges primitives Götterbild mit den Grundzügen einer Hochkultur vereinbaren und warum ausgerechnet eine Kuh?

Dies hat ausschließlich mit der arabischen Sprache zu tun und nur mit ihrer Hilfe lässt sich dieses kulturelle Defizit plausible erklären.

Kein Gott wurde in 3.000 Jahren Geschichte so verehrt, wie der Sonnengott Re, der für Ägypten von zentraler Bedeutung war.
„Re/ره" oder „Ra/رﻪ "
ist ein arabisches Wort und bedeutet
„sehen" bzw. „er sieht".
Das Wort wird von „yara/يرى "=
Sehen abgeleitet.

Demnach ist die Gottheit Re der „alles Sehender", der „Allmächtiger" also, der „Allgegenwärtige".
Dementsprechend wird er folgerichtig als Auge (Auge des Re) dargestellt.

Das heißt, dass die Bedeutung des Wortes ausschließlich aus dem Klang des gesprochenen Wortes herausgehorcht werden muss.

Bei der Wiederherstellung der heiligen Sprache und Festlegung eines kultischen Leitfadens, war aus der alten Überlieferung zu vernehmen, dass eine bestimmte, allmächtige Göttin der ersten Stunde für die Verehrung des Sonnengottes zuständig , die aber auch Muttergöttin war.
Alles spricht dafür, dass sie seine Hohepriesterin war, die in engster Beziehung mit der Gottheit Re und seinen Kult gestanden hat.

„baqa rah/ره باق" (ewiger Ra),

dürfte aus dem Munde der Rezitierender geklungen haben, als er über die Göttin und ihrer Beziehung zum Göttlichen vortrug.
Zu dieser Zeit waren die Götter der Vorzeit längst zu unnahbaren Figuren, zu nebelhaften Legenden erstarrt.

Ein Schriftgelehrter, der später fast ein Jahrtausend nicht das Geringste davon ahnte, was sich in der dunklen Vorzeit abspielte, klingt der Ton dieser beiden zusammengehörigen Begriffe beim Schreiben nach Gehör eindeutig wie

„*bakara*/بقره“ = Kuh

Demnach war ihre charakteristische Beigabe, das Göttin-Symbol einer Kuh und galt als Inkarnation der Göttin auf Erden, was zur Entstehung eines Mischwesen führte.
Und auf diese Weise entstanden die uns vertrauten altägyptischen Götter: Ein menschlicher Körper mit der entsprechenden charakteristischen Beigabe aus dem arabischen Begriff als Tierkopf.

Nicht selten wurden ganze Tiere als Götter angesehen.
Die bizarre Götterwelt der Ägypter entsprang bei der Wiederherstellung der Schrift eine Fehlumsetzung des mündlich Überlieferten aus dem Arabischen.
Würde dabei berücksichtigt, dass zurzeit Narmer um 3.000 v.Chr. bereits das Arabische von den Schreibern fehlgedeutet wurde, was auf eine unfachkundige Schriftgelehrten-Generation zurückzuführen ist, so lässt sich erahnen, wie alt diese Sprache sein muss und dass die belächelte Aussage, das Arabische sei vom Himmel gefallen, neu interpretiert werden muss.

Ein weiteres spektakuläres Beispiel betrifft den Gott Seth, der Gegenspieler Osiris.
Auf ein griechischen Papyrusfragment aus der Zeit um 400 n. Chr. wird diese Gottheit in seine Nupti-Eigenschaft (mit Pfeil und Bogen) mit menschlichem Körper und Eselskopf dargestellt.

Die Esel-Definition (حمار/Hima´r) wurde im 9. Kapitel behandelt.
Danach besteht der Begriff aus

»حما/Hima« und »رة/rah« = »*Beschützer Ras*«.

Und in der Tat würde die arabische Definition „*Beschützer*" exakt
die überlieferte Rolle Seths in seiner Beziehung zum Sonnengott
entsprechen.
Seth wurde eine unglaubliche Stärke zugewiesen. Sein Zepter soll
fast 2000 kg gewogen haben. Eisen, das härteste Metall, das die
Ägypter kannten, nannten sie „die Knochen des Seth". Mit seiner
ungeheuren Kraft war er wie geschaffen dafür, als Helfer des Sonnengottes am Bug seiner Barke zu stehen, um während der Nacht-
fahrt als Beschützer des Res den bösen Schlangengott Apophis
mit seiner Lanze zu erstechen.
Dementsprechend tauchen seine positiven Aspekte immer in Verbindung mit dem Sonnengott Ra auf.

Auch bei Seth führten die kurz aufeinander folgenden Begriffe
beim Rezitieren zum Begriff „Esel".
Auf diese Weise kam der vordynastische Seth zu seinem Attribut,
welches zum „Eselskopf" führte.

In beiden Fällen stehen also die Akteure in engster Beziehung
zum Sonnengott Re.

Wie tief verwurzelt im Bewusstsein religiöser Weltanschauung
diese beiden Begriffe im Verlauf von Jahrtausenden geblieben
sind, wird in patristischer Literatur (z.B. Hieronymus Ep 108,10,
Text Kirchenväter) und in eine Ausschmückung der Geburtsge-
schichten des Matthäus- und des Lukasevangeliums, Kapitel 14
festgehalten, die seitdem stets Einzug in die christliche Tradition
hielten:

»*Am dritten Tag nach der Geburt des Herrn verließ Maria die Höhle
und ging in einen Stall. Sie legte den Knaben in eine Krippe, und Ochse*

und ein Esel beteten ihn an. Da ging in Erfüllung, was durch den Propheten Jesaja gesagt ist: „Es kennt der Ochse seinen Besitzer und der Esel die Krippe seines Herrn."«

Im Laufe der Zeit wurde aus der Kuh ein Ochse.
Das ausgerechnet diese beiden Tiere den Neugeborenen anbeten, bedeutet, dass wir uns immer noch mitten im Sonnenkult befinden und dass der Mythos um Jesusgeburt eindeutig altägyptischen mythologischen Quellen entnommen wurde.

Auch Kleopatra war eine „Ra-Anbeterin".
Die Griechen waren schlechte Arabisten. Ihre Aussprache war holprig.
Der Name der geheimnisumwobenen Herrscherin besteht aus

„Kleo ´pat´ ra"
„Kleo/قولى" = „sagt zu mir",
„pat/بت" = „Tochter des",
„ra/ره" = Sonnengott Ra,
„Sagt zu mir: Tochter des Re"
Demnach betrachtet sich die Königin als
eine Tochter des Sonnengottes Re,
schlüpft damit in die Rolle der Muttergöttin.

Dementsprechend darf sie die Sonnenscheibe, aber auch die Kuhhörner nach der Weise einer Bat oder einer Hathor tragen.

Erst mit dem Tod Kleopatras im Jahr 30 v.Chr. bricht die dynastische Kette von über 170 Gottkönige endgültig ab.

Und gerade der Name Kleopatra dürfte veranschaulichen, wie groteske Formen arabische Begriffe bei Menschen nehmen können, die die Sprache nicht beherrscht haben.

Kleopatra hatte in Wahrheit keinen eigenen Namen!
Ihr geläufiger Name stellte nach ihrer Geburt eine Aufforderung
seitens der Priesterschaft an die Untertanen, dieses göttliche Kind
als Ra´s-Tochter zu zurufen:

„Bat Ra/بت ره ".

Diesen Titel sollte stets die göttliche Abstammung zum Ausdruck
bringen.

Aus Unwissenheit wurde der gesamte Aufruf als ein durchgehender Begriff aufgefasst und als Name verstanden.
Doch dies ist noch nicht alles an Entstellungen und Fehldeutungen.
„Bat/بت " gleicht in der Aussprache die Bezeichnung für „Haus
des".
„Bat Ra/بت ره" bedeutete ursprünglich „Haus des Ra".

„**Bat**" (identisch mit Hathor) ist ebenfalls der Name jener Kuhgöttin, die 3.000 Jahre zuvor die Narmer-Palette schmückte.
Auch dieser Name war damals schon entstellt, bzw. nicht zu Ende
gedacht: es fehlte das göttliche Zeichen, nämlich „Ra".

Das Verhalten der alexandrinischen Griechen um Kleopatra wenige Jahrzehnte vor Christi Geburt belegt, dass sie nach 3.000 Jahren ägyptischer Kultur nicht das Griechische, sondern das Arabische verwendeten, wenn es um höchste kultische und himmlische
Angelegenheiten ging.
Das Göttliche, oder was man früher unter Heiligkeit verstand,
war sozusagen in der arabischen Sprache eingebettet.

Aus den bisherigen Erwähnungen lässt sich folgern, dass zurzeit
der Gründung des pharaonischen Reichs durch Mene die arabische Sprache in der mündlichen Überlieferung bereits existiert hat

und im Verlauf der Wiederherstellung der Schrift und schreiben nach Gehör vieles falsch interpretiert bzw. gedeutet wurde.

Als der legendäre Pharao das Niltal betrat, waren die Götter und Helden der Vorzeit längst erblasst, das goldene Zeitalter spärlich in Mythen und Legenden erstarrt.

Und die göttliche Sprache, das Arabische, schwerlich zu deuten. Alles spricht dafür, dass die Gründer des pharaonischen Reichs bereits auf eine tausendjährige Zeitspanne zurückblicken, die erst erforscht werden musste.

Die göttlichen Botschaften aus längst vergangenen Zeiten mussten neu entdeckt und interpretiert werden.

Und die Schriftgelehrten und Schreiber, mit der vorsintflutlichen Sprache überfordert, schufen auf literarischen Wegen eine bunte Welt aus Göttern und Halbgöttern, die dreijahrtausende nicht nur das ägyptische Reich, sondern die Alte Welt in Atem hielt und die Grundpfeiler einer Hochkultur bildeten, die zur Achse der Geschichte wurde.

Das, was bei Narmer und seinen Genossen offenkundig wird, ist nicht die eigentliche Kultur, die sie schufen, sondern das geistige Niveau, worauf diese Kulturlandschaft erblühen wird.

Diese Menschen waren bereits vor über 5.000 Jahre in der Lage, imposante Tempel und blühende Stätte zu bauen, den Nillauf zu verändern, Dämme anzulegen und die geheimnisumwobene Stadt Memphis aus dem Boden zu stampfen.

Doch all dies dürfte nicht darüber hinwegtäuschen, dass sie immer noch ihren archaischen und nomadischen „Verstand" nicht überwunden hatten.

Sie huldigen eine Kuhgöttin an, denen das Weltreich der Vierwinde geweiht wurde, das sie gründen wollen.

Damit wird erkennbar, dass sie niemals die Schöpfer der eigenen Kultur waren.

Die irdische Kultur, die sie nun schufen und beharrlich Jahrtausende aufrechterhalten werden, ist in ihrer ganzen Ausdehnung unwirklich. Sie stellt lediglich ein Vorraum zum jenseitigen Dasein, ein Warteraum und Generalprobe vor dem endgültigen Dasein im Jenseits.

Nicht unsere Welt, nicht der Boden auf dem sie stehen ist das endgültige Ziel der Seele, sondern eine andere kosmische Welt außerhalb unserer Planeten.

Und die Umstände, die zur Entstehung der Kuhgöttin geführt haben, beweisen zuweilen, dass auch die Heilige Sprache, die sie mit ihrer Kultur in Verbindung brachten, nicht die ihre war.

Aus diesem   kulturellen Kreislauf heraus spricht die Logik dafür, dass

**das Arabische, die paradiesische Sprache,
vom Himmel herabfiel.**

Nachbetrachtung

Babylon war keine »Hure«.

Die Stadt war vielmehr ein Schmelztiegel und Hort der Zivilisation.

Je wütender und ausfallender die biblischen Propheten sie verdammen, ihren Untergang und ihre Vernichtung verherrlichen, desto sicherer dürfte die geschichtliche Wahrheit sein, dass diese Stadt genau das Gegenteil für die menschliche Kultur verkörperte.

Die Babylonier suchten die Wahrheit verbissen, stets strebten sie danach mit ihrem freien Geist das Verborgene zu enthüllen, das erst recht vor dem Göttlichen nicht haltmachte.

Wissbegier wurde ihnen zum Verhängnis.

Dasselbe Schicksal ereilte sie, das zuvor »Adam« zuteilwurde.

Auch er strebte nach Wissen, nach dem Ursprung der Dinge, zu denen mitunter das Verborgene gehörte, und »aß« dabei vom zensierten »*Baum der Erkenntnis*«; die verbotene Frucht vom Paradies, die nicht für gewöhnliche Menschen erschaffen wurde.

Zuweilen kam er der göttlichen Wahrheit unendlich nah.

Durch die Vertreibung wurde er entmündigt, vom fließenden Strom der Erleuchtung ausgeschlossen, welche zwangsläufig zu dem ewigen, verborgenen Geheimnis geführt hatte.

Alexander der Große wurde Jahrtausende später in Siwa in das göttliche Mysterium eingeweiht.

Seine spätere Einsicht in Mesopotamien, Babylon in neuem Glanz auferstehen zu lassen, belegt, dass er nach der Gründung der Stadt Alexandria nunmehr die babylonische Wahrheit erfahren hatte – und mit ihr das Ausmaß der menschlichen Tragödie.

Ein verhängnisvoller Fehler des jungen Makedoniers.

Mit den hier vernommenen adamitischen Lauten wurde ein bescheidener Teil des babylonischen Dramas enthüllt, das schlechthin immer noch bis in unsere Gegenwart andauert.

Babylon verkörperte einen Stadttypus, in dem sich die Kultur zu einer Zivilisation umzuwandeln begann, getragen von demokratischer, freiheitlicher Ordnung – und vor allem grenzloser Religionsfreiheit.

Sie ist das Vorbild und die Vorläuferin dessen, was das spätere ptolemäische Alexandria zu verkörpern versuchte.

Babylon, zunächst vom »HERRN « gelobt und gepriesen, bot allmählich einen geistigen Nährboden, in dem die »göttliche« Autorität zu verwelken begann.

Die über der Stadt verhängte Sprachverwirrung diente nur einem Zweck: das Mysterium um die Götter der ersten Stunde zu verfinstern.

Aber kann die Finsternis ewig über der Wahrheit ruhen?

Wohl kaum!

Die Verschleierung hat nie verhindern können, dass ein Teil des adamitischen Erbes seit Jahrtausenden in mündlichen Überlieferungen unerkannt schlummerte.

Mit dem hier gezeigten Weg der »**Kelmatologie**« wurde ein wichtiger Schritt getan, um diese Ur-Botschaften zu entschlüsseln.

Das Wort, das am Anfang war, beginnt allmählich wieder in unseren Ohren zu klingen – so wie es in Adams Ohren einst geklungen hat.

Mitunter wurde auch ein Teil der verloren geglaubten Wahrheit entschleiert.

Aber das ist offensichtlich nur ein Teil dessen, woran Babylon zerbrach: Womöglich wusste man dort Antwort auf einige sich in diesem Buch ergebene Fragen.

Allen voran: Wer war der Gott des Höchsten Salem und woher stammen die »Kinder«, die der HERR seine eigenen nannte?

Mithilfe der »**Kelmatologie**« besteht nunmehr die berechtigte Hoffnung, dass Babylon zu neuem Glanz erwachen und abermals die himmlischen Pforten trotzend berühren wird.
Babylon ging nie unter!

Anhang

Ba-Vogel etwa um 600 v. Chr.
RIJKS Museum Van Oudheden
Leiden - Niederlande

Ältestes Zeugnis des Arabischen
Diese verkannte altägyptische Vogelskulptur stellt eine
historische Sensation dar.
Das auf der rechten Seite des Vogels eingetragene
Schriftzeugnis mit diakritischen Punkten ist
gut 1200 Jahre älter als das älteste erhaltene
arabische Papyrus aus dem Jahr 643 n.Chr.,
das unbestritten diese Punkte aufweist.

Übersetzung

Die arabische Schrift ist krakelig eingetragen.
Es ist kaum möglich, eine genaue Übersetzung der „magischen"
Wörter vorzunehmen. Sie wurden von Wissenden für Menschen er-
schaffen, die um ihren inneren Gehalt noch wussten.
Ob das, was wir heute darunter verstehen zutrifft, ist fraglich.
Doch dies ist zweitrangig.
Allein entscheidend dürfte die hierdurch gegebene Beweiskraft,
dass im Pharaonen-Kreise das Arabische 1200 Jahre vor Entstehung des
Islams geläufig war.

تنكر = sich verkleiden, sich bis zur Unkenntlichkeit wandeln.

يعمر = mit Leben erfüllen, ein langes Leben schenken.

يترس = schützen, mit Schutzschild versehen.

تكمر = hochherzig sein, großzügig, ehren.

Wandmalerei aus San Lorenzo Maggiore, Neapel, 14. Jh.

Missdeutungen und die Folgen

„Ochs/Kuh" und Esel sind bei der Geburt Jesus zugegen- bis
zum heutigen Tag eine vertraute weihnachtliche Darstellung!
Diese romantische Szene resultierte aus Missdeutung
des mündlich Überlieferten bei der Gründung
des pharaonischen Reiches vor mehr als 5000 Jahren.
Die Fehldeutung vieler Begriffe aus dem Arabischen bescheren
Ägypten eine Hochkultur voller mystischer Mischwesen,
die dennoch nachhaltig die kulturelle Entwicklung später prägen wird.

Seth beschützt den Sonnengott Re
vor der Schlange Apophis

Seth muss die Schlange Apophis, die immer wieder
lebendig wird, in jeder Nacht aufs Neue Töten,
damit die Sonne am nächsten Tag wieder aufgeht.

Da die beiden Begriffe »حما / *Beschützer*« und »رە / *rah*« = »*Beschützer
Ras*« im Rahmen der mündlichen Wiedergabe in einem Atemzug
rezitiert wurden = »حمارە / *sein Esel*«, klangen sie als ein
durchgehender Begriff und machten aus dem
vordynastischen Seth ein Mischwesen mit Esel Kopf.

Die Kuhgöttin Hathor

Hathor war fest mit dem Sonnengott Re verbunden,
dessen Sonnenscheibe sie zwischen den Hörnern trägt.
Sie galt als „Auge des Re" und als seine Tochter.
Sie war die Hauptgemahlin des jeweiligen Pharaos ab der
4. Dynastie. Die Oberpriesterin Hathor galt als Inkaration
der Göttin auf Erden. In Verbindung mit dem Königtum
war sie Beschützerin des Pharaos und als göttliche
Amme, die den König säugt.
Ihr Mischwesen ist auch eine Folge von Fehlübertragung aus
dem Arabischen bei der Gründung des pharaonischen Reiches.
»باق /ewig« und »ره ر /rah« schmolzen im Ohr des
Zuhörers zu einem einzigen Begriff
بقره = Kuh

Missdeutungen dieser Art können sich nur aus dem Wortschatz
einer einzigen Sprache ergeben: das Arabische.

Literatur-Nachweise

-Mohammed, die Stimme Allahs, Anne-Marie Delcambre, Ravensburger Verlag.

-Geschichte beginnt mit Sumer, Samuel N. Kramer, Paul List Verlag München.

-Ägyptisches Totenbuch, übersetzt und kommentiert von Gregoire Kolpktchy, Otto Wilhelm Barth Verlag GmbH.

-Elba, Chaim Bermant und Michael Weitzman, Umschau Verlag.

-Schwarzbuch der Weltgeschichte, Hans Dollinger, Südwest Verlag München.

-Leopold von Ranke und die moderne Geschichtswissenschaft, Herausgeben von Wolfgang J. Mommsen, Klett-Cotta.

-Die geheime Botschaft des Gilgamesch, Werner Papke, Weltbild Verlag.

-Langenscheidts Handwörterbuch Arabisch-Deutsch, Dr. Lorenz Kropfitsch, Langenscheidt.

-Hebräische Mythologie, Robert von Ranke-Graves und Raphael Patai, Rowohlt.

-Die Suche nach der vollkommenen Sprache, Umberto Eco, Verlag C.H. Beck München.

-Herodot Historien, A. Horneffer, Alfred Kröner Verlag Stuttgart.

-Kulturgeschichte des Alten Orient, herausgegeben von Hartmut Schmökel, Alfred Kröner Verlag Stuttgart.

-Zeitalter im Chaos, Immanuel Velikovsky, Europa Verlag.

-Die Bücher der Geheimnisse Henochs, herausgegeben von G. Nathanael Bonwetsch, Leipzig 1922.

-Babylon, Joan Oates, Gondrom.

-Der Turm von babylon, Evelyn Klengel-Brandt, Koehler & Amelang Verlag.

-Der Koran, nach der Übertragung vom Ludwig Ullmann, Wilhelm Goldmann Verlag München.

-Der Adam und Eva Report, Eva Maria Borer, dtv.

-Die Welt der Bibel, Prof. Dr. Dr. Anton Jirku, Gustav Kilpper Verlag Stuttgart.

-Mohammed-die Stimme Allahs, Anne-Marie Delcambre, Otto Maier Ravenburg.

-Die Apokryphen – verborgene Bücher der Bibel, Erich Weidinger, Pattloch.

-Die Bibel, nach der deutschen Übersetzung Martin Luthers, Württembergische Bibelanstalt Stuttgart.

-Das Gilgamesch-Epos, übersetzt von Albert Schott, Philipp Reclam Jun. Stuttgart.

-Weisheit und Mysterium-das Bild der Griechen von Ägypten, Jan Assmann, Verlag C.H. Beck München.

-Geschichte und Kultur der semitischen Völker, Sabatino Moscati, Benziger Verlag Einsiedeln Zürich Köln.